JUST PUB

文明之光

第一册

Civilizations and
Enlightenments

吴军 著

人民邮电出版社

北 京

谨以此书献给我的家人。

序一
跨界写作的勇气

在今天，试图用几十万字，而非几百万字描绘人类文明史，是需要勇气的。

我这么讲，不仅因为在研究大尺度历史方面，市面上已经有了《全球通史》、《历史研究》这样的优秀著作，还因为人类文明史的写作，需要考古、科学史、科学哲学、技术史、经济史、艺术史、建筑史和政治史等多方面的积累。如果说"一本大书就是一个灾难"，那么作者的"偏科"将会让它万劫不复。

著史需史才、史学和史识。吴军博士的史才，我们在《浪潮之巅》中已经领略；他在不同文化、不同机构下科研工作的积累，加上他长期游历欧美实地考察，也赋予了他难得的史料厚度和相关知识底蕴；从科学家向投资家身份的成功转型，使得他常常能道出超越同侪的见识。这些独特条件，确保了他能以一人之力，从浩瀚的原材料中，合理选择片断，构成一幅文明之光的拼图。

用如此短的篇幅，概述如此恢弘的文明画卷，那么这幅拼图必然是写意的、散点透视的。在我看来，贯穿全书的"意"有三：一、进化观点；二、科技 - 资本黄金组合；三、反英雄史观。

进化观点我们不陌生，作为一名科学家出身的作者，采用这种观点著史很自然。不过在很长一段时间内，有人把这一生物学观点推广到了社会领域，这就有些跑题了，也是不符合科学精神的。本质上，进化观点恰恰是反对所谓历史规律的，连达尔文自己也说，他提出进化论的灵感来自于偶然阅读马尔萨斯的著作，生物的突变过程更是具有很大偶然性，并且从价值判断上，存活下来的不一定更"好"，仅仅是更"适"而已。小例子如英文键盘的排列，今天我们知道，它绝非效率最好的排列，只不过历史的偶然让它变成这样，即便有人发明一种更"好"的键盘，也不会有生命力。在本书中，采纳偶然性解释的案例很多，比如说日本是个岛国，原材料相对缺乏，因此制作任何东西都必须精益求精，否则会被认为是浪费财物；在讨论荷兰和英国为何超过葡萄牙西班牙时，认为正是这两个国家不利的地理、气候条件（上天给的偶然因素），决定了他们只能靠工商业致富。

平心接纳了这种偶然性，我们就不难理解吴军博士为何单开一章讲述"人造的奇迹——瓷器"。普通的史书不会给单件发明如此多的篇幅，即便硬要写一件，一般作者也会选择传播思想的印刷术（造纸术），而非瓷器。瓷器是无名工匠偶然的发明；其技术进步与美学观点变迁，是人类多文明融合演进的绝佳样本；西方国家利用现代分析方法，在市场上超越东方的"手艺"，又是科学技术威力的明证；市场利润因素推动欧洲工匠孜孜不倦寻找制瓷秘诀，从一个侧面解释了近 500 年欧美领先全球的原因。

说到利润，由于儒家讲"士农工商"，再加上经典作家对资本主义的批判，很长一段时间内，国人羞于谈"利"，认为它总是与"自私"挂钩，狠斗私字一闪念。其实亚当·斯密《国富论》推导的是"自利"（self-interest, 而非自私 selfish）导致利他的过程。长期来看，推动人类文明进步的源动力不外乎 3 个 G：God, Gold, Glory。古希腊人的科学艺术，为的是 Glory，很多研究没什么直接应用价值，情怀令人赞叹，但对其他文明的可复制性就不容乐观；中世纪时伊斯兰教大扩张，靠的是 God 给予的强悍动力，但马放南山之时，就是这个文明衰微之始；纵观人类 2000 年来的历史，只有 Gold 代表的利润因素，才是超越一切民族和文化的普适动力。吴军博士以科技 – 资本的组合，解释瓷器的演变；解释欧洲的大航海为什么能够持续，而中国航海在郑和之后就戛然而止；解释为何荷英资本主义模式成为世界主流；解释历次工业革命的起源。这是全书第二个"意"。

反英雄史观是吴军博士这套书的第三个"意"，在书的前半部分，贯彻得比较彻底，如对古埃及文明、美索不达米亚文明无名创造者的敬意、对法老、亚历山大大帝、屋大维和蒙古人赫赫武功的轻描淡写，第一册的目录中，前四章只出现了汉谟拉比一个人名；但到书的后半部分，史观有些动摇。我非常理解作者操作上的难处：一来，人都是喜欢听故事的，故事的主人公没个名字，确实很难提高可读性；二来由于人类科学技术往精深发展，研究变成了一种专业，做出重大发现的基础是高等数学工具和复杂昂贵的实验，而非生活常识，像历史上那种普通工匠偶然做出划时代发现的情形越来越少。不过还好，作者在细微之处还是做出了一些调整，如在讲美国时，把富兰克林放在杰弗逊、华盛顿前面，并且把富兰克林首先定义为一个科学家。不仅如此，因为吴军博士本人就是一名优秀的科学家，所以在浩如烟海的科学家、发明家中选择时，也有他独到的眼光。他在行文中，对富兰克林、爱迪生、焦耳、史蒂芬森、奥本海默等既懂科学发明又懂经营管理的人，表现出格外的敬意。这与作者在硅谷的工作经历密不可分，同时也提醒我们：近代以来，荷英开创的经济体系席卷全球，脱离具体商业模式的"发明"、"创新"只能是无源之水无本之木，必然不可持续。

说到荷英体系，我想起读吴军博士《浪潮之巅》一书时的经历。在那本讲IT业兴衰的书中，他花了相当大的篇幅论述风险投资对IT业的作用。乍看起来有些跑题，但仔细一追溯技术发展的动力，"资本"这个土得掉渣的词儿，正是那些很酷的网络创新背后的真正推手。这让我想到了万科的经历，万科1988年股份化改造，1991年上市，是深市"老五家"之一，万科三十周年之际回头看，若不是当年借助了资本市场的神奇力量，在一个资金密集型的行业中，我们根本无法走到今天。

以上是阅读《文明之光》后一点拉杂的感想。对于文明史这一题材，缺的不是原材料，而是快刀斩乱麻的勇气和见他人所未见的眼光。诚然，史料的摘选见仁见智，我也并非完全同意吴军博士书中的每一个观点，但格外欣赏他驾驭这个题材的勇气。在继承前人成果基础上，敢于尝试，敢于立新，不仅是从事学术工作的基本要求，也是一个国家、一个企业自我颠覆的动力所在。

王石

万科企业股份有限公司董事会主席

2014 年 5 月于深圳

序二
大数据时代感受人文和科技的跨界之美

从小我就酷爱读历史，那些可歌可泣的故事深深地打动着我的心灵。历史似乎就是一盘棋，命运时时在那些伟人的掌控之中。然而，我也经常会问一些可笑的问题，例如：当年如果荆轲刺秦王成功，中国的历史将会如何演化？如果布鲁图刺杀恺撒大帝失败，欧洲的历史又会怎样？如果普鲁士军队来到拿破仑与惠灵顿打得不可开交的滑铁卢战场时迟了两小时，世界又将转向哪个方向？如果，如果……人类的历史好像就被那些偶然的因素牵着走。

学习物理把我带进了另一个世界。牛顿方程下的宇宙，就像一个瑞士手表，每分每秒都在精密地运转。小到树上的苹果，大到太阳系的行星，用一个简单而优美的万有引力定律就能描述。这两个截然不同的世界都神秘地吸引了我，但是物理世界的必然与历史世界的偶然却让我困惑不已。

当我深入学习了统计物理学之后，才开始慢慢看到两者的相似之处。牛顿方程之所以能精密描述行星的运动，是因为这是个简单体系，仅有少量的几个自由度。当我们观察气体中的分子和液体中的小颗粒时，它们的运动是杂乱无章的，似乎也被偶然的因素所左右。而统计物理学把这些杂乱无章的个体运动放到整个系统行为的高度来看，于是，那些偶然的因素在统计平均中消失了，人们由此提炼出能量守恒与熵增的普适规律，让偶然走向了必然。爱因斯坦曾经说过，在未来的知识领域，牛顿力学、相对论以及量子力学都会被修正，而统计力学的定律却是永恒的。

所以我要问，能否用同样的眼光来看待历史呢？历史的浩瀚章节、戏剧式的人物故事，尽管偶然，就像液体中的小颗粒一样难以预测，但当我们把时空尺度渐渐放大，这些偶然因素是否会在大数平均下相互抵消而消失，从而提炼出真理呢？

正当我在深思这些问题的时候，受到好友吴军的邀请，拜读他的大作《文明之光》，并为这套书作序。我在欣喜中一口气把他刚完成的两册书稿读完，深受启发。吴军的著作帮助我从噪声中寻找到了信号。

我们读历史时往往会问，在这之前发生了什么？历史的起源，是有人类以来最常问到的深刻问题，不同的民族、不同的宗教、不同的文化都有自己的"创世纪"传说。人类文明绵延数千年，直到我们这一代，才真正了解了时间的原点。今天，我们知道，宇宙是在大爆炸中产生的，宇宙的年龄为 137.98 ± 0.37 亿年，地球的年龄约为 45.4 亿年，恐龙是在 6500 万年前消失的，现代智人的年龄约为 20 万年，人类有文字的历史约为 5500 年。正如吴军在《文明之光》引子中所提，若将地球的年龄缩短成一年，则人类仅在最后的半小时才出现。所以，我们要读懂人类文明史，更需要从宇宙形成的原点出发，用大历史的眼光来看待一切。在大历史的尺度下，更能在统计平均的意义下去掉那些偶然因素，留下宇宙演化与文明进步的真理。

人类是由原子和分子组成的奇妙物种，我们要找到普适于宇宙与人类的第一性原理，必须从最基本的概念出发，那就是能量、信息与时空。它们的结合，产生了能量密度与信息密度的概念。（值得注意的一点是，物理学家引进了熵的概念，后来发现熵的统计意义就是信息，两者是等价的。）

宇宙大爆炸后，刚开始，宇宙中充满了基本均匀的微小尘埃，随着时间的推移，尘埃的密度也开始发生涨落，有些密度比较高的地方，通过万有引力的作用，把别处尘埃逐渐吸引过来，尘埃间的距离会变得非常近，能量和质量的密度也会大大提高，超过临界值之后，有一种新的力会起更大的作用，即强相互作用力，它使得原子核在碰撞时产生核聚变反应，聚变反应成为新能量的来源。通过这个机制，形成了恒星和星系，从此恒星点燃了宇宙之光。

相似地，人类刚刚起源的时候，分散在地球表面，通过狩猎和采集维持生存，此时人类的能源更多来自于狩猎获取的动物。由于动物资源有限，所以人口密度不会达到临界状态。直到一万年前，人类发明了农业，开始了耕种，农作物通过光合作用带来能量，维持人类的生存，可以说人类利用了一个新的能源，即太阳能。这一新能源导致能量密度极大提高，也造成人口密度的极大提高，形成了村庄。能量密度的提高，为人们更紧密的信息交流提供了机会和条件，进而产生了语言和文字，从此点燃了文明之光。

由此可见，整个宇宙复杂性（Complexity）的产生，无论是恒星的产生，还是人类文明的产生，都需要能量密度达到一定高度。

我也在思考，我们经常提到文明，那么什么是文明？文明的定义是什么？生物世界通常只有一种传播信息的办法，就是通过基因。而人类创造了一个平行于基因的信息体系，就是通过语言和文字，代代相传，称之为文明。所以我将文明简单定义为：平行于生物基因，可以代代相传的一个信息系统。在《文明之光》这套书中，很多章节都提到了新能源的发现，人类每次新能源的革命，例如蒸汽机、电力和核能的发明，都为人类文明带来巨大的变革。

经典的史书，常常是对帝王战争的记述占据了绝大的篇幅。在战争中，秦始皇、亚历山大大帝、恺撒大帝们得到了个人至高的荣耀，却带给百姓兵荒马乱、妻离子散的残酷悲剧。而在人类的文明史中，战争又占有什么样的地位呢？在我看来，战争最大的遗产是颠覆性地打开了信息交流的新渠道。

亚历山大大帝戎马一生，英名盖世，征服了当时他所知的世界，但他英年早逝，还没等建立起自己的王朝，他的帝国就崩溃了。他给人类文明留下了什么呢？是一个图书馆！亚历山大大帝有两位老师，一位是他的父亲，教他用武力征服世界；另一位则是亚里士多德，教他汲取世界知识。《文明之光》中提到，在亚里士多德的影响下，亚历山大始终对科学十分热心，对知识十分尊重，并提供人力和财力支持，使得古希腊文明广泛传播。当他征服埃及之后，建立了港口城市 —— 亚历山大城。亚历山大在世的终极目标是征服一切已知的世界，而他建立的图书馆的目标是收藏人类一切的书籍与知识。当时每艘船进入亚历山大港口，都要被搜查，若找到一本图书馆里没有的书，就会被"充公"一年，等图书馆工作人员抄写完毕，重赏后才物归原主。这样年复一年，亚历山大图书馆便收集了当时人类几乎所有的书籍，声名远扬，成了古代信息密度最高的地方，也吸引了古代最杰出的学者。信息密度超过了临界值，加上杰出学者的智慧，导致了一场古代社会的"知识大爆炸"。图书馆馆长埃拉托斯特尼（前 276 — 前 193）在一本书上读到，埃及西厄这个地方在夏至那天的正午，立竿而不见影。于是他想出了一个奇妙的办法，通过亚历山大城的竿影便能测出整个地球的周长。当时人类对数学已有了许多碎片化的知识，但是没有一个完整系统。欧几里得在亚历山大图书馆里阅读万卷书之后，写出了千古奇书《几何原本》，用公理化的体系，不但奠定了整个几何学的基础，也制定了整个科学研究的方法。在《文明之光》中还提到大科学家阿基米德与托勒密都曾在亚历山大图书馆里学习与工作，他们分别奠定了物理学与天文学的基础。

亚历山大大帝通过战争打通了古代世界，促进了交流，而亚历山大图书馆则空前地汇聚了人类的知识与处理人类知识的大学者，达到了信息与信息处理的超高密度，创造了古代世界知识大爆炸的奇迹。由此看来，使亚历山大大帝流芳千古的，并不是他在战场上的丰功伟绩，而是他留下的这个图书馆。

恺撒大帝被视为古罗马帝国的无冕之皇，现在人们每次提起他，大多讲的是他在战场上的丰功伟绩、与埃及艳后的浪漫史，以及他最后被自己钟爱的养子布鲁图刺杀。但我更想知道，他对人类文明起了什么作用？作为古罗马帝国的缔造者，恺撒大帝为了征服别的民族和国家，开始修建罗马大道。西方古语有云：条条大路通罗马，可以想见罗马大道的规模。罗马大道修建时是为了军事目的，用于运输军队和军事供给。道路的延伸带来了罗马版图和权力的扩张，加强了罗马帝国对被征服地区的统治。渐渐地，这个军事网络逐渐发展为金融、文明交流网络，起到了原先修建罗马大道时意想不到的作用。经济上，罗马大道使得罗马帝国征税非常方便，并极大地促进了商业的发展。文化上，罗马大道促进了非罗马地区的文明化进程，使得罗马的政治制度、法律制度、经济模式、生活方式等得到了广泛普及。但出人意料的一个例子是基督教的传播。基督教起源于犹太国，犹太国当时是一个很小的国家，根本无法与罗马帝国在世界上的地位相提并论，耶稣基督和他的十二门徒就是来自这个小国。通过罗马大道，门徒们非常有效地传播了他们的宗教信仰。从古罗马皇帝尼罗（37—68）迫害基督教徒，到君士坦丁大帝（272—337）把基督教定为古罗马国教，只有短短不到 300 年时间。最终，古罗马帝国逐渐衰亡，基督教却流传下来，深刻影响了世界文明。基督教从一个小小犹太国的信仰，发展为现在世界的三大宗教之一，可以说是人类网络效应的第一个传奇。

令人叹息的是，在亚历山大大帝大修图书馆的年代，秦始皇却下令焚书坑儒，春秋战国百家争鸣的盛况成为历史绝唱；在恺撒大帝扩修罗马大道的年代，秦始皇修建了万里长城，在抵抗外敌入侵的同时，却也禁锢了文化的传播。

公元 476 年，西罗马帝国没落，欧洲进入了黑暗的中世纪，古希腊、古罗马光辉的文明在当时的欧洲几乎完全被遗忘。出于宗教狂热，罗马教皇乌尔班二世下令进行十字军东征，要从穆斯林教徒手中重新夺回耶路撒冷。十字军东征总体上是失败的，使东西方各国生灵涂炭，但很多人不知道的是，十字军东征也在无意中搭建了西方世界与穆斯林文化的桥梁，并对欧洲文化产生了长远的影响。当时阿拉伯世界的文明发展远远超过了欧洲，阿拉伯的化学、天文、数字等知识便被带回了欧洲，尤其重要的是，阿拉伯保存了古希腊古罗马的文明，十字军东征把这些起源于欧洲、但又在欧洲丢失了的文明，重新带回了家乡，最终导致了西方文艺复兴的革命。十字军东征带回的书籍中就包括古希腊天文学家托勒密的著作，他的思想通过阿拉伯学者之手重为欧洲所知。文艺复兴所要恢复的，便是古希腊古罗马的光辉，这个光辉通过阿拉伯世界保留并传播过来的，是十字军东征无意中打开了这道文化大门。

战争有时会带来意外的效果，会颠覆性地打通文明交流的新渠道，而技术的发展带来了航海、铁路、飞机与网络，相当于缩短了地球的周长，推动了文明的交流，有效增加了信息的密度。这些都是物理层次的渠道，然而还有更神奇的渠道，能促进人类不同知识领域之间的交流。欧几里得的《几何原本》，奠定了几何学的基础，它本是数学领域的大作，然而，这里面还有来自于数学却高于数学的思想方式，可以广泛地应用到整个人类的知识领域。丰富多彩的几何学，根基于五条不言自明的公理，每条几何定理都可以从这五条公理推导出来。希腊人的几何学被罗马人加以应用。今天我们来到罗马的万神殿，处处可以看出这座千年前的建筑是几何学的奇迹。当我们仰望万神殿的天窗时，似乎可以看到欧几里得在天堂的笑容。这是几何学在工程学上的直接应用，比较容易理解。但罗马人不仅把欧几里得几何学应用于建筑，更把几何公理的思想应用于法律，引入了自然法的概念。法律既然要让万民遵守，就必须建筑在几条简单且人人都认为不言而喻的自然法上。法律保护个人财物，视为神圣而不可侵犯。罗马法是在当年历史条件下创建的最理性的法典。法律对个人财产的保护，使每个罗马公民都发愤图强，使得罗马繁荣昌盛。一千多年之后，欧几里得的思想主导着美国建国的独立宣言，把人人平等的思想，提为不言而喻的建国公理。林肯总统为了解放黑奴，提出了宪法第十三条修正案，就在议会争论最为激烈的时候，他手中时时紧握着欧几里得的《几何原本》。几何五大公理之一，说所有直角都是相等的，更使林肯总统深信人人平等才是建国最核心的基础。古代罗马的强大，今日美国的繁荣，是因为那些建国元勋，真正接受了来自于欧几里得的灵感，理解并提炼了科学的精神，活学活用，悟出了治国之道。由此可见，人类文明跨领域的交流可以创造新的奇迹。

回顾大历史，我们发现，文明的主线是能量与信息。帝王将相、英雄豪杰不过是为能量与信息的交流铺路，有效提高了信息的密度。用这样的眼光看待大历史与人类文明，我们能对未来有何展望呢？在人类历史的滚滚长河中，我们这代人可以说是历史的幸运儿。前面提到，我们这代人，首次找到了时间的原点、历史的起点，这是人类文明史上独一无二的。而更重要的是，我们迎来了信息大爆炸的网络时代，整个人类的知识，只要轻轻一点鼠标，就立刻呈现在我们的眼前。然而，今天不论是个人的发展，还是研究领域的推进，都越深越窄，看到的只是树而不是林。很少有人能像文艺复兴时代的大师达·芬奇一样，一个人的脑袋里能装进当时整个人类的知识精华，包括艺术、医学、工程、科学等，从而爆发出惊人的创意。当先人把来自于科学的公理思想用于法律的精神与治国之道，带来了罗马的强大与美国的繁荣。在今天的世界，用铁路与航海在地理上建立联络已不是那么重要，建立知识的桥梁，连接不同知识领域的孤岛，才是推进文明的动力。知识跨领域的连接能有效提高信息的密度，必然导致网络时代的文明大爆炸。本着这个意愿，邀请读者们看一位计算机科学家兼工程师写的文明故事，和一位物理学家写的序言，也许是在这个方向上迈出的小小一步。

张首晟

斯坦福大学物理系教授

清华大学访问教授

2014 年 5 月于清华园

前言

人总是要有些理想和信仰。

当人们问起我的理想时，我就给他们讲贝多芬晚年的一个故事。有一天，贝多芬的老朋友维格勒来看他，贝多芬回忆起他们年轻时的理想，那时他们一起读着席勒的《自由颂》，追求自由的理想。贝多芬说他要写一部交响曲，告诉全世界他那"人类团结成兄弟"的理想，在这样的背景下，他写出了不朽的《第九（合唱）交响曲》。一百多年后，法国著名作家罗曼·罗兰再次提到贝多芬和席勒那样的理想，他写下了《巨人三传》和《约翰·克利斯朵夫》。在后一本书中，罗曼·罗兰寄托了他希望德国和法国两个世仇民族能够团结成兄弟的理想。今天，罗曼·罗兰的这个理想已经实现了。我自己也一直有着贝多芬和罗曼·罗兰那样的信念，相信最终人类能够团结成兄弟。我相信，即使今天不完美，将来终究会变得美好，而实现这一切则是要依靠文明的力量。

我们每个人或多或少都会遇到一些不如意的事情，看到或者听到这样那样的丑恶现象。我们有时会抱怨社会，对未来产生怀疑。我们时常听到这样的抱怨："都二十一世纪了……"，仿佛在今天的文明程度下，一切事情都必须是合情合理的。其实人类几千年的文明史和地球的历史相比，实在是太短暂了，大约相当于几分钟和一年的关系。虽然我们今天的社会比农业文明时期已经高度发达了，但与它所能达到的文明程度相比，还是非常初级的。因此，我遇到各种缺憾也就没有什么好抱怨的了，因为我们人类还"太年轻"了，人类已经走过的路，相比今后要走的漫漫长路，只能算是刚刚起步。幸运的是，如果跳出一个个具体事件，站在历史的高度去看，我们会发现人类是向着美好的方向发展的。对于人类遇到的问题，最终我们发现答案比问题更多。

在历史上，人和人之间，民族和民族之间，以及人类和自然之间遇到过很多的矛盾和问题，人类甚至不知道解决这些矛盾和问题最好的方法是什么，因此，杀戮和战争成为了常态。人类学会尊重每一个人，学会通过协商解决问题，还只是近代的事情。在历史上，人类对强者的崇拜、对权力的兴趣比对文明的兴趣更大。翻开世界各国尤其是中国的历史教科书，基本上都是在讲述王侯将相攻城掠地的丰功伟业，帝国的扩展和兴衰，很少讲述世界各地区对文明的贡献。时过境迁，人们会发现，经过历史的涤荡，这些王侯将相其实剩不下什么影响，虽然他们的故事很好听，很好看。

为了说明这一点，我们不妨看看欧洲历史上的一段纠纷。法国的阿尔萨斯和洛林，是中国中学生所知道的为数不多的法国省份的名称，这一切要归功于初中语文课本入选的一篇短篇小说《最后一课》。学过这篇课文的中学生都知道，这个地方自古就属于法国，在普法战争中被德国人占领了，这篇很短的小说曾经激发了很多法国人的爱国热情。但是这个地区的归属问题在历史上并非那么简单，而围绕它的历史又会引出无数关于王侯将相的生动故事，包括路易十三的首相红衣主教黎塞留、路易十四、拿破仑三世、德国皇帝威廉一世、军事家毛奇、铁血首相俾斯麦等，它还涉及到欧洲三十年宗教战争、普法战争、第一次世界大战和第二次世界大战等诸多历史事件。但是，今天如果让法、德这两个国家的人谈谈这些历史，他们的兴趣都不大，远不如他们对当下欧债危机和各国就业情况的关注。这些地区虽然在过去的五百年里争来争去，可人们的生活基本上还是老样子，并没有因为归属法国，或者独立，或者属于德国而有什么改善。倒是在过去的五百年里，法国启蒙作家的著作、拿破仑和法学家们留下的《拿破仑法典》，以及德国工程师贡献的多项工业发明对当下世界的影响更大。真正影响到我们的是那些文明的成果，包括经济上的、技术上的和人文的，而这些文明的成就恰恰容易被历史所忽略。我们今天无法得知在美索不达米亚地区是谁发明了轮子，无从知晓是中国哪个地方的农民最早采用了垄耕种植法，可是，这两项发明对人类文明进步的贡献可能比从亚历山大到拿破仑那样的 10 个军事家更大。

那么为什么很多人还在对那些王侯将相的故事津津乐道呢？这本身就说明人类还很年轻，依然崇尚权力。但是另一方面，那些故事常常富有戏剧性，很好听，很好看。而如果讲述普通人的故事，讲述文明的发展就未必能如此吸引人了。因此，我从很久以前就萌生了一个想法，这些过去被忽略的、听起来可能枯燥的故事，是否也能讲得生动有趣呢？我不知道自己能否做到这一点，但是我希望挑战一下自己，尝试一番。

在为《文明之光》选择题材时，有关王侯将相的赫赫武功基本上没有选，虽然有时可能会提上一两句，因为我们是讲文明的故事，而不是讲战争史。对大家熟知的很多内容，比如关于古希腊的艺术、罗马的城市文明、中国的四大发明以及法国的启蒙运动和大革命等等，我也没有选。这并不代表它们不重要，而是因为这方面的书籍已经很多了，各种观点相互争鸣已经足以为读者提供思考这些问题的全面视角了。

我选择题材的原则有这样几条。首先是挑选一些对人类文明产生了重大影响，却常常被忽略的人和事，这样算是对大家熟知的内容提供一些补充（比如中国的垄耕种植法）。第二，所选的题材必须是我所熟悉的，因此优先选择那些我见到过实物的题材（比如关于瓷器）和在我所去过的地方发生的事情（比如文艺复兴）。第三，也是非常重要的，就是这本书中的题材是我有深刻体会和认识的，因为写书最重要的目的是和读者交流，既然是交流，作者就必须有话可说，有感可发。我选择了人类文明史上的几十个片段来讲述我对文明的理解，虽然这些片段远不足以概括人类文明的进程，但是将它们有机地拼接起来，我认为是能够看到文明发展的脉络的。在人类的文明进程中，还有很多重要而有意思的事件在书中暂时没有提及，不过今后如果还有机会，我希望能将它们补上，这样可以将人类文明的过程描绘得更完整一些。

这两册书创作的素材，很多来自于我十几年来在世界各地的所见所闻，并参考了我收集和阅读的大量论文、书籍和实物。当然，写文明故事本身回避不了历史，并且涉及到对历史事件的评述，在这方面我一般采用通行的看法。比如关于人类的起源，我选择了同源说（即现代人源于东非），虽然大部分印第安人不同意，中国的一些学者也不同意。对于宇宙的构成，我选择了标准模型（即按照目前的理解分到夸克为止，虽然一些辩证哲学家一定要说夸克也可分）。这些观点，很多是值得讨论和争鸣的，但是我并非写学术专著，未必一定要让读者接受其中的一种，我会尽可能采用最新、最流行的观点。如果读者不同意其中的一些观点，也没关系，因为透过这些具体的事例了解文明的重要性才是本书的目的。写书的目的是抛砖引玉，引起读者的思考，而不只是为了灌输内容。

为了方便大家阅读，共享我的见闻，我在书中加入了大量的图片，这些图片我尽可能地使用自己在世界各地拍摄的，以及我的两个女儿绘制的。对于我没有也暂时无法去拍摄的，我一律采用了维基媒体图片。

本书的内容基本上是按照时间顺序来组织的。第一册讲述从人类文明开始到近代大航海共八个专题；第二册讲述了从近代科学兴起到原子能的应用的另外八个专题。关于当代的很多技术进步和社会的发展，今后如有机会，我还会将它们一一完成。由于各章内容差异较大，可能不是所有的读者都对全部的内容感兴趣。好在每一章都是独立的，读者可以挑着读。为了方便读者选择，我对各章大致作了以下分类。

历史：第 1、2、7、8、11、13、14、15 和 16 章。

科技：第 3、4、6、9，以及 12—16 章。

艺术：第 1、2、6 和 7 章。

政治：第 5、10、11、15 和 16 章。

在本书构思和创作的过程中，我就一些专题专门与不少专家作了交流和探讨，以保证书中内容的正确性。比如，对涉及到物理学和自然科学的内容，斯坦福大学的张首晟教授为我提供了很多建议和意见。有关经济学和金融领域的一些看法，主要参考了普林斯顿大学麦基尔教授在 Google 授课时阐述的观点。在此，我向他们表示衷心的感谢。

在本书的写作和出版过程中，特别要感谢 JustPub 的周筠女士、李琳骁先生和胡文佳女士，作为本书的主要编辑、排版校对和审阅者，他们花了大量的心血和时间修改完善这本书。万科企业股份有限公司董事会主席王石先生在百忙中为本书写了序言，在此向他表示衷心的感谢。另外，我还要感谢人民邮电出版社信息技术分社的刘涛社长和俞彬副社长，感谢他们为本书出版所做的大量繁琐细致的工作。同时感谢为本书题写书名的著名书法家、瀚海置业的王汉光董事长，以及设计本书封面的 Sigma Marketing 公司邹政方先生带领的团队。

最后，感谢张彦女士为本书做了最初的校对，并感谢吴梦华和吴梦馨为本书绘制了很多插图。

人类文明还在不断地发展，人们的认识也在不断地提高，加上本人学识有限，书中不免有这样或那样的错误，还请读者指正，也请读者原谅。

吴军

2014 年 5 月于北京

目 录

引子　一年与半小时

年轻的人类

我在前言中提到，我们人类还很年轻。可能有人会说，（现代）人类的历史也有十万年以上了，怎么还能说年轻呢？其实，与地球的年龄相比，与人类今后要走的路程相比，人类确实还非常非常年轻，人类的文明史则更加短暂。在讲述人类文明和发展之前，不妨先看看我们人类是从何而来。而讲述人类的由来，先要了解我们居住的星球——地球的由来和演变。讲述地球演变的另一个目的，在大家读到这套书谈到保护地球时就能体会了，因为地球演变成今天这样，实在是不容易。

第一节　我们的星球

早期人类对于我们居住的星球的认识，只能用"瞎猜"两个字来形容。物理学家霍金讲了一个笑话：

> 一位老太太听完天文学家的报告后说，你说得根本不对，地球是被一个大乌龟驮着的。天文学家并没有对老太太的无知表现出不耐烦，反而问道，那么乌龟站在什么上面呢？老太太说，它站在另一个乌龟上面，一层层地摞下去。

古代各种文明对天地的看法，比这个老太太的说法高明不到哪里去。后来人类了解到地球是圆的，但是人们无法解释为什么地球可以悬在天上，人为什么不会从地球上掉下去，没人知道答案。

1686 年在近代科学史上是一个划时代的年份（也因此成为这套书第一、二册的分界线。）这一年，伟大的科学家艾萨克·牛顿爵士完成了科学巨著《自然哲学的数学原理》，第二年，这部书以拉丁文的形式 [1] 正式出版。40 多年后，安德鲁·莫特（Andrew Motte，1696—1734）才将它翻译回英文。在这部巨著里，牛顿除了提出了经典力学的牛顿三定律、微积分的原理，还通过他提出的万有引力定律对我们太阳系行星运动的规律作出了准确的解释。人们认识到地球之所以围绕着太阳日复一日、年复一年不停地旋转，而没有漂移到宇宙中，靠的是太阳和地球之间的万有引力。但是，地球一开始是怎么转动起来的，牛顿也想不出答案。于是他只好把原因归结到上帝身上，认为上帝推了地球（还有其他行星）一把。这就是所谓的第一推动力之说。

牛顿的解释牵强甚至荒唐，除了教会对此津津乐道外，没有什么科学家相信，恐怕连牛顿自己也未必当真。牛顿的局限性在于他没有看到宇宙万物都有一个产生、发展和消亡的过程，日月星辰也是如此。

在科学史上，第一个正确解释太阳系（和所有恒星）起源的学说是德国著名哲学家康德提出的星云说。康德是德国古典哲学的奠基人，早年学习数学，有非常好的科学基础。1755 年，康德认为太阳系是由一团星云物质收缩形成的，先形成的是太阳，然后剩余的星云物质进一步收缩形成行星。康德是以匿名形式将星云说发表，写成书后一共只发行了几十本，而且用的是哲学家的语言而不是科学的描述，因此当时在科学界并没有引起什么轰动。而真正让星云说发扬光大的是法国著名数学家拉普拉斯。

图 0.1　康德 - 拉普拉斯星云说（旋转的星云）

拉普拉斯虽然在 41 年后的 1796 年才发表星云说，但是一般都认为他并未读过康德的论文，而是独立提出的。作为数学家的拉普拉斯用数学和力学定律，尤其是万有引力定律描述了星云物质旋转、互相吸引最后收缩成星系的过程。由于拉普拉斯的论述有理有据、逻辑严密，这才使得星云说被科学家广泛接受，并取得了空前的成功。因此，星云说又被称为"康德－拉普拉斯星云说"。

星云说的伟大之处在于，它不再是静止地看待事物，而认为它是不断变化和演变的。任何事物都有一个产生、发展和消亡的过程，宇宙也不例外。至于星云是如何形成的，康德和拉普拉斯都没有说，在那个时代也很难想象得出来。这一点我们要在后面介绍宇宙大爆炸时再讲。现在读者不妨假设这些星云是可以形成和存在的。

这些星云内部的原子密度不同，高密度区域的原子首先因万有引力收缩到一起，然后再进一步地吸引远处低密度的物质，这种现象在天文学上称为坍缩。当星云坍缩时，一个个高密度区域的原子团，受到在这些区域外的物质的引力，变得受力不平衡起来，就会一边收缩，一边开始缓慢地旋转，因此我们观测到的星云都是螺旋状的。当星云的体积变得越来越小时，它会加快自旋，最后就转出了一个个球状的原子团。

当这些原子团在自身引力下坍缩到一定程度时，密度很高的原子相碰撞，导致温度不断升高，直到最后，热得足以开始发生热聚变反应。这些反应将氢转变成氦，开始发光发热，释放出的热量支撑着星球对外的膨胀，这样，收缩和膨胀的力量达到平衡，就形成了发光发热的恒星，如同我们的太阳一样。当然，光靠氢气和氦气还形成不了地球这样的固态行星，还需要氧、碳和铁这样原子量[2]较大的元素。那么这些元素是怎么来的？是要靠氦进一步进行聚变反应形成，但是这样的聚变反应需要的温度更高，压力更大。如果恒星的质量不是很大，就像我们的太阳一样，那么直到将氢元素用尽，也不会引发氦气到碳和氧的聚变反应。但是某些恒星的质量非常大，内部的压力也就更强，温度也就更高，这使得它们的

2
可以简单地理解成一个原子中质子数和中子数之和。如果要更严格地说，就是一种元素各种同位素原子的质量相对碳 12 的加权平均。

图 0.2 恒星的诞生（Spitzer 太空望远镜拍下了 W5 恒星形成区的景象。老年恒星变成蓝色圆点，新生恒星则在老年恒星所在地形成黑洞。白色区域是新生恒星的形成之地。）

核聚变反应进行得非常快，比太阳快几个数量级，以至于在很短的时间里（也需要上亿年）就将氢全部转换成了氦气，然后氦气进一步变热，就开始转变成像碳和氧这样更重的元素。

科学家们至今还不完全清楚这样的恒星内部是什么样的，但是大家估计它的中心密度非常高，是一个中子星或黑洞。一些恒星在生命即将终结时会发生超新星爆炸，较重元素（连同较轻的元素）就被抛回到星云的气体中去，这些气体会再次因为引力而聚到一起，重复前面提到的坍缩和自旋过程，成为下一代恒星。我们的太阳就是这样形成的第二代（甚至是第三代）恒星，因为太阳包含有大约 2% 的重元素，而第一代恒星不会存在这类重元素。而在太阳形成的同时，少量的重元素集聚在一起，

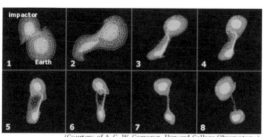

(Courtesy of A. G. W. Cameron, Harvard College Observatory.)

图 0.3 根据大碰撞理论，用计算机模拟月亮的形成

形成了地球、水星、金星和火星等几个固态行星。一些气体聚在一起，形成了木星、土星、天王星和海王星这样的气态行星。地球大约形成于45.4亿年前。

与地球同时形成的，除了太阳系的几大行星外，还有一个火星大小、和地球轨道非常接近的行星，天文学家给它起名为提亚（Theia）。提亚是古希腊神话中月亮神塞勒涅（Selene）的母亲。再往下读大家就知道天文学家们问为什么给这个今天已经不存在的星球这样起名了。距今约45.3亿年时，提亚与地球靠得太近了，终于撞在了地球上。这次撞击的动能非常大，使得原本温度就很高的两个星球融为一体，形成最终的地球；同时有一大块（或者两大块）被抛了出去，形成的天体温度也很高，处于岩浆的状态，成为一个围绕地球旋转的球状天体，这就是月亮。关于月亮的起源还有好几种假说，但是碰撞说是今天唯一能被证实的，因为阿波罗飞船从月亮上带回的岩石表明地球和月亮是同源的。

地球在形成之初是非常热的。我们今天通过开普勒太空望远镜观测到最热的行星温度高达2200开尔文（大约摄氏2000度）。在这样的温度下，即便是铁，也是液态的。于是，一些较重的元素（比如铁）下沉，形成了我们星球的内核，相对轻的气体上浮，形成了早期的大气。不过这些早期的大气并不适合生物生存，因为它不含氧气，主要的成分是水蒸气、甲烷、氨气和二氧化碳，同时还有很多有毒气体，比如硫化氢。然而，这样的气体却可能产生原始的有机物。

经过一亿多年的冷却，大气中的水汽冷凝形成了液态水，分布在地球的表面。那时地球表面的温度可能超过100摄氏度，不过地球表面的气压也很大，因此在高压下水可能呈现为液态，而空气中也大量弥漫着水蒸气。至于地球上大量的水是怎么来的，说法不一，大致可以归结成三种。第一种是在地球形成时就有了。地球在形成时，到处是喷发的火山，今天的金星依然如此，火山的喷发不仅形成了早期的岩石地壳，也带出来大量的水分，先是弥漫在空中，后来渐渐冷却形成了原始的海洋。第二种观点认为地球上的水是来自于外太空，在太阳系形成时，水分子在离太阳较远的地方变成冰核的彗星，后来又撞到地球上，给地球带来了水。第三种观点认为，地球上早期生命的硫化反应，将大气中丰富的二氧化碳和硫化氢转换成了水、硫和甲醛，否则无法解释早期大气中那些二氧化碳和硫化氢去了哪里。不管怎么样，地球上有了液态水。水是高等生物生存的基础，今天我们在寻找外太空生命时，首先要找的就是在哪里有液态水。

几亿年后（距今约38—42亿年）[3]，大量液态水逐步汇聚，形成海洋。不过在最初的海洋里，海水不是咸的，而是酸的。地表的水分不断蒸发，形成降雨又回到地面，把陆地和海底岩石中的盐分溶解掉，不断汇集到海水中。经过亿万年的积累融合，才变成了大体均匀的咸水。最初的地球上只有一个大洋，可称为泛大洋；当时陆地也都连在一起，可称之为泛大陆。今天的七大洲四大洋，那是在很晚才形成的。不过到这时，宇宙中终于有了一个美丽的蓝色星球。至今我们不知道是否还有第二个。

第二节 生命的诞生和进化

在原始的大气中，雷电不断，这些条件让一些分子偶然结合，形成叫做超分子（supermolecule）的结构，并且在海洋中发展。1953年，哈罗德·尤里（Harold Clayton Urey，1893—1981）和斯坦利·米勒（Stanley Lloyd Miller，1930—2007）发现，在一个封闭的空间里，将甲烷、氨、氢和水的混合物经过放电后，产生了生命必需的有机化合物——氨基酸。不过，现在有另外一种说法，认为地球上的生命是陨石从外太空带来的。这两种说法尚无法完全证实。无论如何，地球上出现了超分子。

这种超分子的结构可将海洋中的其他分子聚集成类似的结构，这样它们就能够复制自己了。当然，每一次复制都可能产生细微的变化。这些变化大多数时候使得新的宏观大分子无法继续复制下去，并最终消亡了。然而，有很少的变化会产生出更稳定、更容易复制的新的超分子。这些

[3]
Cavosie, A. J.; J. W. Valley, S. A. Wilde, and E.I.M. F.Magmatic δ^{18}O in 4400-3900 Ma detrital zircons: A record of the alteration and recycling of crust in the Early Archean Earth and Planetary Science

新的超分子因为其自身的优势，会取代原先的超分子，这是一个进化的过程。进化导致了越来越复杂、可自我复制的组织的出现，这便是最早的原始生命。至于这些超分子是什么，以前认为是 DNA，但是 DNA 的复制需要其他条件，在当时的地球环境中似乎并不具备。1968 年，美国科学家卡尔·沃斯（Carl Woese，1928—2012）提出最早的具有生命形态的、可复制超分子应该是 RNA（核糖核酸），这是今天的主流观点，1986 年，诺贝尔奖得主沃特·吉尔伯特（Walter Gilbert，1932—）将其命名为"RNA 世界"的理论。RNA 出现于距今约 40 亿年前。

地球早期的大气中没有氧气，也没有臭氧层，紫外线可以直达地面，因此生命只能出现在海洋里，靠海水保护，不过缺氧的环境也使得那些超分子不容易被氧化而迅速死亡。又过了两亿年，地球上出现了最早的单细胞生物古菌（Archaea），这种微生物介于细菌和真菌之间，它可以通过化合作用（而不需要光合作用）获得能量生存。现在在富含硫磺的火山温泉里，还能找到这种古菌。再过两亿年，出现了能够进行光合作用的单细胞微生物，这时距今有 36 亿年之遥。这些早期微生物的微化石后来在加拿大和南极等地被发现。古菌等原始生命的出现慢慢地消化了大气中包括硫化氢在内的各种有害物质，并且通过光合作用释放出氧气。这样就逐渐形成了类似今天这样的大气成分，它适合各种浮游生物、鱼类、爬行动物和包括人类在内的哺乳动物生存。当然这是一个非常漫长的过程，大约经历了 10 亿年，在此期间，岩石地壳和地幔开始稳定。从地球诞生算起，形成低等生物可以生存的环境，就过去了近 20 亿年，几乎占到地球历史的一半，也是人类历史的几千倍，这个环境一旦遭到破坏，恢复起来也是非常漫长的。

又经过了大约 7 亿年，地球上才出现了第一个结构复杂的微生物 —— 有细胞核的单细胞原生生物。这个时间距今约 18 亿年，也就是说，地球上有细胞核的生物的时间不到地球年龄的一半。而还要再过 8 亿年，地球上才出现多细胞的生物，这时距今只有 10 亿年。而今天发现的比较完整的多细胞生物化石，是在大约 6 亿年前的古生代，那时海洋里出现了海藻类的植物和海绵这样的多细胞动物。大量海藻的出现以及由它们在阳光下进行光合作用，为地球的大气层提供了大量的氧气，直到这时，地球上富氧的大气才形成。我们地球上的氧气，是从原生生物开始，经过了几十亿年的积累才形成的。约 5.4—4.9 亿年前，地球进入了寒武纪。寒武纪这个词是日本人根据英语 Cambria（英国的地名）翻译过来的，虽然名字中有个"寒"字，但是其实气候并不冷，反而很暖和，在这个时期地球上的物种开始出现多样性，很多新的物种诞生了（被称为寒武纪大爆发），而地球的海洋才开始称得上是丰富多彩。

当地球大气中的氧气越来越丰富时，就形成了臭氧层，它可以保护地球上的陆地免受紫外线的直接照射。此时，生物才能够开始登上陆地生存。到了 4 亿年前的志留纪，最古老的陆地植物裸蕨类植物和苔藓才出现于潮湿的陆地。不过那时的陆地比今天任何荒凉的地方都更荒凉。在海洋里，虽然生物的种类丰富多彩，但是大都固定在浅海的海底。又过了几千万年，也就到了地质学家所说的泥盆纪（距今 4.2—3.7 亿年），地球上出现了昆虫和早期的鱼类，鱼类的诞生标志着地球上有了脊椎动物。同时陆地上出现了大量的蕨类和早期的裸子植物[4]。在接下来的几千万年里，出现了松树这类高大的裸子树木，鱼类成了海洋的主人，青蛙这样的两栖类动物开始登陆。若以两栖类登陆作为陆地有了（像样点儿的）动物活动的开始，那么这个时间还占不到地球年龄的 10%。

到了距今 2.5 亿年的二叠纪末期和三叠纪初期，一场大灾难降临地球，95% 以上的物种都灭绝了，其中的原因至今不详。不过在这之后，很多新的物种诞生了，包括现代的鱼类、早期的爬行类动物。在接下来的侏罗纪，也就是距今 2 亿到 1.5 亿年，恐龙和其他爬行类动物成为地球的主人，对于这一段历史，看过《侏罗纪公园》等科幻电影的读者应该不会陌生。但是更值得一提的是，哺乳动物的祖先也在这时出现了。爬行动物在出现没多久，就演化成了两个分支。一个称为双孔亚纲，也就是恐龙——现代爬行动物以及鸟类的祖先；另一支则被称为合弓纲，其中的盘龙目动物是最早的似哺乳爬行动物。后面的这一支很快就演化成了

4
今天常见的裸子植物包括松柏和银杏等。

兽孔目，而兽孔目则是哺乳动物的直接祖先，它们有毛发、乳腺和直立的四肢，这些和今天的哺乳动物都很相似。

图 0.4　侏罗纪时代

至于在侏罗纪和后来的一亿多年里，为什么是爬行类动物而不是更高级的哺乳动物主宰世界，古生物学家有各种各样的解释，其中一种让人比较信服的说法是恐龙这一支（祖龙类或者叫古龙类）能够站立的强劲后腿使得它们方便觅食和观察周围的环境。相比之下，兽孔目动物有点像老鼠或者猪，是低头趴在地上的。

在植物界，被子植物也就是我们今天所说的大部分花草树木出现了，地球上第一次出现了鲜花，因为花是被子植物所特有的。我们今天形容一个地方自然风景美丽时，常常说"鲜花盛开"，但是在地球 95% 的时间里，是没有鲜花的。同样，我们今天用"杂草丛生"来形容凄凉的景象，但是在两亿多年前的地球上根本找不到杂草，因为几乎所有的草都是被子植物，要到侏罗纪以后才出现。

恐龙统治地球长达 1.6 亿年，不仅比我们人类，也比哺乳动物统治地球的时间要长得多。但是在白垩纪的末期，距今约 6500 万年前，灾难再次降临。这次可能是一个小行星撞到了今天墨西哥湾的位置，大量的尘埃抛向天空，形成遮天蔽日的尘雾，气候骤冷，植物的光合作用也暂时变缓，茂密的蕨类植物森林消失。作为不能恒温的冷血动物，又没了食物，恐龙可以说是饥寒交迫，终于灭绝了。当然，关于恐龙灭绝原因的学说不下 20 种，只是小行星碰撞说证据最充分而已。不过，恐龙的一些近亲（比如鸟类）和更远的亲戚（比如鳄鱼）却存活了下来。而可以保持身体恒温且体积较小的哺乳动物，则开始成为这个星球的主宰。

也就是在这个时期，灵长类动物出现了，这些动物早期只有老鼠大小，外观和今天的猴子颇为相像。不过要再经过 4000 万年，我们人类的祖先古猿才出现，这时距今只有 1500 万年。然后再过 800 万年，灵长类人属的古猿才和黑猩猩分开，这时距今 700 万年。将 700 万年再缩短一半，到了距今 350 万年时，真正被称为"人"的动物——肯尼亚平脸人出现了。

图 0.5 人类的近亲尼安德塔人（美国国家自然历史博物馆的复原模型）

在接下来的几百万年里，和人类祖先竞争的还有几种人类，包括能人（Homo Habilis）、直立人（Homo Erectus，元谋猿人、蓝田猿人和北京人都属于直立人）、鲁道夫人（Homo Rudolfensis，以发现化石的肯尼亚鲁道夫湖命名）等，他们遍布地球的亚、欧、非大陆。这些猿人已经开始使用石质的工具，捕杀大动物，也学会使用火。随着时间的推移，这些人类的近亲在竞争中逐渐消失了，取代他们的是一批更智慧的猿人，包括在印尼发现的弗洛瑞斯人（Homo Floresiensis），在欧、亚、非发现的海德堡人（Homo Heidelbergensis，在欧洲、非洲和中国发现多处他们生活的遗址），在欧洲和西亚发现的尼安德塔人（Homo Neanderthal，有多处遗址发现）等。其中海德堡人、尼安德塔人和现代人非常接近，完全直立行走，身高在 1.6－1.8 米，体重 55－70 公斤，脑容量和我们相似，尼安德塔人的脑容量甚至比我们更大些（前者平均为 1600 毫升，而现代人平均为 1400 毫升），我们的基因中甚至会有少量的尼安德塔人的基因。但在竞争中我们的祖先现代人最终胜出，才开始了今天的文明。

第三节 最后的半小时

如果我们把地球的年龄缩短成一年，那么人类则出现在这一年最后一天的最后半个小时。在距今约 25 万年前，我们的祖先现代人在东非诞生了。从 DNA 分析，现代人的祖先应该是早期智人，再往前是直立人。在现代人诞生时，和现代人竞争的其他人类还有很多，其中最有竞争力的就是前面提到过的尼安德塔人。而现代人之间也在竞争，他们在捕猎的同时，互相杀戮，最后只有很少的部落生存了下来。

在《山海经》中记述有女娲造人的故事，在《圣经》中记述了类似的亚当和夏娃的故事，都是讲述人类来自于一个男性和一个女性。这些神话今天居然找到了一些科学根据。我们不妨用亚当和夏娃作为人类男性和女性始祖的代名词。科学家对世界各地不同地区和民族进行大量女性线粒体[5]的研究发现，人类共同的母系祖先——"线粒体夏娃"出现在 20 万年前的东非（此前认为是 15 万年前的一位女性）。对于不同种族和地区男性 Y 染色体的研究表明，人类可能也拥有共同的男性始祖"亚当"，他生活的年代应该比"夏娃"晚一些，大约在 12－16 万年之前[6, 7]。在那个年代，女性的现代人显然不止"夏娃"一个，只是其他女性的后代"断子绝孙"了。其他男性的后代也是如此。在人类产生和进化的初期，并没有仁慈，只有为了生存而展开的竞争乃至杀戮。

5
线粒体是细胞质中的成分，它里面有一种叫做 mtDNA 的遗传物质，只能由母亲传给女儿，就如同男性的 Y 染色体只能由父亲传给儿子一样，因此通过 mtDNA 能找到人类的女性始祖。

6
http://med.stanford.edu/ism/2013/august/bustamante.html

7
David Poznik, Carlos Bustamante etc, Sequencing Y Chromosomes Resolves Discrepancy in Time to Common Ancestor of Males Versus Females., Science 2 August 2013: 562-565.

8
White, T.D.; Asfaw, B.; DeGusta, D.; Gilbert, H.; Richards, G.D.; Suwa, G.; Howell, F.C. (2003). "Pleistocene Homo sapiens from Middle Awash, Ethiopia". Nature 423 (6941): 742–747

9
Goebel, T., M. R. Waters, and D. H. O'Rourke (2008) The late Pleistocene dispersal of modern humans in the Americas. Science 319:1497-1502.

10
Armitage SJ, Jasim SA, Marks AE, Parker AG, Usik VI, Uerpmann HP (January 2011). "The southern route "out of Africa": evidence for an early expansion of modern humans into Arabia". Science 331 (6016): 453–6

加州大学伯克利分校的蒂姆·怀特（Tim White）教授是世界上最著名的古人类学家之一，他的团队在中东非埃塞俄比亚发现了 15—16 万年前很多现代人生活的痕迹，包括他们的遗骸和饮食。一个颇令科学家们感兴趣的现象就是，人头骨被锐利的石器砍开，而颅骨则被钝器砸开，这种痕迹不知道是人吃人留下的，还是死后举行特殊仪式留下的。虽然人们不愿意直说，但是心知肚明的是，这些头骨最有可能是被人吃了肉后的战俘的！这篇论文发表在 2003 年的《自然》杂志上[8]。

夏娃和亚当的后代在非洲大陆上繁衍，大约在 10 万多年前，开始从东非向四周迁徙。至于迁移的原因，至今众说纷纭，比较流行的说法是气候变迁和为了狩猎寻找食物，这和后来游牧民族追逐水草的迁徙颇为相像。而迁徙的路线包括走向南部非洲和向北走出非洲。走出非洲，也不是一年两年或者一两个世纪就能完成的壮举，而是一个漫长的过程。甚至有科学家认为人类走出非洲的过程实际上是两次，先后相差万年[9]，不管怎么样，这个过程非常漫长。走出非洲的现代人，人数少得可怜，可能只有 150—1000 人。他们大约在 5.5 万—9 万年前跨过红海（当时的红海比现在要窄很多），走到了阿拉伯半岛[10]。人类的祖先大约在 5 万年前到达南亚，4 万年前到达澳大利亚、中国和欧洲，3 万年前（一说 1.4 万年前）到达美洲。

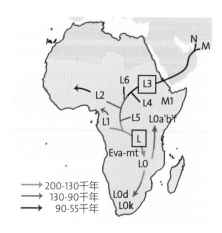

不过，现代人的迁徙和活动对其他物种，包括其他人类来讲是个灾难。研究表明，多种大型动物的灭绝，与现代人走出非洲后的迁徙路线和时间相吻合。不仅如此，现代人每到一处，那里其他人类的近亲也就渐渐灭绝了。而在人类所有的近亲中，被灭绝的最近的一支就是前面提到的尼安德塔人。

图 0.6　人类走出非洲的时间表（L 是起始点，黑线的时间是 9 万年前到 5.5 万年前）

尼安德塔人也是源于非洲，但是他们更早地到达了欧洲。尼安德塔人的遗骸和生活遗迹最早发现于德国尼安德塔地区，这个人种因此而得名。相比现代人，尼安德塔人脑容量更大。他们的身高和现代人差不多，但是相对上身较长，下肢尤其是小腿较短。科学家们认为这是为了适应欧亚大陆相对寒冷气候（血液循环到四肢的距离较短），并且有利于在山地行走[11]。尼安德塔人在早期进化过程中，进化的速度和现代人应该不相上下，但是在欧洲的日子里，他们进化的速度明显减慢，从他们使用的工具来看，在几万年里并无明显的改进。尼安德塔人以肉食为主，他们发明了长矛捕猎和围猎的方式，但始终没有发明弓箭。也许是因为下肢短小，他们也没有发明避寒的衣物，而是生活在洞穴中靠火来取暖。在现代人到来之前，他们是欧亚大陆的主人，过着相对悠闲的生活，并且开始懂得了用贝壳装饰自己。

尼安德塔人和现代人在欧洲大陆共存了大约一万年，这中间有混血和融合。我们今天非洲以外人类的基因中大约有1—4%来自于尼安德塔人，而在南部非洲人的基因中则找不到尼安德塔人的痕迹。在西班牙发现了尼安德塔人和现代人共同生活的痕迹。但是在一万年左右的生存竞争中，尼安德塔人最终被现代人淘汰了。分析了各种人类的脑结构后，古人类学家认为，只有现代人脑子富有想象力，尼安德塔人可能有想象力，而其他人种则缺乏这种能力。如果没有现代人的影响，让这些人类自行进化，他们或许也能发展出想象力，但是现代人的到来使得他们没有时间进化了。

世界各国都流行着类似黄帝战蚩尤的传奇故事，或许这就是以现代人和尼安德塔人或者其他人类战争为背景的。尼安德塔人是和现代人最接近的一支，他们消失在2.5—3万年前，而在这以前，现代人已经掌握了弓箭[12]。

11

Ryan W. Higgins, Christopher B. Ruff. The effects of distal limb segment shortening on locomotor efficiency in sloped terrain: Implications for Neandertal locomotor behavior. American Journal of Physical Anthropology, 2011; 146 (3): 336 http://www.sciencedaily.com/releases/2011/10/111019172103.htm

12

在中国出土的最早的箭头是2.8万年前的，在非洲甚至发现了6万年前的箭头，但是有考古学家认为那是标枪的头。

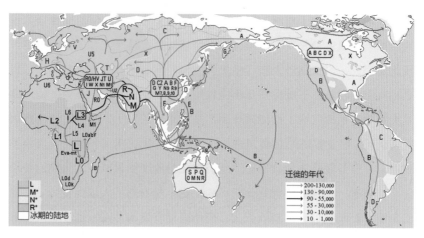

图 0.7　人类走出非洲迁徙图

从大约 3 万年前开始，现代的人类成为了地球的主人，大约发生在 12 月 31 日 23 点 56 分。要再过两万多年，人类的文明才真正开始，这已经是一年最后的一分钟了。

在本节的最后，我们把地球历史上的各个里程碑浓缩到一年中，我们可以得到下面这张表。

表 0.1　地球的历史

日　期	距今天的时间（年）	大　事
1 月 1 日	45.3 亿	月亮形成
1 月 11 日	44 亿	液态水形成
1 月底	38~42 亿	海洋形成
2 月初	40 亿	超分子出现
2 月底	38 亿	古菌出现
3 月中	36 亿	光合作用的细菌出现
7 月初	18 亿	复杂的单细胞生物出现
9 月中	10 亿	多细胞生物出现
11 月中	6 亿	海藻和海绵出现
11 月下旬	5.4 亿	寒武纪生物大爆发
12 月初	4.2 亿	脊椎动物出现
12 月中	2.5 亿	二叠纪 – 三叠纪生物大灭绝

表 0.1　地球的历史（续表）

日　期	距今天的时间（年）	大　事
12 月中	2.3 亿	恐龙出现
12 月 15 日	2 亿	被子植物出现，恐龙主宰地球
12 月 26 日	6500 万	恐龙灭绝，哺乳动物兴起
12 月 30 日	1500 万	古猿出现
12 月 31 日 17 点	350 万	人类出现
12 月 31 日 23 点 30 分	25 万	现代人出现
12 月 31 日 23 点 52 分	7 万	现代人走出非洲
12 月 31 日 23 点 56 分	3 万	人类成为地球的主人
12 月 31 日 23 点 59 分	1 万	文明开始

从现在开始，让我们沿着人类的文明进程从古埃及走回到今天。

第一章　金字塔和死者之书

古埃及文明

我们这本书讲述的是文明的故事。但是人类文明始于何时，这要看文明如何定义了，或者说什么算是文明的开始？在中国学术界这是个颇有争议的问题，因为它涉及到中华文明什么时候开始。而在西方学术界，它的标准简单而且清晰，即阶级的产生和城市的出现，意味着人类文明的开始（按照这个定义，没有阶级的原始社会谈不上文明）。事实上，"文明"一词（Civilization，拉丁语为 Civilitatem）源于词根 Civil，即"城市"的意思。另一个同源词 Civic，中文译作市民，本意是不同于野蛮人和原始人的人。因此，大部分学者都同意这个观点，即一种文明的开始必须要有城市的遗迹为佐证。文明的另一个佐证是文字的记载，对于没有文字记载的历史，我们常常称之为史前。

相对于文明，文化的定义就宽松得多。西方"文化"一词（Culture，拉丁文为 cultura），本意为农耕和养殖，也就是说，人类定居下来，有了农业和畜牧业，就开始有了文化。我们常常见到介绍中国远古历史时，使用"仰韶文化"、"龙山文化"等字眼，而没有用"文明"二字，这样的描述是科学而准确的。

最早的文明起源于何时，现在不可考，事实上也不重要。过去两百年的考古发现，把人类的文明史向前推进了两千多年，而且今后这个时间有可能还会继续向前推移。重要的是，我们知道人类最早的文明始于非洲尼罗河下游，即现在的埃及地区，或者是美索不达米亚。这一事实如今已成为常识，如果一个中学生不知道这一点，他的历史考试可能要不及格。但是，我们人类了解到这个事实，只是近两百多年的事情。

第一节 偶然的伟大发现

古埃及文明的发现偶然而富有戏剧性。1798 年，一位个子不高的年轻的法国将军率领四万大军（和一支海军）进入埃及，试图从背后袭击英国人并且切断英国和印度（当时印度是英国的殖民地）之间的贸易。这位意气风发的将军完全没有把十倍于他的敌人（包括三万英军、二十万奥斯曼土耳其帝国的军队、八万埃及的军队以及十几万其他中东国家的军队）放在眼里，孤军深入，来到了亚历山大港。在吉萨金字塔群（Giza Necropolis，有包括胡夫金字塔在内的三个大金字塔）附近，这位天才的将军以 1∶20 的伤亡代价重创英国人支持的埃及军队（史称"金字塔战役"），并促使对方投降，法军于是占领了埃及在尼罗河下游的主要地区。大家可能已经猜到，这位年轻将军就是日后成为法兰西帝国皇帝的拿破仑·波拿巴。

图1.1 拿破仑·波拿巴在狮身人面像前（让 - 里昂 - 葛罗马绘制于1868年，收藏于美国赫氏堡）

拿破仑不仅想在军事上重现他所敬佩的亚历山大大帝（Alexander the Great，前 356－前 323）在两千多年前征服埃及的伟业 [1]，而且想在文化上超越前人。当年，亚历山大带着包括亚里斯多德在内的大批学者来到埃及，并且建造了著名的亚历山大图书馆。而当时兼任法兰西科学院院长的拿破仑将军也将法国几乎全部的科学和艺术精英（包括一百多名科学院院士）一起带到了埃及。有一天，一个叫皮埃尔·弗朗索瓦·布沙尔（Pierre-François Bouchard，1772－1832）的下级军官在散步时，

走到一座古神庙的遗址，无意中发现了一块破碎的古埃及石碑（见图 1.2），上面刻有三种语言：除了古希腊文，还有两种他不认识的文字。布沙尔意识到这块石碑对破解古埃及秘密的重要性，便把这块石碑交给了随行的科学家让·约瑟夫·马塞尔（Jean-Joseph Marcel，1776－1854），后者拓下了石碑上的文字。

图 1.2　罗塞塔石碑

1
公元前 332 年。

拿破仑的胜利没有持续很长时间 [2]，法国海军很快在尼罗河被英国海军名将纳尔逊（Horatio nelson，1758－1805）打败。没有了海上支持和补给的拿破仑，虽然在陆上取得了一系列的胜利，但是在埃及和中东最终还是维持不下去，不得不于 1801 年和英国人讲和，撤出了埃及，同时将大量埃及的文物移交给英国人，这些文物成了后来大英博物馆最重要的馆藏。

2
拿破仑在金字塔之战的胜利是 1789 年 7 月 21 日，而纳尔逊打败法国海军是当年的 8 月 1 日，前后只差十几天。

拿破仑失败于远征，却无意中获得了重大的考古发现。这一切要感谢前面提到的那块石碑，因为它上面刻着古埃及的两种文字（古埃及象形文字和古埃及拼音文字）及对应的希腊文字，这些文字记录的是同一内容——公元前196年埃及国王托勒密五世加冕一周年的诏书。在此前大约一百年，埃及已经被来自希腊北方城邦的亚历山大大帝征服，亚历山大死后，他的部将托勒密（Ptolemy I Soter，前367—前283）自立为埃及法老，开始了埃及历史上的托勒密王朝，希腊文成为了埃及的官方语言。而与此同时，埃及原有的文字也在使用，因此就出现了一碑三文的现象，就如同北京故宫所有匾额上都有满汉两种文字。无疑，罗塞塔石碑便是开启以象形文字记载的古埃及文献秘密的金钥匙。到了1822年，法国语言学家商博良（Jean-Francois Champollion，1790—1832）通过古希腊文，破解了石碑上的古埃及象形文字的含义，尼罗河流域五千年文明的面纱就此揭开。这块石碑以其发现地罗塞塔（Rosetta）命名，现在是大英博物馆的镇馆之宝。顺便提一句，正因如此，罗塞塔也成为了翻译的代名词，世界上很多翻译软件，包括Google的翻译项目，都命名为罗塞塔。

直到十九世纪中叶，人们才真正开始对古埃及文明进行系统的科学考察。考察刚刚开始，大家就遇到了难题。面对浩繁的古埃及文明，考古学家们一时不知如何下手。于是，他们想出了一个办法，大家达成一致，划分区域，各自负责，对累积的文物和古迹进行分类和整理。因此，还原古埃及文明这一浩大的工程，不是由某一国考古学家完成的，而是由各个国家许多著名的（和无名的）科学家合作完成的。考察的初步结果就让人震撼，世人首次了解到，远在古希腊文明开始前的15个世纪，人类就在尼罗河流域就创造出了灿烂的文明。

感谢布沙尔，他偶然地发现了罗塞塔石碑；感谢马塞尔，他在将这块石碑移交给英国人前，拓下了石碑上的文字；感谢商博良，是他十几年如一日地破解了解开古埃及之谜的密码。当然我们还要感谢那些考古工作者，他们揭开了古埃及文明神秘的面纱。相比之下，纳尔逊和拿破仑的胜利便显得无足轻重了。虽然当时纳尔逊在尼罗河的胜利给他带来了子爵的头衔，并且因为后来 1805 年海战的胜利，使他成为英国海军的"军神"，但是纳尔逊帮助英国获得的海上霸权和殖民地随着时间的推移早已消失殆尽。拿破仑也是一样，他远征埃及的行为在当时已被证明毫无意义，尽管在战术上取得了不少胜利。所幸的是，他的部下带回了罗塞塔石碑。我们在后面还将多次看到，军事的胜利远不如文明的成就来得持久。

图 1.3　位于伦敦特拉法加的纳尔逊纪念碑

第二节　最古老的文明

世界上所有的文明都起源于大河之畔。非洲大陆的尼罗河孕育了世界上最早的文明——古埃及的农业文明。从公元七千年前到二十世纪六十年代[3]，从开罗出发沿着尼罗河逆流而上，在去往古埃及古城孟菲斯（Memphis）和卢克索（Luxor）的路上，会看到大河两岸的景色都是相同的——美丽而广阔的农田，以及在这片土地上辛劳

图 1.4　帝王谷

3

二十世纪六十年代以后，随着阿斯旺大坝的建成，环境遭到的破坏越来越明显，埃及几千年的农业文明基本上被毁掉了。

耕种的农民。由于尼罗河洪水每年泛滥一次,尼罗河下游的土地十分肥沃,
而且灌溉便利。每当洪水过后,古埃及人就在退洪的土地上耕作,就能
获得很好的收成。人类只有在能够获得稳定的农业收成后,才有可能定
居下来,进而建立城市,开始创造文明。

4
闪米特人是亚非大
陆上一个古老的民
族,今天的阿拉伯
人和犹太人都是闪
米特人的分支。

最早在埃及的土地上耕种的是闪米特人 [4] 和当地的土著,他们经过上千年的
辛勤耕耘,把尼罗河畔的处女地开垦成良田。要再经过上千年,古老的王
国才会建立。古埃及人不仅掌握了种植技术,而且开创了早期的天文学。
为了准确预测洪水到来和退去的时间,当时的埃及人根据天狼星和太阳在
一起的位置来判断一年中的时间和节气。在古埃及的历法中没有闰年,它
的一个“季度”也非常长:长达 $365 \times 4 + 1 = 1461$ 天,因为每隔这么多天,
太阳和天狼星一起升起。因此,古埃及的日历周期很长。事实证明,以天
狼星和太阳同时出现做参照系,比以太阳做参照系更准确些。古埃及人可
以准确地判断洪水能到达的边界和时间。天文学就从这时在古埃及诞生了。

大约在公元前 40 世纪(甚至更早),埃及出现了世界上最早的城市 —— 当
时文明的中心是孟菲斯和底比斯(Thebes),即今天的卢克索等地。从那
个时期的墓葬来看,当时的埃及社会已经出现了阶级。这个时期被称为古
埃及前王朝时期。也就是在这个时期,古埃及从石器时代向青铜时代过渡了。

图 1.5 古埃及的农业文明(纸莎草画,收藏于大英博物馆)

又过了几百年，到了公元前 31 世纪，一个名叫纳尔迈（Narmer）的国王
统一了埃及，建立了埃及的第一个王朝，这是人类历史上的第一个王国。
古埃及的王朝不像中国那样都有名称，后来考古学家为了区分各个王朝，
便用数字从最早的纳尔迈王朝开始一个个往下标注，因此，纳尔迈王朝也
就成为了古埃及的第一王朝。这段历史的确认依靠的是十九世纪末出土的
纳尔迈石板（Narmer Palette）[5] 和纳尔迈的墓葬。纳尔迈石板是一块盾形
的薄砂岩板，正面图案刻的是纳尔迈出巡的场景和两条恐龙一般的怪兽，
反面刻着纳尔迈处决敌人的场景。整个石板做工非常细致，人物栩栩如生。
和后来的埃及壁画一样，人物的表现手法简洁，绘画线条优美。在纳尔迈
石板上，有最古老的
象形文字，这些文字
比中国出土的最早的
甲骨文[6] 还早了一千
多年。这件珍贵的文
物现收藏于埃及开罗
国家博物馆，在加拿
大安大略博物馆内有
一件复制品，后者更
容易看到。

图 1.6　纳尔迈石板（此为加拿大安大略博物馆的复制品）

第一王朝之后自然是第二王朝，这两个王朝一共持续了三百多年，历史
上统称为早王国时期。之后，埃及便进入了第一次文明的高峰期——古
王国时期[7]，它包括从第三到第六共四个王朝。在这一时期，埃及王国的
中央政府已经相当完善，国家设有专门的官员负责征税和管理水利工程，
并征用农夫实施建筑工程。与此同时，古埃及的司法系统也开始完善。
埃及的农民依然在辛勤地耕种，并且拥有了丰富的农耕经验，古埃及的
农业获得了长足的发展，粮食充裕，人口增长。这样，法老——埃及的国王，
就有能力为自己修建大型陵墓——金字塔了。埃及最大的三个金字塔：
胡夫金字塔[8]、海夫拉金字塔和孟卡拉金字塔都修建于这一时期。

5
一些地方把纳尔迈
石板翻译成纳尔迈
调色板是错误的。
英语单词 Palette
有几个含义，最初
就是板的意思，调
色板是其中一个
翻译，但是在这里
它不是调色板的意
思，而就是指一般
的板。

6
以出土的殷墟最早
期的甲骨文为准。

7
公元前 27 世纪到前
22 世纪，大约五百
年，经历了第三到
第六共四个王朝。

8
胡夫，古埃及第四
王朝第三任法老，
生活在公元前 27 世
纪，他修建了埃及
最大的金字塔。

和中国一样，古埃及在历史上也是统一和分裂不断地交替。在前王国之后接下来的五百多年里，埃及经历了短暂分裂，但很快又恢复了统一。这里说的短暂，也是相对埃及五千多年的历史而言，不过也持续了一百多年。统一后的埃及进入了中王国时期（公元前 2055－1650），也就是第十一和第十二王朝，前一个王朝主要是完成了国家的再次统一，而后一个则是恢复王国的繁荣并且发展了文学和艺术，开展大规模的建设。在第十二王朝时期，埃及修建了许多水利灌溉工程，农业得到进一步的发展。同时，采矿业也开始兴起。在这一时期，埃及建造了人类历史上第一座长城 —— 大公墙（Walls of the Ruler），以抵御外敌入侵。虽然大公墙已经不复存在了，但是它的一些遗迹在埃及被发现，见证了当时的历史。中王国结束时，中国第一个有记载和物证的王朝 —— 商朝正好建立。

在接下来的一百多年里，埃及被来自西亚的民族打败，法老逃到了南方的底比斯，并且向外来的统治者称臣纳贡，有点像中国的南宋时期。一百多年后，法老打败了外来的统治者，重新控制了整个埃及地区，埃及进入了新王国（公元前 1575－1069）。新王朝是古埃及历史上的另一个高峰，著名的拉美西斯二世就是这个时期的统治者，而代表古埃及绘画和文学艺术最高成就的《死者之书》也是这个时期的作品。

接下来的四百年里，埃及再次陷入分裂，遭到外族的入侵，有点像中国的东晋南北朝时期。埃及的国力大大削弱，那个时期的神庙，规模不大，又非常难看。不过，老百姓的生活倒是没有什么变化，他们似乎也不关心谁是统治者。在赶走了入侵的波斯人后，埃及结束了四百年的分裂和战乱，于公元前 664 年再次统一，但是，这次统一只维持了三百多年，此时地中海文明的中心已经开始转移到爱琴海地区。三百多年后，古埃及被亚历山大灭亡，它几千年辉煌的历史也就结束了。

第三节　金字塔

在古埃及几千年的历史中，埃及人创造了辉煌的文明。说起古埃及的文明，人们首先想到的是金字塔，因为金字塔不仅是古埃及的象征，而且体现了全世界古代文明的最高成就。金字塔呈四方锥形，底座为正方形或者长方形，样子有点像汉字里的"金"字，因此而得名。

据美国芝加哥大学的古埃及学家马克·莱纳（Mark Lehner）在《金字塔大全》[9]一书中的记载，在埃及有 138 个大大小小的金字塔。顺便提一句，莱纳教授是世界上最权威的古埃及学家之一，本节关于金字塔的理论以他的说法为准。这些金字塔，小的就像一个几十米高的石头堆，大的则高达一百多米，相当于几十层楼那么高。

最早的金字塔位于埃及古都孟菲斯附近的萨卡拉（Saqqara），史称为萨卡拉的乔赛尔金字塔（Pyramid of Djoser），建于公元前 2667 年—公元前 2648 年，距今大约 4700 年。4700 年有多长？对于大部分人来讲只是一个数字，并没有明确的感觉。我们不妨换一种说法，在乔赛尔金字塔建成后，需要再过一千年，中国的商朝才建立，而同期古希腊的迈锡尼文明[10]才刚开始。如果当年秦始皇能够出国旅游去埃及看看乔赛尔金字塔的话，他对金字塔的崇敬之情就会如同我们今天对始皇兵马俑的一样，因为从建造乔赛尔金字塔到秦始皇间隔了 2400 多年，比秦始皇距今 2200 多年还长两个世纪。乔赛尔金字塔的基座是长方形的，边长大约是 125 米和 110 米，相当于两个足球场大；高大约 62 米，相当于 15 ~ 20 层楼。修建此等规模的建筑，即使在今天也是非常大的工程。当时的古埃及有能力建造这样的工程，足以说明它当时国力之强大，文明程度之高。

当然，古埃及最大，也是最著名的金字塔当属胡夫金字塔（也就是我们常说的大金字塔），它位于吉萨金字塔群的中央，旁边两个是他儿子海夫拉（Khafre）和孙子孟卡拉（Menkaure）的金字塔。

9

Mark Lehner The Complete Pyramids, Thames and Hudson

10

公元前 16 世纪到前 11 世纪，是古希腊青铜时代文明的代表。

图 1.7 吉萨金字塔群

胡夫金字塔之所以有名，首先是因为它规模"巨大"。按体积来论，胡夫金字塔是世界上最大的金字塔[11]。胡夫金字塔原本高 146 米（后来因为四千多年雨水的侵蚀，高度降到了今天的 139 米，这和它使用石灰岩为材料有关），大约相当于 40 ~ 50 层楼高。在 1889 年巴黎的埃菲尔铁塔建成以前，它一直是全球最高的建筑。大金字塔底座呈正方形，边长230 米，面积相当于 5 ~ 6 个足球场。

大金字塔，除了大以外，其高超的建筑技巧也令人叹为观止。整座大金字塔由大约 230 万块巨大的石灰岩[12]石"垒成"，每块巨石平均重 2.5 吨，最大的巨石每块重达百吨左右[13]。这些石块之间，没有任何水泥或者灰浆之类的粘着物，完全是靠一块石头叠在另一块石头上面"垒"成的。虽然石头之间填满了石膏，但并不起粘连的作用，只是保证石头之间不留缝隙而已。石块之间的缝隙填充得严丝合缝，连很薄的刀片都无法插入。经历大约 4600 年，大金字塔屹立不倒，不能不说是人类文明史上的奇迹。难怪埃及有句谚语讲"世界上任何事情都怕时间，而时间害怕金字塔"。另外，大金字塔的建筑结构设计也非常巧妙，比如大金字

11
有考古学家认为墨西哥境内的乔卢拉大金字塔（Great Pyramid of Cholula）是世界上体积最大的金字塔，吉尼斯世界纪录也是这么记载的。但是乔卢拉金字塔实际上更像一个砖土混合的山丘，而不是通常意义上的金字塔。比胡夫金字塔底座更大更宽的是墨西哥城郊的太阳金字塔，但是其高度只有胡夫金字塔的三分之一左右。

12
主要成分是碳酸钙，大理石就是石灰岩的一种。

13
http://t.cn/8sDvXhN

塔的入口，位于塔身距地面 13 米高处，呈三角形，由 4 块巨石砌成。从力学的角度来看，三角形的设计非常合理，因为其他几何形状（如四边形）的入口，都无法承受金字塔本身的巨大重量（五百万吨左右）。这说明古埃及

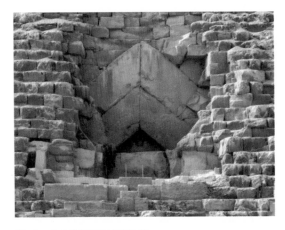

图1.8 大金字塔的三角形入口

人在四千多年前就已经对几何学和力学有很深入的了解，并且运用自如。

当然，大金字塔的名气大，很大程度上来源于它自身无数的谜团。首先是关于它的建造。这些巨石从哪里来？是如何切割下来的？又是如何运到金字塔工地上的？最后，它们是怎么垒起来的？还有，这些填充物是如何将石缝塞得严严实实的？很多人不相信埃及人在 4600 年前就能做到这一切，于是干脆将建造金字塔的功劳给了外星人。好在人们对古代工程学做了研究之后，基本上搞清楚了金字塔是如何建成的，因此功劳还是聪明勤劳的古埃及人的。

首先看看这些大石头从哪里来。金字塔位于尼罗河西岸，那里是一片沙漠，没有石头可用。古希腊历史学家希罗多德[14]（Herodotus，前 484—前 435）认为这些石头来自于"阿拉伯山"（可能是现在的西奈半岛），但是现在的学者普遍认为这些石料来自于尼罗河东岸。在 4600 年前，没有铁器，开采石头并不容易。学者们认为，当时的埃及人已经有青铜器了，他们应该是用青铜制作的凿子在岩石上打眼，然后在打好的石眼中插进木楔子，再灌上水。木楔子浸泡后就会发胀，由此带来的巨大胀力会把岩石胀裂。这种方法既不需要很高的人力成本，也不费时，即使今天看来也非常聪明。接下来，要将这些巨石锯成长方形。建造金字塔的巨石

14
古希腊历史学家，《历史》（Histories）一书的作者。

有两种,一种是质地较软的石灰岩,可能是用青铜的锯子和凿子完成的(在莱纳的书中给出了一些壁画的局部,描绘古埃及人用凿子开采石头的过程);另一种是质地很硬的花岗岩,莫氏硬度为 6 左右,即使是铁和钢,莫氏硬度也小于 5,很难锯开它们。莱纳认为,古埃及人应该是把石英砂粘在了铜锯的表

15
在萨卡拉(Saqqara)发现的 Ankmahor 之墓中的壁画(公元前 2200 年),根据铭文的记载,Ankmahor 的地位仅次于法老,相当于中国的宰相。

图 1.9　古埃及人用锤子和凿子采石 [15]

面,这有点像我们现在用的金刚砂的砂轮(将碎金刚石粘到一个轴上)。而石英的莫氏硬度为 7,可以锯开花岗岩。

接下来的问题是如何将这些巨石从采石场运到金字塔的施工工地上。当时不仅没有车子,而且轮子(发明于两河流域)也还没有传到古埃及。我在朋友聚会上提到提到这个问题时,一位女士马上回答:"金字塔根本就是外星人修的。" 这个半开玩笑的回答说明即使是现代人,也会认为如果没有现代化的运输工具,搬运这些石头非常困难。可实际上,古埃及人远比我们想象得要聪明, 他们是有办法的。

在第十二王朝的法老杰胡提霍特普(Djehutynakht)的墓中,有一幅壁画引起了研究古埃及的学者的注意, 因为它揭示了古埃及奴隶和工匠们修建大型建筑的过程。

在壁画中,有 172 个工人拉着一个雪橇似的木筏,上面放着一块巨石,

从大小来看估计有 60
吨重。我们知道,大
金字塔最大石块的重
量 不 超 过 100 吨,
因此这种方法是可行
的。当然,今天的工
程学家对古埃及人的
解决方案还提出了多

图 1.10　在杰胡提霍特普墓中发现的埃及人移动巨像的场面

种猜测。比如有的学者认为古埃及人为了运送石料,修建了从尼罗河东岸
采石场到渡口,再从尼罗河西岸渡口到工地的道路,而这条道路可能就修
了 10 年左右。另一个被广泛接受的观点是古埃及人可能发明了一种木轨,
将巨石放在木轨上而不是直接在地上拉会更省力。下面是工程学家绘制的
原理示意图,如图 1.11 所示。

不论是靠上百人一起
还是靠圆木和木轨来
拖拉巨石,古埃及人
的智慧和毅力都令人
赞叹。

再接下来的问题是如
何把这些石头摞起
来,垒成金字塔。大
部分学者认为,古埃
及人在修建金字塔时

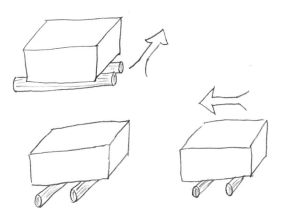

图 1.11　古埃及人使用的圆木和木轨

利用了斜坡的原理。第一层的巨石垒起来显然不成问题,完成这部分工
作后,工人们在金字塔旁边用土石堆成一个斜坡,斜坡的顶部正好是第
一层的高度,这样就可以通过斜坡将巨石运到第二层垒起来。当第二层
完成后,土坡随着金字塔的升高而加高。

加高的方法有三种，如下图所示。第一种是之字形，这需要堆一座和金字塔一样大小的土山，虽然这样做工程量不小，但是和建金字塔比算不了什么，还是可行的。第二种方案是建一个很长的斜坡，它的问题是占地较大。第三种方案是沿着金字塔四周建一个螺旋式的斜坡，既省地方，工程量又小。不管当时古埃及人用了哪种方案，总之他们解决了这个问题。当然这还都是假设，是否可行最好试一试。日本人做事情比较认真，他们真的搭了个土坡来验证这种用斜坡运送大石料的可行性。日本老字号的建筑公司株式会社大林组[16]（Obayashi Corporation）搭了一个坡度为 1：4（高度对坡长）的土坡，然后用 18 个人将一块 2.5 吨重（大金字塔石料的平均重量）的巨石拉了上去，虽然拉得比较慢——每分钟移动 18 米，但是至少证明了这种方法可行。

图 1.12　大金字塔的三种建造方法

最后还剩一个问题，就是构成金字塔塔身的巨石之间的缝隙是如何填充得严严实实的？考古学家在大金字塔取样，证明这些填充物是石膏，它不起粘连的作用，但是有助于大金字塔的稳定。石膏填充时是胶状物，如果让石膏自然地干燥，时间会很长，而且可能会出现裂缝。1984—1995 年间，瑞士、美国和埃及的科学家联合开展了利用放射性碳确定金字塔年代的研究项目，作为研究的副产品，他们发现古埃及人用木材加热使石膏快速脱水，如有裂缝可以继续填充。这一成果可以在研究报告《利用放射性碳同位素确定古王国和中王国金字塔年代》[17] 中找到。另外，

16
公司由大林家族于 1892 年成立于大阪，现在总部在东京。很多著名建筑（如大阪宇宙大厦和台湾高铁）都是该公司的杰作。该公司于 2012 年宣布要建造一个通往太空站的天梯。

17
RADIOCARBON DATES OF OLD AND MIDDLE KINGDOM MONUMENTS IN EGYPT, http://t.cn/8sDvZ3Q

该报告还支持这样的观点：金字塔中木炭出现的年代比建造金字塔的年代早上百年，这说明为了修建金字塔，古埃及人砍掉了很多百年老树做燃料。

至此，建造金字塔的大部分工程问题已经有了答案，我们应当相信古埃及人有能力和智慧修建大金字塔。其实，单从工程难度来看，古埃及最惊人的建筑还不是金字塔，而是方尖碑。方尖碑上那一整块重达数百吨的巨石是从遥远的阿斯旺开采出来的，然后通过水路运到卢克索等地。接下来还需要将它毫厘不差地树立在设定的石座上。美国 Discovery 频道曾摸拟当年的工艺，全凭人力重复了这一壮举。金字塔的工程难度比方尖碑低多了，伟大之处主要在于总量太惊人了。

除了金字塔是如何建成的，围绕大金字塔还有其他很多谜团。比如法老们为什么要修建大金字塔。我们过去都被告知金字塔是法老的陵墓，那么为什么陵墓要修在地上而不是地下？在埃及发现的《金字塔铭文》中有这样的话：为他（法老）建造起上天的天梯，以便他可由此上到天上。可见法老们是希望死后从高高耸立的金字塔中升天。无独有偶，在吴哥窟也能发现类似的建筑，是为国王升天而造的。金字塔之所以

图 1.13　耸立在法国协和广场的埃及方尖碑，重达 250 吨

修成这种锥形，是因为这种形状最稳固，在当时的工程条件下也最容易施工。

作为法老上天的天梯，金字塔里面是什么样的呢？进入大金字塔入口之后，是一条向下的巷道，大约两人宽。沿着巷道走不远，它就出现了第一次分岔，一条沿着原来的方向继续向下，最终到达在地下 30 米处一个未完工的地下室，至于地下室是做什么的，现在仍有争议。沿另一条路往上走，在大约回到入口高度时再次分岔，有一条水平的巷道通向王后的墓室，而另一条继续向上的巷道通向法老的墓室。下图是金字塔内部结构示意图。

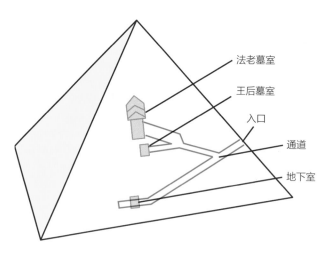

法老墓室

王后墓室

入口

通道

地下室

图 1.14　大金字塔的内部结构

法老的墓室非常有意思，引起了学者们很大的研究兴趣。大家可能会猜测这里头是不是有很重要的珍宝和文物，是的，大金字塔法老墓室中的每一件文物都珍贵而重要，它们体现了我们人类在 4600 年前最高的科技和艺术水平。但是学者们更感兴趣的不是里面的宝贝，而是墓室的尺寸。法老的墓室有 20 埃及古尺长 [19]，10 尺宽（大约 10.48 米长，5.24 米宽），比例正好是 2:1，但是高度为 11.18 尺，约 5.974 米，这并不是个整数。为什么法老要选用这样一个奇怪的数字呢？因为 11.18 尺正好是 $5\sqrt{5}$，也就是墓室宽度的 $\sqrt{5}/2$ 倍，这样的高度，保证了两面墙的对角线长度是整

Royal cubits，又名皇家肘，估计和英尺类似，是某个法老的肘长。

数 15 尺，因为根据勾股定理：

$$10^2 + (5\sqrt{5})^2 = 225 = 15^2$$

不仅如此，墓室的两个最远的顶点之间的距离也是整数，即 25 尺，因为同样根据勾股定理$15^2 + 20^2 = 625 = 25^2$。下图是墓室尺寸的示意图，两条红线表示整数长的斜边。

这个墓室尺寸的设计，说明 4600 年前的古埃及人已凭经验发现了勾股定理，虽然这个定理的严格证明要由两千年后的毕达哥拉斯（Pythagoras of Samos）才能给出。大金字塔的另一个与几何有关的数字是它的周长和高度比，大约等于 6.29。这大致是圆的周长和半径的比例，即两倍的圆周率，误差在千分之一左右。由此可见，古埃及的几何学颇为发达，虽然他们没有像后来的古希腊人那样构造了基于公理体系的严格的几何学。

大金字塔中最重要的文物应该是法老和王后的干尸，即木乃伊。但是很遗憾，考古学家们没有发现木乃

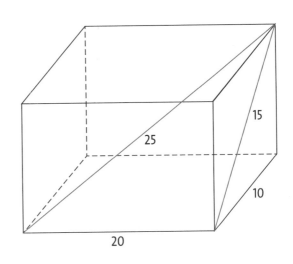

图 1.15 大金字塔墓室的尺寸

伊，而这也成为一些专家否认金字塔是法老陵墓的证据。这倒也不奇怪，因为从公元前 1 世纪，即大金字塔建成两千四百多年后，就有古希腊考古学家进入其中，之后大金字塔又多次被盗，没有木乃伊并不奇怪。当然，还有科学家认为大金字塔中应该还有尚未被发现的密室，里面可能藏有法老胡夫的木乃伊。

说到木乃伊，这是古埃及人又一项值得骄傲的文明成果。古埃及人为什么要制作木乃伊呢？这就要从古埃及人对生与死的认识讲起了。

死亡是人类无法回避的话题，虽然人们梦想长生不老，并且从远古开始就进行各种尝试，但是所有现世的人都清楚这种尝试从来没有成功过。既然长生不老是不可能的，古代的各种文明和宗教便大都把希望寄托在有来世。这些文明和宗教，大部分都相信人死后灵魂会独立于肉体而存在。但古埃及人并不这么看，它们相信灵魂永远依附于身体。死者的尸体要是腐烂了，灵魂也会随之消亡。因此，为了来世能够永生，死者的尸体必须很好地保存下来。最好的方法就是将人死后的尸身做成干尸，即木乃伊，以便永久保留。木乃伊来自古波斯语"沥青"一词，因为古代埃及干尸外面裹上了一层黑色的蜡，欧洲人最早看到木乃伊时首先想到了沥青。

古埃及人做木乃伊的兴致大大超出今人的想象。如果让大家猜古代埃及做了多少个木乃伊，也许最大胆的猜测不过数万而已，因为我们今天在哪怕是最大的博物馆，比如卢浮宫、梵蒂冈博物馆或者大英博物馆，也只能见到几个木乃伊。但实际上，古埃及人历史上至少做了七千多万个木乃伊 [19]。

当然，只有那些负担得起制作木乃伊费用的人才能将肉身保留下来。几乎所有的法老，以及很多高级僧侣和贵族死后都保留了木乃伊。个别的中产阶级或许能够做到这一点，但是几乎没有贫民的木乃伊保留下来。那么，这么多木乃伊去哪儿了呢？大部分木乃伊都因各种各样的原因毁掉了，其中最多的是被当作柴火给烧了，其次是被用于制药，当然这都是很早以前的事情了。拿破仑当时还曾经送给皇后约瑟芬两个木乃伊作为房间的装饰，上行下效，这种怪癖一度在法国社会上风靡一时。

木乃伊没有让任何一个法老不朽，不论是修建大金字塔的胡夫，还是古埃及历史上最了不起的拉美西斯二世，却让制作木乃伊的埃及医生和奴隶为后世敬仰。可是我们无从知晓他们的姓名。

把大金字塔的故事和每一个细节讲清楚，恐怕需要一本专著，不过，即使用最好的文笔写的最好的专著，和大金字塔本身相比，都显得微不足道。为了建造这么大的金字塔，据估计当时动用了二十万奴隶和农民，耗时十几年。这不仅是古埃及人智慧的结晶，也是全世界文明的成果。很遗憾我们不知道它的建筑师是谁，它的结构工程师又是谁，我们也不知道用各种巧妙的方法解决每一个工程难题的又是谁，更不用说几十万奴隶和农民的姓名。

从这些文物中，我们看到了当年古埃及高度的文明。而创造这些文明的，是无数默默无名的人。正因为人类一代代努力工作，辛勤开垦，不断进取，才有了这个美丽星球的文明。

第四节　灿烂的古埃及艺术

美国开国元勋之一的约翰·亚当斯[20]有一句名言，很好地概括了在文明的不同发展时期人们关注的问题的区别：“我必须学习政治和战争，这样我的孩子才有可能学习数学和哲学[21]，以及地理、自然历史等等，然后我的孙子才有机会学习绘画、诗歌、音乐、建筑、编织女红和瓷艺。”[22] 人类也是如此，前几代的人要考虑生存和安全问题，这就是亚当斯所说的政治和战争的必要性；接下来要考虑社会的建设和发展，离不开科学和工程；当这些事情都做好了以后，人类就会追求艺术等更高精神层面的东西。

古埃及的发展也是如此，他们先有了农业，然后有了工程和建筑，之后艺术则开始蓬勃发展了。古埃及最杰出的艺术是绘画和雕塑（包括浮雕），后世西方的艺术家们评价古埃及人，认为他们在这两个方面都登峰造极，因为世界上没有哪个民族能够在几千年的岁月里保持着艺术的繁荣，即使是在艺术史中高高在上的古希腊人也无法做到这一点。或许有读者觉得我是在夸大其辞，不过在我们得出结论之前，先从一件文物来看看古埃及的艺术成就吧。

20
美国独立时期马萨诸塞州的代表，第二任总统。

21
亚当斯说的哲学其实包括自然科学，当时把自然科学称为自然哲学。

22
I must study politics and war, that my sons may have the liberty to study mathematics and philosophy, geography, natural history... to give their children a right to study painting, poetry, music, architecture, tapestry, and porcelain.

如果能让我从全世界所有的古董中挑选一件收藏，我会选择古埃及的《亚尼（Ani）的死者之书》。因为它首先年代久远，我们知道收藏品一般来讲越古老的越值钱；第二，它的艺术成就极高，这点我们后面再细讲；第三，它完整地反映了三千两百多年前古埃及的社会和人们的生活，文物价值极高。那么，《亚尼的死者之书》是件什么东西呢？

23
阿努比斯是埃及神话中的亡灵的引导者和守护者，掌管和守护亡者的灵魂。为了防止亡者的灵魂受到二次伤害，导致死者无法复活，古埃及人认为唯有阿努比斯的守护才可让他们的灵魂得到庇护。因此埃及的古墓常常可以看到阿努比斯的身影。

这是一轴绘制在纸莎草纸上的长卷或者说"连环画"，它宽约 40 厘米，长达 20 多米。它的发现时间不详，1888 年被英国考古学家沃利斯·巴奇爵士（E. A. Wallis Budge，1857—1934）购得，现收藏于大英博物馆。亚尼是古埃及的一个大祭司。这幅画作为陪葬品放在他的墓中，因为根据古埃及的习俗，死者在通向复活之路时，必须于棺木中置放《死者之书》。《死者之书》均以纸莎草写成，可长可短，亚尼的这份死者之书篇幅长达 60 章，描述死者在来世获得永生所需的咒文和约定事项。该画卷的主要内容包括：死者的灵魂离开肉体，灵魂在守护神阿努比斯[23]引导下，通过地狱及黑暗的炼狱，来到诸神及审判官前，并从冥界之门，来到冥神奥西里斯面前，进行"秤心仪式"[24]，随后搭乘太阳船，驶向复活之路，并在来世过着与今生一样的美好生活。

24
古埃及人用天平衡量一个人生前的善恶。天平的一边放着羽毛，另一边放着死者的心脏，如果心脏与羽毛重量相当，那么这个人就可以升上天堂，得到永生，如果心脏比羽毛重，说明这个人有罪，将会被打入地狱，被魔鬼吃掉。

《亚尼的死者之书》在古埃及同类文物中保存得最好、最出色，堪称古埃及艺术中臻于极致的作品，整卷画作都十分精彩。古埃及的艺术家使用的颜料相当于今天的水粉。古埃及人发明了世界上最早的墨水，最初只有黑和红两色，后来逐渐有了蓝色、黄色和绿色等等。目前尚不知这些颜色是用什么矿石配制的，以至于做出来的画可以在三千多年之后，依然保持着它们原有的鲜艳。在大英博物馆里也保存了一些一千五百年前东方的绘画，但是经年累月，画面上原本亮丽的颜色变成了暗灰色，而且内容模糊难辨。

从绘画风格上来看，《亚尼的死者之书》更接近于中国宋代以后的工笔画，而不是西方的壁画和油画。上面的人物描绘得非常细致，以唯美笔调勾勒简洁清雅之风。但是这种细致和文艺复兴时期的油画又迥然不同。倒是中国工笔画那种以线立形、取神得形、再以形达意的艺术效果，和古埃及的绘画有不少相似之处。在美国历史学家和通俗作家房龙看来，欧洲 14 世纪（文艺复兴之前）的油画和古埃及这些绘画相比，则显得颇为幼稚，要知道这前后可相差了 18 个世纪。

《死者之书》的文物价值甚至高出它的艺术价值，这件文物是古埃及生死观的明确表现。在古埃及，法老和奴隶的生活天差地别，但是有一点却是共同的，就是他们都要面对死亡。除了一些狂热的宗教信徒，没有人愿意离开现世，但是不同的民族对待死亡的态度却有很大的不同。在古希腊和罗马，死神是冷酷的拿着镰刀的骷髅，实际上流露出人们对死亡的恐惧。而在古埃及，人们表现出（或者装出）一种对死亡无所谓的样子。十九世纪研究古埃及历史的学者们就得出这样一个结论：古埃及的宗教和基督教在安抚人们的心灵方面有很大的相似性。他们给活着的人描绘了一个很好的世界，或者可以称为天堂，在那里没有了现世的黑暗与不公，永远充满着快乐。不过，人们只有在死后才能到达那个世界，而且必须是虔诚而为善的人才有资格。死者之书描绘的就是这样一种生死观。在《亚尼的死者之书》中，最精彩的部分是"秤心仪式"。图中，站在一旁的书记官，也是"智慧之神"的陶特会手持墨水笔和陶板，把"秤心"的结果记录下来。有意思的是，在几乎所有法老和贵族们的死者之书上，天平都是平衡的，说明宗教在当时已经为有权有势的人所控制。这和中世纪基督教宣称的只要把财产捐给教会就能赎罪进天堂的道理一样。

图 1.16　《亚尼的死者之书》中的"秤心仪式"（收藏于大英博物馆）[25]

25
亚尼和妻子来到冥神奥西里斯面前，接受审判。奥西里斯的面前有一具天平，天平两端，一边放着亚尼的心脏，一边放着代表公正的"羽毛"。阿努比斯正在调拨着天平，检查是否平衡。

《死者之书》上的文字和绘画也是古埃及人社会与生活的重要记述。我们通过它可以了解古埃及的宗教、人们关心的问题。除了人物，画卷中还绘制了大量的物品、动物、器具等等，我们可以由此了解他们生活的方式。比如我们知道他们那时候已经懂得使用天平（和秤），他们穿的是亚麻布的衣服，和中国古代人们坐在榻上不同，他们使用椅子。而智慧之神做记录使用的是一种类似鹅毛笔的书写工具和一个陶板，我们由此知道在三千多年前，古埃及人应该经常使用笔了，而且除了纸莎草外，还用陶板作为记录工具（有点像中国的竹简）。从某种意义上讲，《亚尼的死者之书》有点像中国的《清明上河图》，不仅画面的尺寸类似，而且都是当时生活的真实写照。所幸的是，这件文物的原件一直在大英博物馆中对外展出，让全世界的旅游者都有机会一饱眼福。

古埃及的绘画当然不仅仅限于画在这些纸莎草上，他们还留下了大量的壁画。从公元前两千年到公元前一千三百年，即第十二王朝到第十九王朝之间的拉美西斯时期，是古埃及艺术的一个辉煌时代。那个时期的神庙和墓室中，壁画随处可见。早在大约四千年前，古埃及人就掌握了一种胶画法，他们首先用石灰将神庙的内壁涂白，然后再用他们发明的墨水和石灰浆这种胶状物混合起来，在白色的墙壁上作画。相比在纸莎草上作画，壁画的发挥空间要大得多，题材也丰富得多。这些壁画虽然也有装饰的目的，但主要是为了讲故事。既然是讲故事，绘画时就必须把故事中的人物角色表现清楚。因此，古埃及的艺术家（无论是在绘画上还是在雕塑上）都在追求典型性上的完美，而不是突出个性。这样做有什么好处呢？我们不得不多费点笔墨把它讲清楚，这样，读者如有机会参观古埃及的神庙，便可以体会到他们艺术的精妙之处了。

说到这里，我必须打个比方。在欧美很多大城市的街头，比如纽约、巴黎、威尼斯和罗马，都有一些街头艺术家为游客画速写漫画，比如巴黎地铁站就有不少这样的年轻艺术家。坦率地讲，他们的生意通常都不是很好。可能在某一天一个妈妈带着自己的小孩路过某个摊位时，心血来潮，让某个年轻的艺术家为她的孩子画一幅画。要让孩子像模特那样坐在那里几个小时不动是不可能的，因此，这位画画的年轻人看了孩子几眼就勾画出孩子的轮廓，又加了几笔便完成了一幅肖像漫画，前后不过十几分钟。这时妈妈接过画，礼貌地讲一句："哦，画得真不错。"可是她心里却可能在想："嗯，不像，我的孩子比画上的漂亮得多，眼睛也大得多。"妈妈的评价没有错，因为她每天看着自己的孩子，熟悉他。但是这位妈妈却未必比那个艺术家更了解孩子的神态特征，因为她注重的只是孩子具体的容貌，而那个（倒霉的）画家在短短的时间里把握的却是孩子的神态，那可是完全可以区别这个孩子与其他人的特征。从形态上升到神态就是一个艺术提炼的过程。

这样的提炼乃至升华的能力，在绘画中非常重要，因为观众其实喜欢的并不是简单的复制。我们可以用一个例子来说明这个道理，比如我们要画李白，其实我们谁也没有见过李白，不过我们知道他有诗仙的美誉，同时又是唐代的"饮中八仙"，因此，画家会把他的神态尽可能画得超凡脱俗，大家看了也会说："嗯，这就是李白。" 画家笔下的李白在长相上和真实的人物可能相去很远，但是大家接受它。但是，如果我要说李白是这张照片上的样子，大家可能就要跳起来说：这怎么可能？！或许通过颅骨复原技术恢复的李白真实面貌与光复会创始人之一的陶成章真的颇为相像，但是大家不接受。这说明，大家喜爱的艺术是在真实基础上进行了提炼加工的，而不是简单的技术性复制作品的原型。

回到古埃及的艺术上，那些画师和雕刻家比在巴黎地铁站摆摊的艺术家们幸运得多，因为法老

图 1.17　穿着日本和服的陶成章 [26]

26
日本的和服源于唐装，或许李白真长成这个样子。

们没有强求他们做到形似。当然这些艺术家在给法老画像或者立雕塑时，也会仔细描绘其面部特征，尤其是眉毛、下颚和鼻子，但这不是他们的重点。他们要捕捉到法老和芸芸众生之间所不同的气质和神韵。画师们可以将一个法老画得像他们的祖先，以至于几代法老的画像都很相似，但是必须将法老卓尔不群的王者风范展现出来。因此，在古埃及的绘画中通过人物的穿着与神态，我们完全可以判断他们是什么样的人，比如高高在上的神灵和法老，面部和肢体表情与侍从或者奴隶是完全不同的。想一想，在四五千年前埃及的艺术家们就已经懂得了这一点，而二十世纪绘画的代表人物毕加索所追求的恰好也是这一点。

古埃及的雕刻和绘画一样出色，细分起来，他们的雕刻又可以分成人像的雕塑和浮雕。所幸的是，这些雕刻都是基于石头的，因此很好地保留到了今天。与古希腊、古罗马不同，古埃及的雕塑大多和神庙或者陵寝相联系，而希腊和罗马的很多雕塑用于装饰家庭。正是因为古埃及的这些雕塑是供给神灵或者君王的，因此艺术家们总是精雕细琢，这和商品时代的艺术品完全不同。与其他文明不同，古埃及人在同一块土地上生活了几千年，鲜有迁徙，因此他们从来没有想过雕塑会需要迁移，于是他们的作品常常非常宏大，狮身人面像就是一个很好的例子。时间对古埃及人来说似乎总是够用的，他们喜欢花几十年做一件事，而不是一年做很多事，然后为后世留下不朽的作品。当我们看到古埃及的艺术作品时，才能真正体会到"不朽"这两个字的含义。

要了解古埃及的雕刻艺术，一定要去看他们的神庙。在古埃及几千年的历史上，古埃及人留下了无数宏大的神庙，而这些高大的建筑给了艺术家们施展自己才华的广阔空间。神庙的结构很有意思，按今天的设计规范来看，似乎很不合理，因为神庙外部雄伟庄严，无论是外庭还是内庭都宽阔明亮，富丽堂皇；但是真正的内室，也就是神灵所在的空间却窄小而阴暗。或许只有古埃及的僧侣们才知道这种设计的奥秘。因此，无论是考古学家还是游客，关注更多的是神庙的外表。在诸多的古埃及神庙中，最有代表性的当属卡拉克神庙群（Karnak Temple Complex）和阿布辛拜勒神庙（Abu Simbel Temples）。

建于第十八王朝的卡拉克神庙是底比斯最古老的神庙之一，可能也是全球最壮观的神庙之一，至今已有三千五百多年的历史了。其中的卡拉克神殿因其宏大的规模而扬名世界，它是地球上最大的用柱子支撑的寺庙。神殿的大柱厅，长 100 米，宽 50 多米，超过半个足球场大小，内有 134 根巨大的石柱，每根高度都在 10 米以上，分 16 行排列，中央两行尤其高大，每根高达 20 多米，直径超过三米半，整座大厅用如此密集的粗大柱子创造出一种震撼人心的效果。除了窗户外，所有的石柱和墙面均绘制了精美的图画或者雕刻了浮雕。在我看来，它的震撼力超过了古希腊著名的雅典卫城或柬埔寨的吴哥窟。

图 1.18　卡拉克神庙的巨型石柱

与雅典帕特农神庙或者吴哥窟的完全不同，卡拉克神庙浮雕中的人物并不是凸出的，而是刻入石头的（因此又称为凹浮雕）。这可能是因为这些石柱是质地坚硬的花岗岩，而古埃及当时还没有锋利的铁器。考虑到当时的技术条件，雕刻这种凹浮雕并不见得比今天的凸浮雕容易，这要求当时的雕塑家们掌握高超的技巧。透过这些浮雕上简洁的线条，艺术家们表达出无穷的深意。

阿布辛拜勒神庙是为古埃及一代明君拉美西斯二世建造的，它位于埃及的南端，靠近著名的阿斯旺大坝。从建筑学的角度来讲，这个神庙可以媲美胡夫大金字塔。整个神庙是在山体岩石上开凿而成，主庙深入岩壁五十多米。正面的门面宽 36 米，高达 32 米，门洞左右是四个拉美西斯二世的坐像，每个高达 20 多米，这些雕像是古埃及雕塑的代表作。神庙的另一个神奇之处是，每年 2 月 21 日拉美西斯二世生日以及 10 月 21 日拉美西斯二世加冕日这两天，阳光可通过洞口直射到庙堂内深处的神和他本人的雕像上。

图 1.19　阿布辛拜勒神庙前的四座拉美西斯二世像

阿布辛拜勒神庙在建成后不久遭遇了一场大地震，神庙的部分建筑和雕像皆有不同程度的受损，当时的建筑师们修复了部分建筑，但是有一个毁坏了的雕像却无法修复。拉美西斯死去几百年后，这座神庙被废弃，并最终被埋在漫漫黄沙中，一埋就是三千年。在十九世纪初，欧洲人发现了它并且逐步把它挖掘出来并加以修复。遗憾的是，在 1960 年，埃及总统纳赛尔下令修建阿斯旺水库，水库建成后，阿布辛拜勒神庙将葬身水底。后来幸亏联合国教科文组织采取了拯救行动，将阿布辛拜勒神庙锯成碎块（当然每块都非常大），然后转移到高地，再将这些碎块重新组装起来，整个搬迁工程花费了 5 年时间，动用了两千多名工人，而当初建造神庙的工程量不知道比这大多少。虽然神庙算是保住了，但是非常可惜，我们今天看到的已经不完全算是"真迹"了。

拉美西斯二世的坐像具备了古埃及雕塑所有典型的特征，直立坐姿，双臂紧靠躯体，双目直视前方，表情庄严。雕塑着重刻画人物头部，面部轮廓写实，而身体则较为简略。古埃及人用作雕塑的石料大多是非常坚硬的花岗岩和玄武岩，在当时的技术条件下要在如此坚硬的石料上雕刻出有动感、有韵律的人像，难度可想而知，这需要非常高超的技巧。虽然拉美西斯二世的坐像都是锯开后重新修复而成，不过，透过这几座巨型雕塑，我们依然能体会到古埃及雕塑的那种震撼力，这不仅仅是因为它们的宏大，而是那种神一般的气度，这就像我们前面讲的，任何人一看到它们就会本能地认为"这是一个法老"，"拉美西斯二世大帝就是这个样子的"，一件作品做到这个程度，就不需要后人对它的水准做画蛇添足的评价了。每当我站在古埃及的艺术杰作前，常常感到自己像是站在大师前面、对艺术刚刚入门的小学生。

图 1.20　拉美西斯二世的半身像（收藏于大英博物馆）

古埃及的雕塑和壁画除了在埃及，还可以在世界各大博物馆里见到，其中收藏数量众多和质量上乘的是英国的大英博物馆。古埃及雕塑的材料大多选用坚硬的花岗岩，因此历经几千年的风霜依然保存完好。埃及地区干燥少雨，对壁画的保存非常有利。老天似乎对埃及人特别眷顾，有意帮助他们留下文明的印记，正因为如此，我们今天才能看到那些几千年前的杰作。

但是，对文明来讲，人祸却比天灾更可怕，也更难以避免。以卢克索地区的神庙为例，它们修建于公元前15世纪，遗憾的是，到了公元前4世纪，马其顿的亚历山大征服埃及时，这位不可一世的大帝要把全世界都变成希腊的模样，于是他按照希腊建筑师的设计来改造神庙，便将神庙改得不伦不类了。后来亚历山大的部将托勒密在埃及称王，成了这里的统治者，他们很快将希腊文化融入了当地的文化，而对古埃及文化的破坏没有继续，不过那时埃及的艺术实际上已具有古埃及和古希腊二元文化的特点。罗塞塔石就是托勒密王朝的产物。

历史上对古埃及文明最大的两次破坏都和宗教有关，第一次是公元四世纪末期，罗马帝国的皇帝狄奥多西一世（Flavius Theodosius Augustus I，公元347—395）下令关闭所有的异教神庙。当时年迈的学者、演说家利巴尼乌斯（Libanius）给狄奥多西写了著名的"Pro Templis"这封信，呼吁对仅存的少数古代神庙给予尊重并免于摧毁，但是利巴尼乌斯的建议没有被采纳[27]。公元389—390年，狂热的基督教徒成群结队冲入中东和埃及的城市，摧毁神像、神坛、图书馆和异教神庙，并且打死异教徒。亚历山大城的主教西奥菲罗斯（Bishop Theophilos）在进行大规模的异教迫害的同时，把奥西里斯神殿（Temple of Osiris，希腊语为底俄尼索斯神庙 Temple of Dionysus）的神庙转变为教堂。埃及人不得已在哲学家奥林帕斯（Olympius）的率领下奋起反抗，但是敌不过狂热的基督教徒，他们最后通过巷战后退守塞拉皮斯神庙（Temple of Serapis）。基督教徒经过暴力围攻后冲入神庙，摧毁建筑，烧毁了著名的亚历山大图书馆，并且毁坏了里面的雕像。这些暴行让人们联想到后来的英法联军火烧圆明园。很多古埃及（以及美索不达米亚）的文物得以保存至今，要感谢在那个时候它们已经被黄沙所埋。在这次基督教徒的暴行中，被毁掉的大多是古希腊的建筑和雕像。可见有时候，宗教导致的狂热比战争还可怕。

对古埃及地区文物的第二次破坏发生在阿拉伯人入侵当地的时期。穆斯林们倒是没有刻意要毁掉什么建筑，但是他们为了修建清真寺，采用了拆旧建筑盖新建筑的做法。胡夫大金字塔就是在那时被毁坏的。今天我

27
Grindle, Gilbert (1892) The Destruction of Paganism in the Roman Empire, pp.29-30

们看到的大金字塔顶部颇为怪异，似乎有个帽子。而如果走近大金字塔的底座，就能看见修建金字塔的岩石被风雨侵蚀得很厉害，这要归咎于当年的阿拉伯人。大金字塔的表面原本十分坚硬，而且光滑漂亮，不是现在的样子，因

图 1.21　被毁坏的塞拉皮斯神庙（Temple of Serapis）

为建造者为了减少强烈的阳光和风沙对金字塔的破坏，在金字塔的表面包裹了一层非常坚硬的花岗岩。阿拉伯人征服埃及后，为了在开罗修建清真寺，他们竟然剥掉了大金字塔的保护层[28]。大金字塔的顶部因为太高，未遭破坏，因此今天看来像个帽子。有保护层的大金字塔在最初的 3700 年里保护完好，但是在失去了保护层后仅仅七百多年里，它就被强光和风沙严重地侵蚀了。因此有人预测，如果不加以保护，大金字塔早晚都会消失。过去那个时期人们对文化的不宽容和对艺术的破坏，让我们今天想起来依然心中隐隐作痛。

每当我看到世界上那些伟大的艺术作品和其他文明的成果（或者遗迹），就不由地会对这些艺术和文明的创造者肃然起敬。他们都是一些默默无闻的人，因为古埃及的艺术家从来不在自己的作品上留下名字，至少到今天我们还没有见到过。同时，我也常常对那些考古工作者心怀敬意，他们是文明的发现者。正是这些文明的创造者和发现者的劳作，才使得世界上最古老的文明井然有序地展现在我们面前。相比之下，那些声名显赫的王侯将相，他们有时为了一显自己的力量，对文明的破坏远远超过他们所谓的功绩。

28

因为当地并不产花岗岩，要到较远的阿斯旺地区去开采，阿拉伯人"就地取材"直接破坏大金字塔。

第五节 埃及文明和青花瓷

古埃及文明对世界的影响远远超过人们的想象，即使在远在万里之外的中国文明中，也或多或少能找到来自埃及的元素。一个有趣的现象，就是著名的中国青花瓷和埃及文明的关系。

在中国宋代之前的传统绘画中，并没有采用过蔓藤图案。在受佛教影响较大的敦煌壁画中，也没有发现这种图案。但是到了元代末年和明代初年，早期的中国青花瓷上突然出现了蔓藤图案，这显得很奇特。关于元青花的诞生，我们在本书后面的章节中会进一步介绍。这里先简单给出一个事实，即元青花本身是多种文明相互融合的产物，早期的青花瓷含有很多伊斯兰元素，而这些伊斯兰元素最初来自于古埃及。

在埃及的卢克索，有上千位帝王的墓葬和神庙，内有精美的壁画，历史都在三千年以上[29]。在很多壁画中，绘有葡萄和葡萄藤，因为在古埃及，葡萄藤是常青的象征。

这些三千多年前的壁画绘制精美，色彩鲜艳，人物形态逼真，体现了非常高的艺术造诣。到了公元前六七世纪，希腊开始崛起，古埃及文明和希腊文明开始互通，希腊人从埃及人那里学会了很多农作物的种植技术，并且把当地的一些风俗和文化带回到希腊。这种以葡萄藤为原型的蔓藤花纹便传到了希腊。在雅典卫城的伊瑞克提翁神庙里，可以看到很多蔓藤花纹的浮雕，当然，希腊人雕刻的叶子和花朵更加精致。下图所示的这种蔓藤图案在古希腊的陶器上十分常见。

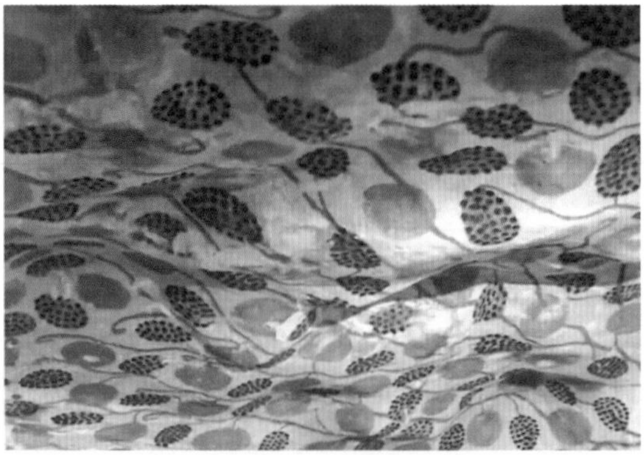

图 1.22 卢克索帝王墓顶部绘制的葡萄藤图案

29
由于卢克索地处沙漠，降雨稀少（平均年降雨量仅2.3毫米），因此这些壁画得以很好地保存下来。

图 1.23　古希腊陶器上的蔓藤图案

希腊被罗马征服后，罗马帝国和从罗马分出去的拜占庭帝国（即东罗马）
继承了希腊人的文化衣钵。拜占庭人在他们的教堂装饰和日用器物上，
也大量使用这种纹饰。在约旦一座拜占庭时期的教堂里，保留着用马赛
克拼成的花纹，与古埃及神庙和墓穴中的花纹非常相似。

图 1.24　拜占庭教堂里的蔓藤花纹与古埃及神庙和墓穴中的花纹非常相似

在长达七个世纪的时间里（公元 8 世纪到 15 世纪），拜占庭人和伊斯兰
文明的国家（先是阿拉伯帝国，然后是奥斯曼土耳其帝国）之间，发生
了不间断的战争和随之而来的文化融合。这种葡萄藤式的装饰图案也因
此融入了伊斯兰文化，并且受到阿拉伯人喜爱。当然，阿拉伯人喜欢用
植物图案装饰清真寺和生活用品的另一个原因，是伊斯兰教禁止用动物
图案作装饰。

阿拉伯人喜欢白色和蓝色，在他们的清真寺里，常常使用白底蓝色的图案，
而蓝色的植物蔓藤图案随处可见。到了公元 13 世纪，蒙古人成了欧亚大
陆的主人，他们征服阿拉伯地区远在征服中国的南宋以前。公元 1218 年，
成吉思汗亲率蒙古大军西征，于 1221 年攻占了当时中亚信奉伊斯兰教的
大国花剌子模（现土库曼斯坦、乌兹别克斯坦等地）。1252 年—1260 年，

大蒙古国蒙哥汗派其弟旭烈兀率领大军攻灭木剌夷国（今天的阿富汗）、阿拉伯的阿拔斯王朝、叙利亚的阿尤布王朝，建立了伊儿汗国。而蒙古人灭亡南宋则是在 1279 年的事情，距成吉思汗首次西征阿拉伯地区已经过去了六十多年。在这六十多年里，蒙古人深受伊斯兰文化的影响，这可能在客观上妨碍了他们接受中国儒家思想。

蒙古人入主中原之后，把很多伊斯兰文明的成果也带到中国。受伊斯兰文化的影响，中国元朝诞生的青花瓷器采用了这种葡萄藤的图案。

青花瓷从 14、15 世纪开始走向世界，至今仍是各种瓷器中最受大众欢迎的瓷器，这其中的一个原因，可能在于它是多种文明（包括古埃及文明）融合的结果。

图 1.25　洪武青花碗上装饰有蔓藤图案（收藏于大英博物馆）

结束语

古埃及文明是世界文明史上的一座丰碑，它如此悠长的历史，只有中国和印度可以相比。当圣经中的先知摩西见到埃及文明时，它已经存在了几千年。当恺撒和屋大维仰视金字塔时，他们和大金字塔的时间距离就如同我们和兵马俑的距离一样遥远。虽然在古埃及的诸多文物中，没有记录下任何一位创造这些灿烂文明的人的姓名，但是我们知道他们都很了不起，正是这些默默无闻的人创造了历史。

接下来，让我们将目光移向西亚，去领略在人类第二个文明中心美索不达米亚发生的奇迹。

附录　古埃及年代表

前 40 世纪，　　　　埃及尼罗河流域出现农业文明，孟菲斯和底比斯等地出现古老的城市

前 31 世纪，　　　　纳尔迈统一埃及，建立第一王国

前 31 世纪—前 2686，早王国时期（第 1, 2 王国），狮身人面像建于这个时期

前 2686—前 2181，　古王国时期（第 4—6 王国），大金字塔建于这个时期

前 2181—前 2055，　第一中间期间（第 7—10 王国），埃及分裂

前 2055—前 1650，　中王国时期（第 11—14 王国），大规模水利工程和大公墙在此期间修建

前 1650—前 1550，　第二中间期间（第 15—17 王国），埃及再次动乱

前 1550—前 1069，　新王国时期（第 18—20 王国），古埃及达到空前的繁荣，拉美西斯二世
　　　　　　　　　　属于这个时期。亚尼的死者之书、大量出土的方尖碑是这个时期的文物。
　　　　　　　　　　卡迭石之战在此时期爆发，现留存于世的第一份书面条约因此而签署

前 1069—前 664，　第三中间时期（第 21—25 王国），国家动荡，随着美索不达米亚地区
　　　　　　　　　　的亚述帝国崛起，埃及的影响力下降。亚述人和波斯人先后入侵埃及

前 664—前 332，　　晚期王国时期（第 26—31 王国），大量中东犹太人来到埃及，圣经中
　　　　　　　　　　关于埃及的记载源于这个时期

前 525—前 332，　　阿契美尼德王国时期，这个时期古埃及已经被古波斯的阿契美尼德人统治

前 332—前 30，　　　托勒密王国，埃及被来自希腊北部的马其顿人统治，埃及开始希腊化。
　　　　　　　　　　罗塞塔石碑即出自这一时期

前 30— ，　　　　　埃及先后被罗马人、阿拉伯人占据，源于尼罗河流域的古埃及文明终结

参考文献

1　莱斯利，罗伊·亚京斯 . 破解古埃及 . 黄中宪，译 . 三联书店，2007.

2　埃及人（*Egyptian*）.BBC 历史频道 .http://t.cn/arOf08

3　Mark Lehner. 金字塔大全（*The Complete Pyramids*）.http://t.cn/8sDvx0q

4　Carl F. Petry. 剑桥埃及史（*The Cambridge History of Egypt*）.Cambridge University Press，
　　1998.

5　Regine Schulz, Matthias Seidel.. 埃及 —— 法老的世界（*Egypt: The World of the Pharaohs*）.
　　H. F. Ullmann，2011.

第二章 轮子、拼音文字和铁器
美索不达米亚的文明

过去，中国流行过一种说法，就是在东方有"四大文明古国"[1]，这种说法非常不准确，例如古巴比伦其实只是美索不达米亚文明中某个特定民族的一个历史发展阶段。世界历史学界的主流说法是：世界上有包括中华文明在内的多个文明中心，而位于两河流域的美索不达米亚（Mesopotamia）是人类继埃及以后的第二个文明中心[2]。

正如古埃及的文明离不开尼罗河，美索不达米亚的文明也离不开河流的孕育。美索不达米亚（Mesopotamia）是古希腊对两河流域的称谓，意为"两条河流之间的土地"。在中东地区，有两条著名的河流 —— 底格里斯河与幼发拉底河，它们均发源于土耳其境内，然后几乎平行地向东南方向流去，流经叙利亚和伊拉克，最后在下游合并，注入波斯湾。在古代，美索不达米亚地区的气候不似现在这么干燥，南部为大陆性亚热带半干旱类型气候，而北部则为舒适的地中海式气候，因此，这个地区在当时远比今天更适合人类居住。和尼罗河一样，这两条河年年泛滥，洪水退去后的土地富含矿物质和有机物，适合农作物生长。这个地区的降雨量并不丰富，当地人在公元前 6000 年左右就开始运用灌溉技术，由此带来农业的丰产和文明的发展。到了公元前 3200 年左右，美索不达米亚出现了成熟的文字和最初的城市等一些文明社会的标志。公元前 2900 年前后，由众多城市组成的城邦出现了，城市的周围是发达的农业社会，城市之间贸易兴盛，政治、文化和艺术也有了高度的发展。

1
根据《中国大百科全书》第二版的提法，它们是古巴比伦，古埃及，古印度和古中国。

2
随着一些新的考古发现，也有一些学者认为美索不达米亚的文明早于埃及文明。

3

他们活动的区域主
要在美索不达米亚
北部。

4

印欧语系的一支，
建立了巴比伦第二
王朝中的中王朝。

美索不达米亚文明相比世界其他早期文明中心，有一个显著的不同，那就是很多民族在这块土地上先后建立了自己的文明，而在其他地区则更多的是单一民族或者少数几个民族建立文明。按照时间的先后，这片土地的主人分别有苏美尔人、阿卡德人 [3]、阿摩利人（即古巴比伦人）、亚述人、赫梯人、喀西特人 [4] 和迦勒底人（即新巴比伦人）。还可以再数出其他一些民族，因为在那里常常一个民族会分出新的民族。外来的波斯人、希腊人和罗马人也先后征服过这块土地，使得那里的文明更加多元化。最后，由于战争和气候的变迁，往日的辉煌渐渐为沙尘掩埋，直到被人们遗忘。虽然在《圣经》和其他一些史籍中记载着在中东和小亚细亚地区曾经有过辉煌的文明，但是在西罗马帝国灭亡后的一千多年里，大家都认为这种说法是无稽之谈。直到十九世纪中期，随着考古发掘中许多文物的发现，美索不达米亚楔形文字的破解，尘封了几千年的美索不达米亚古文明被重新认识。人们惊讶地发现，这里竟是《圣经·旧约》中描述的伊甸园的原址，如今那无边的荒漠，曾经是一片广阔肥沃的土地，并且有着高度的文明。

第一节 轮子和楔形文字

很多人喜欢探究世界上哪里的文明出现得最早，或者说一个地区最早的文明是什么时候开始的。这个问题在美索不达米亚很难回答，因为考古的新发现把这个时间不断地往前移。以前我们认为那里发达的农业始于公元前 6000 年左右，但是后来发现早在公元前 8000 年左右，两河流域的人们就开始了定居生活，并且有了早期的畜牧业。这是迄今所知人类最早的定居生活。而到了公元前 7000 年左右，即距今大约九千年，美索不达米亚就产生了农业。在那里出土的农具、人工种植的小麦、大麦和各种豆子的种子都证明了这一点。从这个角度来讲，一些历史学家和考古学家认为美索不达米亚的文明甚至先于古埃及，但是更多的历史学家还是倾向于把美索不达米亚看作是人类第二个文明的中心。

我们在前面讲过，文明的标志是城市的出现和文字的产生。按照这个标准，美索不达米亚的文明始于苏美尔人（Sumerian）统治的欧贝德（Ubaid）时期（前6500—前3800）的最后一千年，因为对那个时期进行的考古发现，当时已经有了多余的农产品，用于交换其他产品，即出现了商业；社会分工明确，社会等级分明，农村变为了城市，在埃里都地区还发现有多座神庙，它们是城市的中心。这是大约公元前4000年的事情，距今已有六千年左右。这个时间不晚于埃及的前王朝时期（约前4000—前3100），因此，我们不知道美索不达米亚的文明是否影响了埃及的文明，或者是反过来，或者两者完全独立。

我个人认为美索不达米亚地区真正意义上的文明始于公元前3500年左右，因为今天发现了那个时期苏美尔人在两河流域下游建立的乌鲁克城（Uruk）。作为两河流域最早的主人，苏美尔人没有留下后裔，因此没有人知道苏美尔人从哪里来，又如何神秘地消失了。不过要感谢当时的艺术家用雕塑记录了苏美尔人的容貌，他们的容貌和今天的阿拉伯人或犹太人有很大的区别，鼻子又直又长，这样看来应该是印欧语系的白人。苏美尔人这个词也不是他们给自己起的名字，而是后来的阿卡德人对他们的称呼，字面的意思是黑头人（注意：不是黑头发的人）。虽然一些学者认为苏美尔人或许和东亚人有较近的血缘关系[5]，但是大多是从出土文物及文字的相似性上分析，而非直接的证据。苏美尔人不蓄胡须，这和该地区的雕塑所记载的古代闪米特人有很大的区别。以现在的标准来看，苏美尔人所建的乌鲁克城规模并不大，只有一平方公里左右（大约1.5公里长，

5
汉语和苏美尔语，Ball, C. J. (Charles James), *Chinese and Sumerian*, Oxford Press, 1913

图2.1 乌鲁克古城

700 米宽），人口数千人，但是乌鲁克是真正意义上的城市，而不是村落。乌鲁克人的文明程度已经相当高了，住的房子用粘土烧制的砖头盖成（而不是土坯房，正因如此，这些遗迹才留存下来），同时期的古埃及人似乎并没有掌握这项技术仍以石头作为建筑材料。乌鲁克时期已经有了明确的等级划分，上层社会由职业官吏和神职人员组成，这些人统治着整个社会。政府的雏形也已形成，它向平民征税，并征用劳力修建公共工程。乌鲁克时期的各个城市里都有令人瞩目的神庙，神庙是苏美尔人社会活动的中心。

到了公元前 3300 年左右，楔形文字便在乌鲁克产生了。我们以前认为这是另一种象形文字，但是后来的研究表明这其实是人类最早期的拼音文字。苏美尔人将简单的楔形符号刻在泥板上，记录了当时的商业活动。其中，年代最早的泥板出现于公元前 3300 年，泥板上记录了粮食、啤酒和牲畜的具体数量。感谢这些文字的记载，让我们对五千年前苏美尔人的生活比对五百年前印第安人的生活了解得更多。楔形文字后来传给了四处经商的腓尼基人（闪米特人的一支），后者将它简化，用少量字母取代了书写复杂的楔子，这成为了今天所有拼音文字的原型。

苏美尔人是世界上最早开始冶炼金属的民族，他们在公元前 3300 年便进入了青铜时代。与黄铜不同，冶炼青铜时要在铜里加入锡。因此，锡必须要开采出来，单独冶炼后加入铜中形成合金——青铜。和黄铜相比，青铜的硬度要大得多。青铜的产生，说明人类社会已经有了采矿业和简单的制造业了，而在此之前人们主要从事农业和畜牧业。使用金属而非石头制作的农具，苏美尔人的农业产量就不断提高。

图 2.2　距今大约五千年的苏美尔泥板（收藏于美国纽约大都会博物馆）

苏美尔人更重要的一项发明是轮子，很多学者认为这是人类历史上最伟大的发明，尽管今天看来它再普通不过了。从物理学的角度讲，轮子的发明表明人类懂得了滚动摩擦力比滑动摩擦力小很多。当然，苏美尔人发明轮子的目的，并非为了显示他们的物理学水平比当时其他民族更高，而是具有很大的社会意义。轮子的出现，使得人类不仅有可能远行，而且可以运输较重的物件，从而建造大规模的城市。和我们后面将介绍的很多重大发明一样，轮子（和车）的发明不是一天完成的，而是一个渐进的过程。有人把它分为六个阶段。起初人们在实践中发现滚动摩擦比滑动摩擦小很多，因此，将重物放到圆木上面滚（如图2.3中的A）。体积大的物件可以这么运输，但是大量的小物件就不行了，于是，人们又发明了类似车厢的橇或者木筏来承载货物（如图2.3中的B）。当然这两个过程可能是同时发生的，甚至后一个早于前一个。接下来人们把这两项发明结合起来，即把橇放在圆木上滚（如图2.3中的C）。不久，人们发现橇的边缘和圆木上磨出了一道槽，不过这样一来，橇在圆木上拖起来就更方便了（如图2.3中的D）。这时，有人想到（或者发现）：如果将槽做宽，把圆木做成哑铃型的，再把橇卡在圆木的中间（相当于轴），就可以拖着走了（如图2.3中的E）。最后，人们发现可以将轮子和轴分离，这就是我们今天车子的雏形了（如图2.3中的F）。虽然有人认为在高加索和东欧一些地区都发现了很早使用轮子的考古证据，比如在斯洛文尼亚发现了一个木制的圆盘，在波兰发现一个陶罐上有由长方形和几

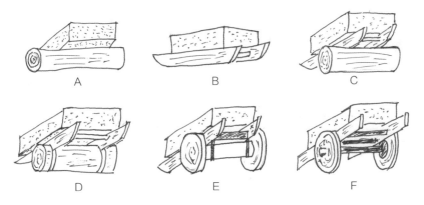

图2.3 轮子和车发明的过程

个圆组成的图案，但就此推断那些地区已经开始使用轮子，论据不足。
而在美索不达米亚则发现了最早使用轮子的车，因此，主流观点依然是
苏美尔人在公元前3200年左右发明了轮子和车辆。这比大金字塔建成的
时间还早了六百年。

当然，这种实心的轮子非常笨重，并不好用。在轮子传入埃及后，古埃
及人改进了它，在木头的车轴上包上了金属，以减少它和轮毂的摩擦，
同时采用了V型辐条，这样整个车子就变得轻便起来，而且可以走得更快。
轮子的出现和完善，也是多种文明融合的结果。人类可以忍受没有电的
生活，但是很难想象如果没有了轮子，生活将会多么的艰难。除了轮子
和车辆，苏美尔人还发明了帆船。帆船和车辆的出现，使得人类可以抵
达较远的地方。苏美尔人沿幼发拉底河建立了很多商业殖民地，并且将
其文化影响扩散到波斯、叙利亚、巴勒斯坦，甚至埃及。

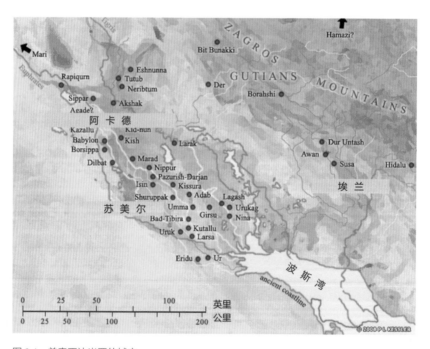

图 2.4　美索不达米亚的城市

继乌鲁克之后，苏美尔出现了大大小小几千个城市，并且出现了12个以
主要城市为中心发展起来的城市联邦，这个时期被称为早王朝时期。由

于地处欧亚非三大洲的交汇区域，美索不达米亚的商业一直非常发达。这和早期埃及文明基本上是由单一的农业文明构成有较大差别。和很多早期的文明一样，宗教在社会生活中扮演着重要的角色。在苏美尔文明中，政教是合一的，国王既是世俗的领袖，也是神在人间的代表，因此他有很大的权利征税和使用祭祀的财富。这样一来，国王和统治者常常搞得百姓民不聊生。直到公元前 2400 年左右，美索不达米亚出现了一位开明君主乌鲁卡基那（Urukagina），他规定强权者不能欺压弱者和鳏寡孤独者。例如，一个富人要购得一个穷人的财产，不能强买强卖。这可能是人类最早关注平民权益的统治者了。

任何一种文明，其文明程度的高低，与教育水平有着直接的关系。有考古证据表明，苏美尔人是最早建立学校的民族。在乌鲁克出土的公元前 3000 年左右的几千块泥板中，有不少泥板上记录着学生学习使用的单词表和教科书（辞书）。到了公元前第三个千年纪的下半期，苏美尔开始出现正规的学校。考古学家发掘出一所大约建成于公元前 2200 年到公元前 2100 年的学校，包括两间教室，里面有石凳和供学生写作业用的泥板。这所学校距今已经有 4000 多年了。从公元前第二个千年纪开始，考古发掘出的有关学生和学校的泥板越来越多。一些学者认为，美索不达米亚的学校要比古埃及宫廷的学校早出现几百年。

和古埃及或者中国那种大一统的文明不同，苏美尔文明与后来希腊城邦的文明更相像，各城邦之间有很大的独立性。中东地区总体上一直缺水，为了争夺水源和商业殖民地，苏美尔各个城邦之间开始了长达数百年的战争，战争是苏美尔文明衰落的主要原因之一。到了公元前 2334 年，一个名叫萨尔贡（Sargon of Akkad）的征服者统一了苏美尔的各个城邦，建立了阿卡德帝国，定都阿卡德（Akkad）城。阿卡德人应该具有闪米特人的血统，不过他们很早就和苏美尔人融合了，他们的文化、艺术和苏美尔人相差无几。阿卡德帝国从萨尔贡开始，不断对外扩张，向东征服埃兰（Elam）[6] 和库尔德斯坦，向北至小亚细亚，向西征服了叙利亚古国埃伯拉（Ebla），向南到了波斯湾。他们打开了通往地中海和古印度的商路，

6

今伊朗的西南部。

成为世界上早期最发达的商业帝国，这时候中国的商朝还没有建立，古希腊的克里特文明还没有开始。

苏美尔人在美索不达米亚的南部统治的时间要更长一些，南部的中心是名城乌尔（又称吾珥）。乌尔之所以出名，要感谢《圣经》里多次提到它，这里既是犹太人先知亚伯拉罕的故乡，也和诺亚方舟联系在一起。不过以乌尔为中心的南部城邦最终还是被阿卡德王国征服。好在阿卡德人虽然长于征战，但是在文化艺术上不占优势，于是他们索性只管政治和税收，把文化艺术交给了苏美尔人，这就让我们看到了延续两千年的苏美尔文化成果。阿卡德人和苏美尔人的这种分工，让我联想到中国的清朝，当政的是满人，可文人墨客大多还是汉人。

苏美尔人虽然没有像古埃及人那样给后世留下一些不朽的建筑，却给我们留下了丰富的文化遗产。除了前面提到的冶金术、轮子和车、帆船和楔形文字外，苏美尔人还创造了很多世界第一。他们制定了最早的法典——《乌尔纳姆法典》（Ur-Nammu Code），编写了最早的药典，颁布了第一部太阴历（农历）的历法，留下了最早的史诗和地图（绘制在泥板上）。我们今天之所以对他们的文明有非常详尽的了解，是因为他们在大量的泥板上记载了当时的历史，从重大事件到商业合同，应有尽有。

阿卡德人对美索不达米亚地区的统治在公元前 2004 年结束了，虽然很多城邦依然存在。取代他们的是南方的古巴比伦人和北方的古亚述人。古亚述人留下的书籍并不多，但是他们的历史文献非常完整。从这些文献中，我们得以了解古亚述人自公元前 2000 年起 1400 多年间的所有国王及其统治年代，我们还知道他们的商业非常发达，而且最早开始使用陨铁制造了铁器。不过，我们在讲述亚述人的故事前，先来了解一下巴比伦人和他们建立的古巴比伦王国。

第二节 汉谟拉比法典

古巴比伦人是人类早期的闪米特族的一支。闪米特族对人类发展的影响非常巨大，在很多文明中都有他们的身影，比如早期埃及的文明、古巴比伦文明、古希腊和古罗马时代的迦太基文明，以及后来的阿拉伯文明。他们留下了现在两支敌对的后裔：阿拉伯人和犹太人。

公元前 1894 年，古巴比伦人在幼发拉底河的左岸建立了一座宏大的新城市，它当时被苏美尔人称为 Kadinggirra，即神的门之意，这个名字今天没有什么人知道，大家也不用记住它，因为后世的古希腊人给它起了个人人皆知的名字 —— 巴比伦（Babylon）。因此，公元前 1894 年被看作是古巴比伦王国的元年。到了公元前 1792 年，伟大的汉谟拉比（Hammurabi，前 1728—前 1686）即位成为了巴比伦国王，他在位 42 年，不仅东征西讨建立了庞大的帝国，而且修建了伟大的城市，里面有高大的神庙和宫殿。他还下令在全国各地广修防御用的城墙和灌溉用的水渠。

但是，后人之所以经常提及汉谟拉比，不是他那强大的帝国，而是他制定的著名的《汉谟拉比法典》。这部有着将近三千八百年历史的法典，被刻在一块两米多高的黑色石头上。这部法典后来被古巴比伦的敌国埃兰夺去，一位埃兰国王试图磨掉石碑上的字迹，刻上自己的丰功伟绩，好在他后来没有这么做，不过整个石碑还是被毁坏了不少。在埃兰王国被波斯灭亡后，这块石碑又到了波斯人手里。到了 1901 年，这块石碑被古埃及学家、瑞士人古斯塔夫·热基耶（Gustave Jéquier）发现，后来历史学家们又根据从古巴比伦留存下来的泥板上的内容，恢复了石碑上被毁坏的字迹。这块法典石碑现收藏于法国的卢浮宫。由于这部法典是人类历史上被破解得最早的法典，文物价值很高，因此它有很多副本，分别保存在德国、伊朗、美国和荷兰的博物馆中。

《汉谟拉比法典》是考古发现的第一部完整的法典。除了法典本身的内容，包括民法（经济纠纷、家庭关系）和刑法（犯罪），石碑上还刻有前言和结束语。在前言部分，汉谟拉比说明了为什么要立这部法典。这段文字的大意是：

7
天地之王

8
http://t.cn/8Fv6D0P

图 2.5 保存在卢浮宫的汉谟拉比法典

为了人类的福祉，安努（Anu）和贝尔（Bel）[7]让我，荣耀而敬畏神灵的君主汉谟拉比，发扬正义，铲除邪恶之徒，使强不能凌弱，使我能像太阳神沙马什（Shamash）那样统治百姓，光耀大地。[8]

在法典石碑的上方，是太阳神沙马什向汉谟拉比授权的浮雕，整部法典体现了君权神授的思想。透过这部法典，我们今天得以了解到当时的社会。比如法典把人分成了三等，有公民权的自由民（实际上等同于贵族）、没有公民权的自由民（等同于平民）和奴隶。同样的罪行，等级越高，处罚越重。比如对打人的处罚，第一等级的人如果打了同一等级的人，那么罚金是第二等级打同一等级的六倍，而奴隶之间打架不用受罚。这实际上是要求上等人要有上等人的体面。《汉谟拉比法典》中民法的内容，涉及到财产的所有权、继承和转让，商业上的合同、租赁、借贷和雇佣等多种经济关系，以及婚姻和家庭关系。其刑法的内容强调"以眼还眼，以牙还牙"，这不仅局限在伤害罪上，而且适用于对过失的处罚上。比如医生治死了人，则要被砍断四肢；建筑师盖的房子倒塌砸死了人，建筑师要被处死。

在古埃及，社会靠的是伦理道德来维系；而在美索不达米亚，社会则是靠法律来维系。包括古巴比伦在内的美索不达米亚各个文明时期，法律的文献和

图 2.6　美国国会大厦里的汉谟拉比雕像

这种合同都占到泥板书的很大比例。汉谟拉比被后世的统治者和政治家们视为立法者，在美国最高立法机构国会山里还有他的雕像。

古巴比伦王国在汉谟拉比统治时期达到鼎盛，那时的王国疆域广阔，政治清明，经济繁荣。汉谟拉比还建立起一支强大的常备军，保卫王国，东征西讨。但在他之后，古巴比伦王国马上就开始走下坡路了，直到一个半世纪以后，古巴比伦在公元前 1595 年被赫梯人灭亡，前后大约三百年时间。

汉谟拉比建立的文明功业比他建立的强大王朝更经得起时间的考验。他规划了现代城市的模样，城中有运河网，将城市划分为宗教区、行政区、居民区、商业区和手工业区五个区域，运河上有桥梁相连。汉谟拉比还建立了一个完整的政府管理体系，包括立法、司法、行政、军事和宗教五个部门，其首领由汉谟拉比任命，并绝对服从于汉谟拉比的指令。汉谟拉比还任命地方官（总督）管理王国都城以外的地区。为了防止地方长官因为天高皇帝远而胡作非为，汉谟拉比时常派人巡查地方官的工作，一旦发现有贪污或不忠的情况，就地免职。这种国家结构和中国后来的

六部、督抚以及钦差大臣颇为相像。汉谟拉比还允许普通百姓给他写信，鼓励他们检举贪污和不忠的官员。和苏美尔人一样，古巴比伦人建立起来的文明，包括社会制度、管理方式、生产和制造技术、工程技术、科学与宗教等等，并没有因为王国的消亡而丢失，它们都流传了下来，对之后的人类文明进程起到了非常大的作用。因此，放到历史长河中去看，一个王国或者帝国的武功远不如它的"文治"来得重要。再强大的王国都会灭亡，而它们建立的文明却能薪尽火传。

第三节　冶铁的发明和人类最早的条约

当公元前1595年赫梯人（Hittite）取代古巴比伦人开始统治美索不达米亚时，中国第一个有文字记载的王朝——商朝正好开始建立。赫梯人是印欧语系民族的一支，和美索不达米亚原来的统治者没有什么血缘关系。印欧民族大多来自今天欧亚交界的高加索地区，因此，今天白种人的学名被称为高加索人，就如同我们黄种人被称为蒙古人，黑人被称为尼罗人一样。

在古代，很多民族的崛起和马匹有很大的关联，比如匈奴人和蒙古人。赫梯人的崛起也不例外。欧亚大陆的中部和北部草原上生活着大量的野马，后来印欧人驯服了这些野马，并且依靠着马匹，可以轻松地向更远的地方迁移。其中有一群人来到了今天希腊的伯罗奔尼撒半岛，开创了后来著名的迈锡尼文明，另外一群人一直向东南方向迁移，他们摧毁了印度次大陆的原生文明，在印度河和恒河流域建立起雅利安人的文明。雅利安这个词原意为"征服者"，后来希特勒和纳粹为了强调自己高人一等，声称自己（英德民族）为纯正的雅利安人。还有一群印欧人是我们这一节故事的主角，他们在公元前2000年来到了今天的土耳其安纳托利亚高原，他们就是赫梯人。需要指出的是，这些赫梯人和今天的土耳其人没有任何关系，因为后者是东方突厥人的后裔。

赫梯人身材高大，体格强壮，天生就是战士。他们曾经以巨大的毅力，徒步翻越海拔四千多米的高加索山脉，进入小亚细亚。不过除了善用马匹和自身素质好以外，赫梯人善于征战的另一个重要原因，是他们发明了冶铁技术并且很快将铁器用于战争。

今天世界上大多数历史学家都认为是赫梯人发明了冶铁术，并且世界各个文明的冶铁技术都是从赫梯人那里慢慢传过去的。很多学者还认为青铜的冶炼也是赫梯人发明的，因为在他们生活过的北高加索地区，考古发现证明，在公元前3500年，即5500年前那里就开始冶炼青铜了。后来，赫梯人从安纳托利亚的矿山中发现了铁矿，冶炼出铁，并很快把铁器用在农业和战争上。冶铁比冶炼青铜难得多，因为冶炼青铜炉火的温度只需要摄氏1000度左右，烧柴火就能达到，但是冶铁需要将炉火的温度提高到摄氏1300度以上，而且需要用焦炭从铁的氧化物中将铁还原出来。做不到这一点，炼出来的就是中国"大跃进"时期炼的炉渣，毫无用处。至于赫梯人是如何做到这一点的，至今还是个谜。

这样，到了公元前1700年，赫梯王国已经成为一个颇有实力的国家。不过这个国家有个致命的缺陷，导致它在过去的几百年里一直发展不起来，这就是 —— 它没有很好的王位继承制度。古代赫梯人的王位继承方式，颇似传说中的中国尧舜禅让制度。但问题是因为没有明确的王位继承人，很多贵族都有可能成为下一位继承人，因此老国王一死，他们就开始疯狂抢夺王位，这种政治风俗使得国家失去了对外扩张的能力。我们今天会认为世袭制度有诸多弊端，可是在人类早期文明时期，它却不失为一种能够给社会带来稳定的好制度。因为一个坏的决定也比做不出决定要好很多。

直到公元前16世纪，赫梯国王铁列平（Telipinu）才制定了世袭的王位继承法。它很像我们先秦以前的制度，老国王死后，长子继承，无长子则次子继承；唯一不同的是，如果没有儿子，则由女婿继承。铁列平的王位继承法得到了赫梯王国贵族们的支持和同意，从此赫梯王国就从禅让制变成了家天下，不过这样一来，贵族们的精力才放到了对外扩张而不是内讧上。

赫梯人来到了美索不达米亚。那里的苏美尔人在公元前 3000 年就发明了用驴子拉的战车，但是他们的战车既不结实，行动也迟缓，往往落后于步兵。赫梯人对苏美尔人的战车进行了改造。我们前面提到，他们有两项别人没有的长处：冶铁技术和大量的马匹。赫梯人首先改进了车轮，将车轮做小，并加上轮辐，这样一来，车子的重量就大大减少；他们将一根铁制的车轴插入车轮中央，这使得车子非常坚固。这样的战车操作轻松，转弯自如；战车由马拉动，行动比以前快了很多，他们的车兵位于步兵之前，用来冲锋，快速杀敌。

依靠先进的战车和铁制武器，赫梯人灭亡了古巴比伦王国，从此，由一个外来户变成了美索不达米亚的主人，并且控制着欧亚非三洲交界地区的贸易。随着对外的不断扩张，他们和西南方的大国埃及发生了冲突，双方多次交战，互有胜负。虽然赫梯人占领了今天埃及的西奈半岛，并且一度逼近尼罗河三角洲，但是他们无力继续南侵。原因有二，一是被征服地区人民的反抗，二是赫梯人的内斗。一百年之后，埃及进入第十九王朝，出了一位英主——拉美西斯二世。在他的统治下，埃及政治清明，国力强盛。拉美西斯二世在统一了埃及各部落和埃塞俄比亚的大部分领土后，开始北伐，收复被赫梯人占领的失地。

公元前 1312 年，拉美西斯二世率领大军从开罗出发，仅用 13 天就打到了卡迭石（Kadesh）城下，双方在这里进行了远古时代最著名的一场战役——"卡迭石之战"（Battle of Kadesh）。双方一共动用了 5000 辆战车，将这些战车看作坦克的话，卡迭石之战比二战时最大的坦克战（库尔斯克会战）规模还大。在卡迭石，赫梯人发动了反攻，包围了拉美西斯二世，双方激战数日，赫梯人获胜。而根据古埃及壁画的描述，赫梯人获胜的原因主要是他们的战车要比埃及人先进得多。埃及当时还处于青铜时代，虽然轮子和战车的制造技术已经从美索不达米亚传入埃及，但是他们的战车使用的是铜质车轴，上面只能站两个人。而赫梯人使用的战车是铁制车轴，强度比铜质车轴大得多，上面可以站三个人。按照当时的作战方式，驾车者无法参与战斗。因此，赫梯人三人战车上的战斗力相当于古代埃及人两辆战车的战斗力。
这样一来，在战斗中
埃及人就明显处于下
风。图 2.7 所示的是
拉美西斯二世神庙里
的浮雕，记录了"卡
迭石之战"，从浮雕
中可以看到赫梯人的
战车上可站三个人。

图 2.7　拉美西斯二世神庙里的浮雕

但是，赫梯人虽武器先进，却军纪涣散，他们在获胜后忙着抢夺埃及军队丢弃的珠宝。拉美西斯二世乘机率军从赫梯人身后打了过来，并击溃了赫梯人。这位埃及的法老不失时机地提出休战，而赫梯王国当时内部矛盾重重，也无心再战。这样，拉美西斯二世通过谈判得到了他在战场上没有得到的利益。双方签订了《埃及赫梯和平条约》，这是人类历史上最早的国与国之间的书面条约，它表明人类开始懂得通过谈判而非武力解决纠纷。这份条约的赫梯版原件（刻在石板上）现收藏于土耳其伊斯坦布尔考古博物馆，不过埃及的版本（刻在银板上）已经丢失[9]。

拉美西斯二世虽然在和赫梯人的战争中没有占到便宜，但是却从他的敌人那里学到了先进的武器制造技术，尤其是冶铁技术，从此，埃及进入了铁器时代。在此之前，赫梯人试图垄断冶铁技术，但是这项重要的发明还是渐渐被周边的民族（巴勒斯坦和叙利亚地区）所掌握。后来，腓尼基人学到了冶铁技术，他们在地中海沿岸做生意，便随之把这项技术带给了缔造古希腊克里特文明的先人克里特人。后来，波斯人也掌握了这项技术，并且将它继续向东传递，传到了印度次大陆。

前面讲过，冶炼铁器比制造青铜器需要更高的温度，在这个温度下烧制的陶器也比以前的更坚固，因此，在很长的时间里，美索不达米亚的制陶技术领先于世界。世界上经常会出现这样一个现象：一项技术的突破

9
在拉美西斯二世神庙的墙上，刻有条约的内容。根据神庙墙上文字记载，原件应该是刻在一个银板上。

图 2.8 （左图）赫梯版本的合约（土耳其伊斯坦布尔考古博物馆），（右图）埃及的版本（拉美西斯二世神庙中）

带动另一项技术的发展，进而促进文明的大进步。冶铁技术的出现就产生了这样的效应。

赫梯人在"卡迭石之战"中元气大伤，接着王室内部争斗又使得赫梯王国动荡不堪，疆域开始缩小，很快便退出了美索不达米亚，回到了他们的发祥地——安纳托利亚高原。两河之间的这片平原就是这样，不同的民族来了又离开，但是他们大多为后来的文明留下了宝贵的遗产，就像苏美尔人留下了轮子、帆船和楔形文字，古巴比伦人留下了政治法律制度一样，赫梯人留下了冶铁技术和新的烧陶技术。

第四节　亚述 —— 血腥与文明

在公元前 12 世纪，崛起的亚述人取代赫梯人成为美索不达米亚的主人。亚述人是闪米特人的一支，我们在前面提到过他们，因为他们和古巴比伦人几乎同时登上美索不达米亚的舞台。但是在长达将近一千年的时间里，亚述人只是给其他民族当雇佣兵，而没有建立起自己的文明，因此他们总是游离于美索不达米亚的边缘地区。

亚述人是为了战争而存在的，他们很早就有了不同兵种的明确分工：不仅有步兵，还有骑兵和工程兵，后者负责搭建临时的桥和军营。为了战争的需要，亚述人喜欢研究武器，并不断加以改进。他们使用的常规武器包括长矛、剑、盾牌和弓箭。此外，他们还制作出大规模的攻城机械：攻城车、撞墙锤和云梯。亚述的浮雕描述了亚述部队攻城的场面：载着撞墙锤的战车不断冲撞敌方的城墙，弓箭手在战车后面向城墙上的敌人放箭；同时，士兵手持盾牌，爬上云梯，试图登上城墙。

图 2.9　亚述人攻城的浮雕

在战术上，亚述人也有很多创新，他们发明了人类最早的重装步兵方阵，可以有效地对付横冲直撞的战车部队。这个革命性的成果后来被古希腊人（尤其是马其顿人）和古罗马人使用，在随后的一千多年里成为战争的主力兵种。亚述人的社会结构也是为了战争的需要而设定的，早期亚述的最高立法和行政机构是长老议会，国王只是战时军事领袖。这点和后来的罗马元老院及执政官制度很相像。

除了作为雇佣军替其他民族打仗，一些亚述人还以高利贷为业。他们似乎不喜欢从事耕作和发展经济，也没有长期发展的耐心，因此虽然擅长战争，却长期游离在文明的边缘。在苏美尔人退出美索不达米亚后的一千多年里，亚述人曾多次向古巴比伦人、米坦尼人和赫梯人甚至是埃兰人称臣。而他们的崛起，很大程度上是得益于赫梯人的衰落。

随着赫梯王国内忧外患不断，美索不达米亚再次分裂为数十个小城邦。公元前 12 世纪，亚述王提格拉特·帕拉沙尔一世（Tiglath-Pileser I）乘机开疆扩土，并且占领了黎巴嫩到地中海边的大片区域。他先后征服了几十个部落，逼迫他们每年进贡大量牛马，然后他再用这些牛马组成战车部队，四处远征。帕拉沙尔一世把疆土扩张到了地中海沿岸，但是靠武力建立的王国常常很难长期繁荣，在他死后，亚述王国就开始衰落，并在之后的两百年间一蹶不振。

到了公元前 10 世纪末，亚述王纳西尔帕二世再次通过战争开疆扩土，亚述在接下来的两百年里延续了这个国策。到了公元前 730 年，他们打败了安纳托利亚东部新兴的乌拉尔图王国，并且征服了叙利亚和过去巴比伦地区的诸城邦。几年后，他们灭亡了以色列王国，这件事在《圣经》中有所记载。在公元前 702 年，亚述王第三次攻入巴比伦城，并且把这个有着 1300 余年历史的古城付之一炬。到了公元前 671 年，亚述王萨尔贡二世远征埃及，并攻入了孟菲斯，被授予"上下埃及之王"的头衔，两年后萨尔贡二世离世，亚述王国开始衰败。到公元前 612 年，迦勒底人与米底人的联军攻陷了亚述人的首都尼尼微，亚述灭亡。

在历史上，亚述人以残忍著称，所到之处，尸横遍野，血流成河。在奴隶制社会中，人们对战俘已经不像在原始社会时那样杀掉或者吃掉，而是留作奴隶，从事生产。但是在亚述的历史上，杀俘虏是家常便饭的事情，他们以斩获的首级数量论功行赏。在屠杀战俘时，他们强迫战俘跪成一排，然后用重锤将战俘的头颅一个个砸碎，而旁边的书记官

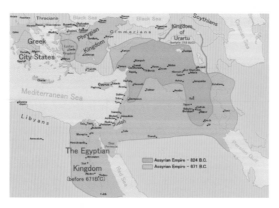

图 2.10　亚述最强盛时的疆土（草绿色），覆盖了埃及的大部分

则记录击杀战俘的数量，论功行赏。对待敌方的首领，他们就更加残忍，有时亚述国王会亲自动手杀死敌方的首领。这些骇人听闻的记载，并非出自后来的史学家，而是亚述人自己。这说明他们不但不以此为耻，反以为荣，这一点很像后来的蒙古人。历史学家评论亚述人的特点时指出，亚述人最早的征战源于生存的需要，后来渐渐养成了好战的性格和侵略的野心，并且随着他们征服得越多，野心就越大，直到崩溃。在亚述人称雄美索不达米亚的几百年里，它对外战争不断，而国内又经常爆发起义，因此那里的文明进程迟缓。和历史上很多靠武力支撑的帝国一样，就在亚述王国依靠东征西讨将它的疆域扩大到空前辽阔的水平后仅仅半个世纪，便亡国了。

不过，在这几百年里亚述人留下了非常有特色的艺术。或许因为他们是一个勇武的民族，而且连年征战，他们的雕塑完全反映了自身的特点。他们留下了大量非常精美的雕塑，主题都是战争和狩猎，而他们围猎的对象也不是狼、羊和鹿这些较小的动物，而是最凶猛的狮子。大英博物馆藏有许多这样的猎狮浮雕，有些是国王乘车射杀狮子，有些是国王在和狮子肉搏，画面既宏大，又巧密而精细，上面的人物和动物都栩栩如生，狮子大多数都是凶狠的样子，而国王和贵族面对凶残的狮子都镇定而勇敢。很难想象，如此细致的浮雕竟出自一个天生就是战士的民族。

除了浮雕之外，亚述的雕塑也很有意思，这些雕塑大多是国王的像，任何人在博物馆中一眼就能从众多雕塑中认出它们。古埃及的法老一般是坐像，面容柔和，可能和古埃及是农业文

图 2.11　亚述国王和狮子搏斗的场景（作者摄于大英博物馆）

明，人们性情温和有关。古希腊和古罗马的雕像则很逼真，完全是真人的 3D 复原。这些雕塑在后世都有模仿和发展，有些时候很难判断是古希腊的原作还是文艺复兴时期的仿品。而亚述的雕像与它们都不相同，可以说是前无古人后无来者。这些国王的像都是人面（都蓄有长胡子，和古苏美尔人不同）兽身而且长着翅膀。雕像都高大粗壮，一般有两三米高、三到四米长。这些雕像一般立于大门的两边，为了保证从前面看有两条腿，从侧面看有四条腿，每个雕像都有五条腿。今天在大英博物馆和纽

图 2.12 狩猎的国王局部细节（作者摄于纽约大都会博物馆）

约大都会博物馆都藏有这些雕像。

亚述到了末期，开始了崇文的风尚，这一点和后来中国北方的金朝很像。他们开始尊崇文化和科学，并且建立了人类历史上最早的大规模博物馆——巴尼拔图书馆。亚述巴尼拔（Ashurbanipal，前 685—前 627）是亚述的末代国王，他被称为英明的世界之王。和他那些打打杀杀的祖先不同，亚述巴尼拔博学多才，对许多文学和宗教作品都有研究。他在位期间，在首都尼尼微建立了这个著名的图书馆，里面收藏了哲学、数学、医学、天文学和文学等各个领域的图书，几乎覆盖了当时人类已知的全部学科领域。其中的王朝史籍、宫廷敕令、历史大事记等，为后人研究亚述王国乃至整个美索不达米亚的文明提供了第一手的文献。亚述巴尼拔自己阅读和修订了大量的文献，他找来很多学者整理和重新抄写这些泥板，并在一些（复制的）泥板的空白处加上了自己的注释。亚述的巴尼拔图

书馆还建有图书目录，这是人类历史上最早的索引系统。亚述大量的文献记载，让我们今天的历史学有了一个分支——亚述学。

在统治美索不达米亚地区几百年后，亚述终于退出了历史的舞台。不过，和古代很多民族不同，亚述人在退出历史舞台后并没有消失，他们的后裔延续至今，分布在世界各地，当然以伊拉克人数最多。有意思的是他们没有融入阿拉伯文化，而是信奉基督教，虽然他们从血缘上讲是信奉伊斯兰教的阿拉伯人的近亲。而取代亚述人统治美索不达米亚的是古巴比伦的后人迦勒底人（又称新巴比伦人）。这真可谓是风水轮流转，沉寂 900 多年后，迦勒底人复国成功，又一个巴比伦王朝建立起来了，为了区分这个王朝和汉谟拉比时代的古巴比伦王国，历史学家称之为新巴比伦王朝。

第五节　最后的辉煌——空中花园

在亚述人统治美索不达米亚的时期，迦勒底人曾多次起义反抗亚述的统治，但是都没有成功。不过到了公元前 626 年，迦勒底人的机会来了，亚述人任命了迦勒底人的领袖那波帕拉萨尔（Nabopolassar）为巴比伦总督，他到了巴比伦后，率领迦勒底人起义反抗亚述的统治，这次他们起义成功了，建立了新巴比伦王国。那波帕拉萨尔联合了东面的邻国米底王国一起对抗亚述。经过十多年的战争，迦勒底人终于在公元前 612 年攻陷了亚述王国的首都尼尼微。一度在中东、埃及和地中海东岸不可一世的亚述王国终于灭亡了，它广袤的领土被新巴比伦王国和米底王国瓜分，其中新巴比伦王国占据了美索不达米亚大部分地区，以及从叙利亚和巴勒斯坦直到地中海的地区。

那波帕拉萨尔的儿子是新巴比伦的一代英主尼布甲尼撒二世（Nebuchadnezzar II，前 605—前 562），在他的努力下，新巴比伦恢复了当年的繁荣，他的军队于公元前 597 年和公元前 588 年两次攻占耶路撒冷，毁灭了犹太人建立的大卫王朝，并将所有犹太人俘虏囚禁于巴比伦，这就是《圣经·旧约》全书中记载的"巴比伦囚虏"。在尼布甲尼撒二世统治时期，经济繁荣，人口大幅度增长。到他去世的时候，新巴比伦王国的人口达到 380 万，是当时世界上人口最多的国家之一。

疆土稳定后，尼布甲尼撒二世开始大规模修建巴比伦城和周边的运河，恢复了这个古城往日的繁荣，城市的人口达到 20 万人，成为当时世界上最大的城市，也是当时世界的科学和商业中心。

在新巴比伦时期，西亚人掌握了在陶器表面上釉的技术。作为当时的世界商业中心，商人们常常要穿过沙漠来到巴比伦做生意，他们无意之间发现将沙子和盐或者苏打一起加热到摄氏 1000 度时，就会变成有粘性、半透明的糊状物，冷却后可以在物体表面形成一层有玻璃属性的光滑釉面。古巴比伦的工匠就想到在陶器泥皿的表面涂上一层细砂、苏打和石灰，然后烧制，这样陶器的表面就带上了一层釉。中东人掌握上釉的技术比中国早了近千年，但是当时的上釉技术并不成熟，这样烧制的陶器釉面既不密实，也不牢固，起不到防水的作用。因此，古巴比伦人放弃了使用釉对陶器的改进，而将这项技术用于了建筑材料——釉面砖的制造。巴比伦的很多建筑，包括城墙和城门都是用釉面砖砌成的。他们用蓝色的釉面砖做背景颜色，用黄色的釉面砖在上面拼出各种动物图案，有现实生活中的动物，也有类似中国神话中麒麟那样想象出来的动物。这种装饰非常漂亮，在 19 世纪被发现后，为西方各大博物馆收藏。其中最有名的巴比伦伊什塔尔之门，现收藏于德国柏林的佩加蒙（Pergamon）博物馆 10。

世界七大奇迹 11 之一的巴比伦空中花园相传也是在这个时候 12 修建的。据说尼布甲尼撒二世修建这一世界奇观的目的，只是为了打消王后的思乡之情。不过要特别指出的是，人们说起东方古国之一巴比伦时，常常提到《汉谟拉比法典》和空中花园，但实际上他们一个属于古巴比伦王国，一个属于新巴比伦王国，完全是两个不同的国家，中间差了将近一千年。

由于直到今天都一直没有发现这个文明奇迹的遗迹，在历史上只有古希腊

10

佩加蒙博物馆因收藏著名的佩加蒙神庙而得名，佩加蒙神庙是古希腊时期在小亚细亚建造的神庙，和雅典卫城的帕特农神庙齐名。

11

世界七大奇迹实际上并非由一个人同时提出，而是由腓尼基旅行家安提帕特、古希腊数学家费罗（Philo of Byzantium），历史学家希罗多德（Herodotus）和建筑师卡利马科斯（Callimachus of Cyrene）各自提出了一些候选，最后综合而成。安提帕特在他的《希腊文集》（Greek Anthology IX 58）中将空中花园列为第一。

12

一般认为空中花园是在公元前 6 世纪由新巴比伦王国的尼布甲尼撒二世所建。但也有科学家认为空中花园并不在巴比伦，而在底格里斯河上的亚述的首都尼尼微，因此建造者是亚述王西拿基立（Sennacherib）。

图 2.13　巴比伦伊什塔尔之门（收藏于柏林佩加蒙博物馆）

对它有一些记载，这反而给后人留下无尽的遐想。下图所示的是 16 世纪的画家根据古希腊文献的记载绘制的空中花园复原图。如果古希腊文献的记载是准确的，那么这座在远处看上去高耸如云的花园确实是人间奇迹。

图 2.14　传说中的空中花园复原图

尼布甲尼撒二世似乎热衷于修建宏伟的建筑。除了传说中的空中花园，巴别通天塔（Babel）则是他建造的另一个奇迹，在《圣经·创世纪》中记载着这样一个故事：

> 我们（人类）要建造一座城和一座塔，塔顶通天，为要传扬我们的名，免得我们分散在全地上。

> 耶和华降临，要看看世人所建造的城和塔。耶和华说："看哪，他们成为一样的人民，都是一样的言语，如今既做起这事来，以后他们所要做的事就没有不成就的了。"

> 然后主说："我们下去，在那里变乱他们的口音，使他们的言语彼此不通。"于是，耶和华使他们从那里分散在全地上。他们就停工，不造那城了。因为耶和华在那里变乱天下人的言语，使众人分散在全地上，所以那城名叫巴别（Babel，意为"变乱"）。

这个故事的历史背景应该是这样的：巴比伦人要建一座通天塔，但是最终没有建成，犹太人（当时被新巴比伦人灭国）就认为是上帝对巴比伦人的惩罚。据见到过这座通天塔废墟的希腊历史学家希罗多德记载，这座宏伟的通天塔底座直径达 90 米，一圈圈盘旋而上，高度达 211 米 [13]，极其壮观而华丽。不过新巴比伦人并没有记载这么高大的建筑是做什么用的，有人说是尼布甲尼撒二世为了通天，有人说是为了看天象，也有人说是为了祭祀。这座通天塔充满了谜团，除了它的用途外，是谁将它毁坏的也众说不一，有人认为是亚历山大大帝，有人认为是波斯王薛流士，或许还有其他的人。随着新巴比伦王国的终结，这个人类历史上曾经比大金字塔还高的建筑从此消失在人们的视野中了。1899 年，德国考古学家罗伯特·科尔德韦（Robert Koldewey，1855—1925）终于在巴比伦的故土上发现了通天塔的遗迹，说明《圣经》和希罗多德的记载非虚。科尔德韦还发现塔的基座边长为 87 米，和希罗多德记载的数据非常相近。但塔身高度已无法确认。

在尼布甲尼撒二世统治时期，奴隶制经济有较大发展，奴隶也获得了一定的自由。在一般人想象中，奴隶完全被束缚在主人家里或者田庄上劳动，但是在新巴比伦（和后来的古希腊），奴隶出现在经济生活的各个领域，

13
T. Hiebert, 'The Tower of Babel and the Origin of the World's Cultures', Journal of Biblical Literature 126 (2007), p.37

图 2.15 根据传说绘制的通天塔

他们可以代主人外出经商，或者租种主人的土地，甚至可以同自由民订立契约，虽然他们的人身依然隶属于奴隶主。这在当时，无疑是文明的进步。如果不是因为新巴比伦王国灭亡了，这些奴隶最终可能会被解放成农民。

尼布甲尼撒二世于公元前 562 年暴毙后，新巴比伦进入衰退期。继位君主都很短命，同时波斯帝国在居鲁士大帝的领导下崛起。公元前 539 年，经过短暂战斗，居鲁士二世进入巴比伦城。这段历史在《圣经·但以理书》中有所记载，据说居鲁士进攻巴比伦城时，国王柏沙撒正在喝酒，看到一只神奇的手在墙上写下一段燃烧着火焰的字，警告他城池当晚要陷落。但是柏沙撒不以为意，结果当晚城池陷落，柏沙撒被杀。事实是，巴比伦的祭司们当晚打开了城门，放波斯军队进城，巴比伦城因此而陷落。

新巴比伦王国灭亡后，美索不达米亚地区从此不再有独立的王国。这些地区的文化则表现为统治国文化的一部分，先是波斯文化，然后是希腊

（马其顿）文化、罗马文化和拜占庭文化。由于居鲁士和后来的统治者对巴比伦的臣民采取了宽容的政策，所以在很长时间里，这里的经济和文化依然领先于世界，但是随着它作为政治中心地位的消失，久而久之，美索不达米亚原先的庙宇、宫殿连同他们的文化一起被深埋在黄沙之下，从此销声匿迹了两千多年。

14
京都和奈良两座城是日本的古都，基本上是按照唐朝长安的式样建立的。

15
纽约早期是荷兰的殖民地，又称新阿姆斯特丹，后来被英国人占领，改成了一个英国的名字"新约克"即纽约。

新巴比伦人统治的时间虽然还不到一百年，但是却创造了高度的文明。与喜欢打打杀杀的亚述人不同，新巴比伦人非常重视教育和科学，他们奠定了西方数学和天文学的基础。在新巴比伦时期，希腊人已经登上了历史的舞台，他们同样喜欢科学，并且从新巴比伦人那里学到了很多东西，因此希腊人称（新）巴比伦人为"智慧之母"。不仅是科学，在艺术和建筑方面，新巴比伦对西方世界的影响也很大，这就如同长安对京都和奈良的影响 14、阿姆斯特丹对纽约的影响一样 15。比如我们今天在西方常常看到的圆拱顶建筑，就是由新巴比伦人传给希腊人，又传到罗马人手里的。

回顾美索不达米亚平原上出现过的民族，无论是苏美尔人、古巴比伦人、赫梯人、亚述人还是新巴比伦人，为了生存，他们都曾经在这片土地上不断征战。于是，战争在这片土地上持续了几千年，与此同时，这些民族也创造出了灿烂的文化，在世界文明史上牢牢地占有重要的地位。帝王们早已被埋在了不知哪里的地下，而他们手下的工匠和奴隶创造的文明却绵延至今。我们今天在使用轮子、铁器和拼音文字时，可能很少会去想它们的来源，已经习以为常了。但是回望几千年之前，看看那些在美索不达米亚平原上制造车辆和帆船的工匠、那些在炽热的火炉旁打造铁器的奴隶、那些制作伟大石像的雕刻家，以及那些设计出苍穹屋顶的建筑师，他们一直藏在历史的幕后。但正是因为有他们的存在，那血雨腥风的历史才有了一线亮光、一道彩虹。他们的名字仿佛被埋在了时空中，没有人能知道，但是他们实实在在地存在着，并且创造了历史。

历史仍在继续，让我们把视线继续投向东方，越过世界屋脊，在另外两条更大的河流经过的地方，新的农业文明正在兴起。

附录 美索不达米亚文明年代表

前 41 世纪—前 29 世纪，苏美尔文明时期，以乌鲁克为中心，楔形文字、轮子和帆船在这个
　　　　　　　　　　　　时期发明

前 29 世纪 — 前 2334，　早期王国时期，苏美尔文明进入青铜时代

前 2334 — 前 2100，　　阿卡德王国时期，《乌尔纳姆法典》制定于这个时期

前 24 世纪 — 前 18 世纪，亚述早期王国时期

前 1894 — 前 1595，　　古巴比伦时期，汉谟拉比法典产生于这个时期

前 1595 — 前 1178，　　赫梯人统治时期，铁器出现，占领了埃及很多领土

前 12 世纪 — 前 612，　亚述帝国时期，今天世界各地保存有大量亚述的狮子雕塑和和各
　　　　　　　　　　　　种狩猎的浮雕

前 612 — 前 539，　　　新巴比伦时期，空中花园和通天塔在这个时期建造

前 539，　　　　　　　波斯人占领美索不达米亚，独立的美索不达米亚文明终结

参考文献

1　圣经·旧约全书.

2　Philip Steele. 美索不达米亚（*Mesopotamia*）.DK CHILDREN，2007.

3　Paul Kriwaczek. 巴比伦：美索不达米亚和文明的起源（*Babylon: Mesopotamia and the Birth of Civilization*）.Thomas Dunne Books，2012.

第三章 垄耕种植法和科举

中国的农业文明

人类文明若从古埃及开始立国算起，距今大约 6000 年。在最开始的两千年（到公元前 20 世纪）里，古埃及和美索不达米亚的文明程度明显高于其他地区，将其他地区与他们相比，就如同将现在撒哈拉以南的非洲地区与美国和西欧相比，没有太大意义。这之后的两千年（从公元前 20 世纪到公元元年），出现了多个文明的并存和相互竞争。埃及和美索不达米亚的文明依然在发展，而波斯和希腊则显示出更强的后劲。在东方，中国和印度的文明开始比肩环地中海的诸多文明。在公元前后几个世纪里，罗马人可谓一枝独秀，但是他们的辉煌持续时间并不长，从他们在第二次布匿战争中击败迦太基、控制地中海开始，到西罗马帝国灭亡，也不过维持了六个多世纪。而中国在从秦汉统一到工业革命开始之间的 1800 多年时间里，对世界文明的贡献是其他任何一种文明都无法相比的 [1]。

今天世界各国都不免在思考，为什么过去的三百年是荷、英民族（Dutch & British）统治世界（美国人被看成是英国人的延续）？应该说他们是工业时代的先锋。不过在工业革命以前，西方人要思考的一个问题是，为什么是东方人（包括中国人）统治世界？因为中国是农业时代的典范。

在农业时代，至少从以下几个方面可以证明中国人的成就。

1
这是李约瑟的观点。参见李约瑟的著作《中国科学技术史》。
http://t.cn/a1w6Rh

首先是物质生产。下图是安格斯·麦迪森（Angus Maddison，1926—2010）总结的各个历史时代主要国家的 GDP 在全球的占比。对于这张图表，估计大家会有很多质疑。因此，在这里我要先声明，本人一直认为GDP 是个颇为无聊的东西，是经济学家搞出来和政客一起糊弄老百姓的人造数据，比如说 GDP 的统计方法非常不准确，常常有重复计算和漏算，加上各国汇率和物价不同，很难横向比较。当然有人搞了一个新的指标叫做 PPP（人均购买力，以美国的物价水平为 100%，各国与之比较调整GDP 的数值），但是这比 GDP 还要主观，而且成为政治和外交的工具。比如今天按照 PPP 计算，中国的人民币相对美元被低估了，但是只要在两个国家分别住上半个月，就知道中国的物价比美国贵得多。不过，在没有更好的量化度量方法之前，我们也只能以 PPP 作为经济总量的参考。大家对这张表的第二个质疑恐怕就是数据的准确性。比如印度的 GDP 似乎被高估了，而中国在公元 1000 年，即北宋的真宗年代，GDP 在全球的占比完全被低估了。我个人也有这样的疑问。但是，由于历史数据的不足，现在还找不到比麦迪森更权威的数字。因此，我们暂且承认他的数字多少反映了各国在历史上的经济规模和发展水平，那么可以得到这样一个结论，在长达 1800 多年里，中国的经济水平一直排在世界前两位。

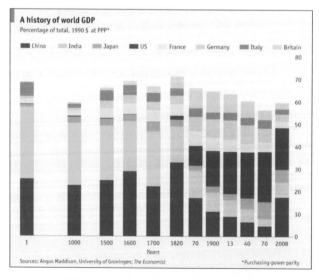

图 3.1　世界主要国家 GDP（PPP）不同时期的全球占比

其次是科技水平和工程水平，这里先给出一个结论，就是中国在工业革命之前，有很多造福全世界的重大发明创造，包括垄耕种植法、牲畜的使用方法、农具等等。这些我们会在后面详细介绍。

当然，一个国家伟大与否并不是按照疆域的大小和军力的强盛来衡量的，而是看这个国家的百姓是否生活得富足。直到 19 世纪初期，中国的人均生活水平都要高于西方，也高于印度和日本。

最后，就是看它的政治制度是否有利于文明的进步，在这方面中国的政府机构在农耕时代，应该讲是世界上最有效率的，而中国的科举制度在当时也是世界上最公平的人才遴选制度。

第一节　水利、垄耕种植法和农具

人类在工业革命以前，人均土地和其他资源的保有量比现在要多得多。到了 1800 年，全球不过 10 亿人口，大约是现在的七分之一，因此，那时候基本上没有人口问题和环境问题。在一种文明中，人口的绝对数量是保证文明整体水平的一个重要因素。如果一种文明只有一百万人口，它不仅修不了万里长城或者金字塔，可能连冶金技术和瓷器制造技术也发明不出来，因为在农业时代大部分人都被束缚在土地上，只有很少比例的人在从事农业以外的工作，包括手工业和建筑业，而从事所谓科学和技术发明创造的人就更少了。因此，人类大规模使用机器之前，人口的基数是保证文明发展的最重要因素。

要维持较大基数的人口，生育从来不是问题，而粮食却是大问题。我们在前面讲过，早在中华文明开始之前，古埃及和美索不达米亚就有了发达的农业。这两个文明都得益于有利的气候条件和大河之间充足的水源。所不同的是，埃及更多是靠天吃饭，灌溉靠尼罗河水自然的上涨，而美索不达米亚更多的是依靠修建水利工程，因为那里虽然有底格里斯河和幼发拉底河两条河流，但是总水量远远不及非洲的尼罗河。不论是靠天还是靠人，灌溉对农业的丰产都非常重要，甚至是最重要的要素。中华文明也不例外，中国很早就开始兴修水利工程了。按照传统的说法，中国最早的文明起源于黄河流域，不过这条河颇为桀骜不驯，于是有了上古大禹治水的传说。

2
在殷墟出土的所有甲骨文中，从来没有找到过关于夏朝的记载。

不过毕竟传说不是史实[2]，不足为凭。根据《史记》的记载，到了春秋战国时期，各国都修建了很多大型水利工程。最早通过兴修水利带来巨大经济效益的应该是西门豹。他治理邺郡、移风易俗的故事可以说是家喻户晓，但是他带领当地人引漳河水灌溉邺地的工程却鲜为人知。这大约是公元前400年的事情，距今2400多年，按照《史记·河渠书》的评价，这项工程是"以富魏之河内"，可见这个水利工程的效果显著，但是史料对它的记载也就仅此几笔而已。

《史记》记载比较翔实的早期水利工程是秦国的郑国渠，这条渠的修建过程充满戏剧性。

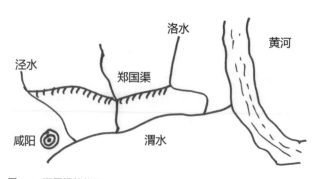

图 3.2 郑国渠的位置

《史记》对郑国渠的修建有生动的记载。战国末期，（弱小的）韩国听说邻国（强大的）秦国想兴兵，就设法破坏秦国的计划，使它无力东进。于是，韩国就派了一个名叫郑国的水利专家到秦国去游说，让秦国开凿一条从泾水到洛水长达300多里的引水渠，将泾河水向东引到洛河，以灌溉田地。在战国时代，以秦国一国之力完成这项工程，应该颇为困难，因此工程进行到一半，秦王就识破了阴谋，想杀掉郑国。郑国似乎早准备好了对答之策，说："我当初确实是奸细，但是渠修成了对秦国也是有好处的啊。"秦王觉得他说的有道理，于是就让他把渠修完。这项浩大的水利工程完成之后，灌溉了 4 万多顷地[3]，每亩产量都超过一钟（大约今天的 120 升，约 240 斤）。于是关中成为沃野，无灾年，秦国也因此富强，最终吞并了六国，因此，秦国人将这条渠命名为郑国渠。在中国人修建郑国渠近 300 年后，古罗马人在它所统治的高卢地区修建了著名的嘉德水道，将山泉水引到城市里使用，水道长 50 公里（100 里），只有郑国渠的三分之一。

中国历史上最著名的大型水利工程，是战国时期李冰父子修建的都江堰。战国时期，秦国大将司马错于公元前 316 年灭亡了古蜀国，并且将那里设置为秦国的一个郡。不过，那时的四川可不是后来的天府之国，不仅经济文化落后，而且自然条件差，岷江还经常泛滥。秦昭王 51 年（公元前 256 年），也就是蜀国纳入秦国版图的 60 年后，李冰任蜀郡太守。他和儿子设计并主持建造了成都北部的都江堰，将岷江从中间一分为二（内江和外江），这样实现了通航、防洪和灌溉一举三得，将岷江这个原来的祸害变成了造福成都平原的百利。按照司马迁的说法，都江堰"消除了洪水的祸害，让两条江穿过成都平原。江上可以通航，多余的水用于灌溉，百姓受益。河水流经之处，百姓引水灌溉田地，大小水渠不计其数。"

都江堰的设计和工程技术水平，不仅当时在世界上首屈一指，而且在接下来的上千年里，世界其他地区的水利工程无出其右。整个都江堰水利工程包括鱼嘴（分水工程）、飞沙堰和宝瓶口（引水工程）三大主体工程。都江堰的整体思想是分流，这不同于世界上早期的水利工程。那些水利工程，要么筑坝围堵，要么加固河堤，要么

3
《河渠书》给出的是这样的数据。每亩"溉泽卤之地四万余顷，收皆亩一钟"。

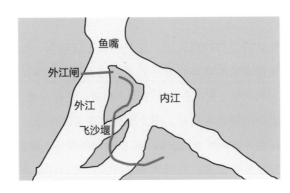

图 3.3　都江堰示意图

挖渠挖运河，很少有什么工程能兼顾治水防洪、排沙、水运、灌溉和城市供水等综合效用。它所灌溉的成都平原从此成为闻名天下的"天府之国"。

当然，光有好的灌溉系统还不能保证丰产。中国人对世界农业最大的贡献可能是发明了垄耕种植法，这个看似不起眼的发明比四大发明对世界的贡献还要大。今天，在农业发达的美国，其中西部一望无际的大平原上，整整齐齐成排地种植着小麦、大豆和玉米，而采用的耕种技术依然是中国古老的垄耕种植法。毫不夸张地讲，垄耕种植法[4]是除了灌溉之外农业高产最重要的保证。

下图所示的是美国俄克拉荷马州广袤的麦田，这些麦田采用中国人发明的垄耕种植法，贡献了美国 20% 的小麦产量。

图 3.4　美国俄克拉荷马州广袤的麦田

垄耕种植，顾名思义，就是将庄稼成排种植在垄上，垄与垄之间要保持一定的间距。垄的土地要比垄之间的沟略高（高度差根据作物的不同而不同）。为什么庄稼必须这样种？原因很简单，因为这是唯一能保证高产的种植方法。我们的祖先很聪明，他们在公元前就知道了这种种植方法的诸多好处。首先，这么做可以保证每株庄稼独立成长，互不干扰，而且农民在给庄稼除草和间苗是在沟里走，不会踩伤庄稼；其次，便于庄稼之间通风，不会腐烂；更重要的是，这样便于灌溉。我小时候在南方田地里做过农活，那里的水田很多，水田的四周是一尺高的田埂，田埂外有水沟。当天气干旱时，农民们将田埂挖开一个小口，田埂外水沟里的水就会流进田里，迅速流遍垄之间的沟，然后渗透到庄稼的根部，

4
根据李约瑟在《中国科学技术史》中的描述，中国人在公元前 6 世纪前后就发明了垄耕种植法。但是他没有讲这是不是世界上最早的。不过在古埃及的壁画中，没有垄耕种植的记载。

不需要给每一株庄稼浇水，节省了大量的劳力。当天降暴雨时，田里的水保持在庄稼两边相对低洼一点的沟里，庄稼的根就不会被泡烂。这样，除非大旱或者大涝，农业的收成都是有保障的。更绝的是，垄和沟在两季种植之间是互换的，每季庄稼收获完毕，要将田重新耕一遍，这时垄就变成了沟，沟就变成了垄，这样，田地虽然每季都在种庄稼，但具体到每一垄土地，实际上是轮流修耕，可以保证地力。我们不知道是谁发明了垄耕种植法，就如同不知道是谁发明了轮子一样，我们只知道它应该不是由一个人发明的，而是经过中国的农民很多代人的经验积累而得到的。今天无法确定中国人最早在什么年代就开始采用这种耕种方法的，因为没有哪一部史书记载了这件事，不过根据李约瑟在《中国科学技术史》中的描述，这个年代不晚于公元前 6 世纪。这个发明通过口口相传的方式流传下来，成为中国大地上每一个农民头脑里根深蒂固的概念，他或许不能对这项发明说得头头是道，但是都懂得这浅显却重要的道理。

那么，欧洲农民是什么时候才明白这个道理的呢？ 17 世纪！也就是说，欧洲的农业曾经落后中国两千年甚至落后更多。在 18 世纪以前的欧洲，农民们将种子直接均匀地洒到耕耘过的土地上 5，等庄稼长出来后，就显得杂乱无章，庄稼长得密度不匀，而且不同植株之间互相干扰。这样一来，通风就不好，采光也不均匀，同一块地的庄稼成熟的时间也会差个几天，收获时只好把一些未长熟的庄稼一起收割上来。更要命的是，采用这种耕种方法，几乎无法浇水和除草。读者不妨做个实验：把一杯水倒在平坦的水泥地上，一定是有的地方水多、有的地方水少，没有人能做到让水泥地的每个角落都均匀地铺上一层水。但是，如果在水泥地刻上一条条沟，就不一样了，水会沿着沟均匀地流到每一个角落，这就是垄耕种植法的原理。田地里如果没有垄和沟，即使能将水从河里或者山上引到田里，水也无法自动地流到田地的每个角落。因此，欧洲人在 17 世纪以前，只能靠天吃饭。在教堂的庆典上，人们唱着这一类的圣歌："我们辛勤地耕种土地，我们抛撒最好的种子，上帝万能啊，请给禾苗施肥浇水吧。"在中世纪的欧洲，每到秋天收获的季节，如果丰收了，农民们不仅要载歌载舞庆祝，而且要感谢上帝给了他们风调雨顺的一年。

5
根据剑桥大学李约瑟研究所的教授克里斯托夫·库伦（Christopher Collun）接受 Discovery 探索频道电视节目的采访。

6
考虑到先秦时期一亩地的面积可能比今天的小，因此按照今天的标准实际亩产可能更高。

7
根据 2007 年 1 月 1 日中国国家发展和改革委员会发布的数据。

8
约合 35.2 公升。

即使是丰收的年头，欧洲的粮食单产也比中国的北方低很多，更不要说和中国南方相比了。我们前面提到，根据《史记》记载，即使在战国时期的秦国，一亩地也能收获 240 斤，这在当时来看绝对算是高产，即使和今天相比，也不算太差 [6]。中国小麦亩产在世界上可以说是名列前茅，2006 年，亩产为 740 斤 [7] 左右，而美国小麦单产量折合到中国的亩，大约是亩产 420 斤。（美国每英亩收获小麦 46 蒲式耳 [8]，美国农业部计算小麦重量是按照每蒲式耳 60 磅，约 55 斤，每英亩相当于 6.07 市亩。）当年欧洲的农民就没有这么幸运了，因为他们的亩产少得可怜，平均只能收获播下去的种子的两到三倍而已，目前，中国一亩麦田大约播种 14—16 斤种子，就算古代种子播撒得更多一些，也不会超过 20 斤。这样，欧洲当时每亩地最多收获 60 斤粮食，刨去种子，只有 40 斤。在不好的年头甚至收获不到这么多。根据英国历史学家大卫·尼科尔（Dr. David C. Nicolle，1944 年— ）在《中世纪生活》一书中记载，在中世纪时的安纳佩斯地区，每收获一百升小麦，就要用掉 60 升的种子。这么低的产量可能会让读者大跌眼镜。

由于粮食产量低，或者说不善于种粮食，欧洲人在历史上谷物的消费比较有限，尤其在欧洲西北部，当地人更多地从事畜牧业，并且在饮食习惯上以肉食为主，这个习惯延续至今。不过饲养牛羊需要的土地也非常多，因此，欧洲面积虽然是中国中原地区的三倍大，但是一直不能养活很多人口，直到哥伦布发现新大陆，从美洲带回高产的土豆后，粮食（包括土豆）的产量大幅增长，人口才开始剧增。

后来欧洲人将垄耕种植法带到了美国，帮助它成为了今天世界最大的粮食出口国，虽然那里普遍采用大机械生产，但是播种原理和中国古代相同 —— 采用垄耕种植法。

当然，中国当时的农业科技成果远不止水利和播种技术，在工具的制造和牲畜的使用上，中国人都明显地领先于欧洲人。比如，中国人深翻土地的犁，欧洲到 17 世纪前后才出现。就连套牛和马用的牛具或者马具都比欧洲人要先进得多。按照英国著名科技史学家李约瑟（Joseph Needham，1900—1995）的说法，在古代中国一匹马拉的重量是欧洲同期马拉的重量的三倍，这不是因为中国的马有力气，而是因为马具好。中国的马具是套在马肩上，而欧洲人是固定在马的脖子上，这点细小的差别导致了牲口使用效率的巨大差别。在农耕时代，牲畜是唯一能将人力解放出来的生产工具，它的利用效率直接决定了生产力。

中国先进的农业技术，使得中华文明在与世界各个文明的竞争中有两个明显的优势。第一，最直观的效果是粮食单产高，同样的土地可以供养更多人口。我们前面讲过，人口是早期文明必备的条件。第二，有效的灌溉、高效地使用牲畜以及多种农用器械的发明，使得种植一亩农田所需要的劳动力比欧洲更少，整个社会非农业人口的比例较高。这样，大量劳动力才能被解放出来，从事手工业、商业、文化、艺术、宗教活动。发达的农业保证了在从公元 2 世纪到 17 世纪的一千多年里，中华文明领先于世界。前面我说过，中国农业种植技术对世界的贡献，其实远远超过四大发明对世界的贡献，因为这是人类文明得以快速发展的基础。

第二节　先进的选官制度

马可·波罗可谓是欧洲放眼望洋看东方的第一人，他将中国文明介绍到欧洲。虽然他看到的只是经过战乱之后宋代残存的一点文明痕迹，但是这已经比当时的欧洲要先进好几个世纪了。不过遗憾的是，他没有见到中国传统的遴选官员（公务员）的制度——科举 [9]，否则他也会像介绍中国物质文明那样介绍中国先进的政治制度。到了明朝万历年间，另一位意大利人，传教士利玛窦（Matteo Ricci，1552—1610）来到了中国，他在澳门登陆后惊讶地发现，这个古老而遥远的东方之国不仅物质丰富，而且政治制度优良，简直就是柏拉图所描述的"理想国"。他告诉西方人一个重大的事实："他们全国都是由知识阶层，也就是一般叫做哲学家的人来治理的。"他还煞有介事地告诉欧洲老乡："在中国最终实现这一原则的制度叫做科举制。"

9
因为蒙古人当时没有接受汉文化。

图 3.5　意大利著名传教士利玛窦

科举制度在中国近代被很多人诟病。在大众看来，科举凭着一篇八股文决定一个人一生的命运颇为不合理，加上很多有识之士和有真才实学的学者都是科举的落榜者，比如大诗人李白、杜甫、李贺等，著名医学家李时珍、大才子唐伯虎、《聊斋志异》的作者蒲松龄、《儒林外史》的作者吴敬梓等等，因此，人们对科举制度的合理性愈加怀疑。到了清朝末年，随着朝廷对西方政治制度有了更多的了解，人们越发觉得科举是导致中国落后挨打的原因之一，于是干脆废止了科举考试。

但是，17、18 世纪的西方人对中国的科举制度却高度赞赏，他们认为中国的人才选拔和任用制度是当时世界上最先进、最公平和最科学的。中西方对科举的评价差别何以如此之大呢？这主要是他们对比的参照系不同。满清后期，中国官场可以用腐败无能四个字概括，腐败自不消说，这是专制制度无法克服的弊病，无能则表现在政府部门效率低下，按照近代[10]的标准衡量，各级官吏可谓是愚昧无知，朝廷面对世界格局的突然变化全无应对之策，丧权辱国。而中国的近邻日本通过明治维新一跃成为世界强国，给中国的触动非常大。清廷在学习西方政治体制的同时，把部分原因归咎于科举制度。而在西方人眼里，中国依旧是一个农业社会，将中国与欧洲的封建时代和印度的农业时代做对比才公平，这样一来，中国的政治制度和人才选拔机制就体现出明显的优越性。

政治体制和文官制度对于任何文明、任何国家的发展都是至关重要的。人类早期的文明大多是贵族和宗教政治，无论是民主的还是专制的。古

10
在世界范围里，以资产阶级革命和工业革命作为近代的开始。

埃及和美索不达米亚是由法老或国王和祭祀共同统治国家，在他们的下面有世袭的贵族。古印度文明在雅利安人入侵后，由僧侣和贵族统治国家。这种政治制度导致统治集团越来越脱离民众，并且无法进步，最终导致文明的停滞。在西方近代真正的民主政治出现之前，世界上只有古希腊和罗马的民制，以及中国的文官选拔制度，打开了平民进入上层社会并且参与管理国家的途径。

对比一下欧洲、日本和中国在国家管理和官员选拔上的不同办法，就不难看出中国科举制度在专制时代的合理性和公平性。让我们先来看看欧洲和明治维新前的日本。对西方政治体制影响最大的是古希腊和罗马。古希腊由许多城邦构成，它们之间其实是相互独立的，不同城邦选用不同的政治制度，其中最具代表性的是北方的斯巴达和南方的雅典。斯巴达采用君主制，而雅典在大多数时间里，尤其是梭罗改革之后，采用基于贵族和平民的民主统治——城市由公民选举的官员管理。雅典的最高权力机构是500人的议会和大陪审团。不过，古希腊有选举权的公民占人口不到十分之一，妇女、外国人和奴隶都没有选举权。在伯罗奔尼撒战争[11]期间，雅典短暂实行独裁政治，但是在战后民主制度很快得到恢复。古希腊为后世传下来大量文献，阐述了民主制度，它的民主制度并没有因为希腊的衰亡而中止，而是被后来的西方国家继承和发扬光大了。

11
希腊城邦之间的内战。

古罗马虽然文明进程比希腊晚很长时间，并且在技术和工程上很多是向希腊学习的，但是它的民主政治制度几乎是和古希腊同步发展的。不过不同的是贵族一直在古罗马政治中占有重要的地位。公元前510年左右，古罗马成立了共和国，最高权力机构是由贵族构成的元老院，而日常军政大事则由元老院批准的执行官处理。平民和贵族之间禁止通婚，两者的界限很难逾越。平民进入贵族的唯一途径是通过在战场上获得军功。但是，平民争取权力的斗争从来没有停止，并且利用两次外敌入侵的时机迫使贵族做出让步，罗马从此设立了保民官，对不利于平民的政府法令，拥有否决权。这成了对贵族权力的重要制约力量。

图 3.6　古罗马的元老院

到了公元前 450 年，古罗马制定了十二铜表法（后面还会再讲），禁止一切特权，限制了贵族的专制。到了公元前 444 年左右，终于有平民担任最高行政长官。到了公元前 287 年，公民开始真正享有立法权，公民被行政长官判定死刑或体罚时，有权向人民大会上诉。在古希腊和古罗马的民主政治中，平民是有机会参与国家管理并且进入上层社会的。

12
包括马略和苏拉的军事独裁阶段、恺撒和庞培争雄阶段，以及屋大维和安东尼争雄的阶段，前后大约一百年时间。

但是随着罗马帝国的疆土日益扩大，权力过于分散的民主政治便不再适合了，经过一系列的内部权力斗争和战争 12，罗马进入了帝国时代，权力便开始集中。不过罗马帝国的皇帝，即使是建立帝国的屋大维（即奥古斯都大帝）也从来没有过中国的皇帝那样的绝对权力，因为元老院仍旧存在，照样有政治影响力，并且制约着皇帝。不过在帝国时代后期，军阀和富商勾结左右着帝国，平民参政的机会已经微乎其微了。

（西）罗马帝国灭亡后，（除了拜占庭帝国以外的）欧洲进入了封建时代。所谓封建，和中国西周的分封制非常相似，整个中世纪欧洲是由几百个贵族和几千个有独立司法权的骑士分别统治的。这些头衔和权力，通过世袭而传递，这种人才选拔机制显然不怎么样，打个比方，这就如同由奥运冠军的儿女们组成新一届的奥运代表队。平民要想翻身只有一条路，就是献身教会，然后一步步往上爬，或许能爬到主教的位置。由于远在罗马的教皇成功地统治着欧洲人的精神，这些从平民爬上来的主教们就能参与政治了，不过成功的几率微乎其微。在欧洲资产阶级革命以前，世俗的领袖们和精神领袖之间矛盾不断，一个王国的最高统治者和教皇派来的红衣主教从来没有成功地合作过。在这样近乎无政府的状态下，欧洲近千年没有得到发展。

文艺复兴之后，欧洲城市兴起，成立了很多城市共和国，而统治这些共和国的是贵族或者富商的代表，平民对政治的影响还不如罗马时期。而欧洲的各个阶层之间鸿沟巨大，在和平时期几乎没有跨越的可能性。

日本在明治维新前的情况与欧洲非常相似。日本的实权掌握在幕府征夷大将军手中（不知道征的是哪里的夷），而各地方则由大名（即军阀）管理。日本的社会阶层也分为士、农、工、商，不过他们的"士"是指武士，而不是士大夫。武士是特权阶层，有姓氏并可以携带武器，但是只占日本人口的百分之二左右。各个阶层之间无法跨越，武士的后代还是武士，农民的后代还是农民。这样的政治制度显然无法培养和任用优秀人才。图 3.7 所示的是日本江户时期的浮世绘，上面描绘了大名（诸侯）登楼的情形，当时武士阶层处在日本社会的最上层。

图 3.7　日本江户时期的浮世绘

在隋朝之前，中国的政治制度比印度和欧洲也好不到哪里去。自秦汉以下，除了改朝换代的时候，都是由地方豪强和士族控制着朝政，不仅平民中的才俊无法进入国家的管理阶层，一般的中小地主（庶族、寒门）的社会地位也非常低。在东汉，袁氏一族有四代人担任过官职最高的三公，门生故吏遍于天下。正因为如此，东汉末期袁绍才敢和奸雄董卓当庭敌对。他的堂弟淮南袁术拥有私家军队两万多人，到东汉末年便顺理成章成为

13
汉代三公之一主管兵权。

14
明经科和进士科原本是取士的两种平行的考试，不过唐代以后进士科的重要性超过了明经科，后来科举只保留了进士科。

15
Michael Hart *The 100: A Ranking of the Most Influential Persons in History* Citadel, 2000, http://t.cn/agTYR4

割据一方的诸侯。而弘农的杨家也是"自震至彪（杨震、杨秉、杨赐、杨彪），四世太尉[13]"。到了曹魏时代，实行了九品中正制，从法律上维护了那些累代公卿的大地主（士族）在政治、经济、文化、社会生活等各方面的特权。到了东晋，朝政完全由北方的王、谢、庾、温和江南的吴姓士族把握，而王谢也成了望族的代名词。这些士族中固然出现了王导、谢安这样的名臣，但是更多地是像王徽之这样身居高位却尸位素餐的伪名士。他之所以能身居高位，只因他是王导的侄孙而已。而即使是中小地主（庶族）也无法在朝廷中担任要职，因此当时有"上品无寒族，下品无士族"的说法。按照唐玄宗时礼部尚书沈既济对这种政治制度的弊端的评价，到了北齐和隋朝，这种政治制度的弊端已经让朝野都无法忍受了。

隋文帝杨坚在公元589年统一了中国，结束了自东汉以来长期分裂的格局。杨坚是中国历史上少有的具有政治远见的明君，他为了稳固帝国的统治，削弱望族和地方豪强的势力，开创了一个从全民中选拔人才的机制——科举制度。他把选拔官吏的权力收回中央，用科举制代替九品中正制。在大业三年（公元607年），开设明经科和进士科[14]，用考试的办法来选取人才，这样，很多中小地主的子弟便能进入国家最高权力机构。或许是因为开设了科举制度，杨坚入选了世界有史以来最有影响力的一百人[15]。

隋朝非常短暂，不过接下来的唐朝继承了隋代的政治制度，完善了科举制度。唐代的科举制度非常复杂，概括来讲就是分为"解试"和"省试"两级，而考试内容基本上是文学知识（将经书任揭一页，将左右两边蒙上，中间只开一行，再用纸帖盖三字，令试者填充）、试策（关于治国之道的论文）和文才（诗赋）。在省试中取中的人称为进士及第。在唐代，读书、应考和做官三者被紧密结合起来，但是参加科举考试的人数并不多，大多集中在官宦人家。

宋朝是真正把科举制度推广到全体老百姓的朝代。宋太祖赵匡胤以陈桥兵变当上皇帝，为了防止后人效仿，同时杜绝唐代武将藩镇割据的状况，他制定了重用文臣、压制武将的国策。在经历了五代战乱之后，中国一时也找不出那么多的文臣。因此，宋朝广开读书人成为士大夫的途径，并且从上到下提倡读书。宋真宗赵恒御笔亲作《劝学篇》，传布天下：

当家不用买良田，书中自有千钟粟；
安居不用架高堂，书中自有黄金屋；
娶妻莫恨无良媒，书中自有颜如玉；
出门莫恨无人随，书中车马多如簇；
男儿欲遂平生志，五经勤向窗前读。

这成为从当时到后世多年来寒士痴迷读书的强大动力。宋神宗时代的官员汪洙作了《神童诗》，指出读书考取功名，是当时农家子弟进入士大夫阶层的唯一方法。诗云：

天子重英豪，文章教尔曹。
万般皆下品，惟有读书高。
……
朝为田舍郎，暮登天子堂。
将相本无种，男儿当自强。

宋代将唐代科举两级考试改为三级，增加了在皇宫进行的殿试，同时将每届进士的人数从唐代的几十人增加到几百人，增加了一个数量级。

客观地讲，中国的科举制度对中华文明的贡献远远超过它的弊端。它的诸多好处是显而易见的。

首先，它在专制时代是相对公平的人才选拔方式。科举的规则一旦确定，对所有考生都是公平的，当然这是以受教育为前提的。在中国历朝历代，除了在少数皇帝的任期里官风比较清廉外，基本上都是贪腐成风。而科举相对而言是一块净土，偶有弊案发生，历朝历代惩治得也非常严厉，远远超过对一般贪腐案件的处理。科举不同于今天的高考，因为后者基本上是一锤子买卖，第一年没考上，以后常常是一年不如一年；科举可以不停地考下去，而很多名臣都不是第一次就获得功名的。

16

不过当时不叫进士。据《旧唐书·张柬之传》记载"永昌元年，（公元六八九年）以贤良召，对策第一"，相当于中进士。

因此，也就会出现一些七八十岁高龄的"老童生"。不过，很多名臣中进士的年纪也非常大，比如（武周）唐代名臣张柬之，"中进士"时已经64岁了 [16]。

其次，考试的内容实际上是考察读书人的治国之策，而非文采。人们看到很多著名的文学家和诗人纷纷落马，而误以为科举考不出真才实学。其实，科举不是作文比赛，根本没有打算考量谁的才气大，而是看哪个考生讲述的治国之道合理。虽然考中进士的未必人人皆有真才实学，但总的来讲，通过科举选拔出来的人大多数是治国的能臣，这些文臣保证了中华文明在一千多年里的可持续性发展。

图 3.8 科举考试的试卷

另外，科举制度还造就了中国古代知识分子对国家和百姓的使命感与责任感。在世界各国的历史上，专制政权下的官员们常常表现出卑躬屈膝的人格特点，但是中国古代的知识分子却有独立的人格。在士大夫们看来，他们虽然是天子门生，但是他们在精神上却得道于孔孟这些被宗教化的贤哲，或者说他们治国平天下的权利是孔孟贤哲授予的，而不是皇帝给予的。因此，在清代以前，士大夫们敢于为"理"和"道义"与最高统治者（皇帝或者权臣）据理力争。在隋、唐、宋甚至是明代，代表士大夫的相权（明代变为内阁）一直是制约皇权的最重要因素，皇帝虽然是独裁者，但是大部分时候并不能为所欲为。在明朝，虽然昏君占到了皇帝数量的一大半，但是，士大夫们以敢于直言为荣。士大夫与君王共治天下是中国自隋唐以下直到明代的政治特点。

当然，科举也有很多弊端，首先到了唐代以后，这成为读书人唯一的出路。一个文人不论学问大小，他的命运在中举得进士前后会有天壤之别。著名诗人孟郊在 46 岁中进士后，曾经写下这样一首题为《登科后》的诗，曰：

> 昔日龌龊不足夸，今朝放荡思无涯。
> 春风得意马蹄疾，一日看尽长安花。

中进士之人，可以开牙建府，位极人臣。而如果没有考上功名，一辈子可能一事无成。因此，全中国家境较好的聪明人都被推到这个窄窄的通道里，造成人才的巨大浪费。而当今应试教育的风气也可以追溯到科举时代。

另外，因为科举考察的内容以孔孟经典为主，尤其是明代之后，科举的考试内容（八股文）日趋僵化。大部分读书人为应科考，思想渐被狭隘的四书五经、迂腐的八股文所束缚，无论是眼界、创造能力、独立思考都被大大限制，以至于到了近代无法适应世界"三千年未有之变局"[17]。

17
李鸿章语。

科举制发展到清代，日趋没落，弊端也越来越多。清代统治者对科场舞弊的处分虽然特别严厉，但由于科举制本身的弊病，舞弊却越演越烈，科举制终于消亡。

中国的科举制度对中国东南亚乃至世界都产生了深远的影响。相对于世袭、举荐等选材制度，科举考试无疑是一种公平、公开及公正的方法。因此，韩国和越南均效法中国举行科举，越南科举的废除还要在中国之后。16 至 17 世纪，利玛窦等欧洲传教士将在中国的科举取士制度介绍到欧洲。18 世纪启蒙运动中，不少英国和法国思想家都推崇中国这种公平和公正的制度。英国在 19 世纪中叶至末期建立的公务员叙用方法，考试原则和方式与中国科举十分相似，很大程度上是吸纳了科举的优点。今天，英联邦国家公务员的选拔，很大程度上还是依靠考试[18]。近十几年来中国的公务员考试制度多少和科举也有点相似性。

18
英国及一些英联邦国家的公务员考试制度，遵循了科举的原则，但是考试的内容当然和科举不同。在英国，各部次官（相当于副部长）以下的政府公职人员，是通过公务员考试选拔，然后一级级选拔上来，而各部门的主管官员（内阁成员）则是选举和任命的。

第三节 宋代 —— 幸福的农业社会的顶峰

中国从南北朝后期开始，在经济和社会发展上全方位（文明程度、商业和贸易、科技水平和百姓的生活水平）领先于欧洲。

城市的发展是文明程度最好的体现。在公元前第三、第二个千年纪中，美索不达米亚的文明程度高于其他地区，很重要的指标就是当时它的城市繁荣兴旺。而到了公元后的大部分时间里，中国的城市化水平则在世界上首屈一指。诚然，在公元前后罗马曾经是世界的中心，并且在公元一世纪时它达到了发展的高峰，其人口一度多达 150 万，但是在（西）罗马帝国灭亡之后，罗马就日益衰落，其人口直到 18 世纪就没有再超过 20 万。而今罗马的标志性建筑，大多是罗马帝国时期和文艺复兴时期留下来的。在大多数时间里，欧洲最大的城市是东罗马帝国的首都君士坦丁堡，但其人口在东罗马帝国鼎盛时期也只有 70 万，以后逐年减少。从公元一世纪到 18 世纪末一千多年时间里，欧洲从来就没有哪个城市人口超过百万。

而中国在这一千多年里则是另一番景象。在隋朝，首都长安不仅是东方世界的中心，同时也是全世界最繁华的都市，它吸引了大批的外国使节、僧侣和商人在这里经商和居住，著名的丝绸之路就是以长安为起点。到了唐代，前几代帝王对长安城进行了大规模扩建。据史书记载，长安城的面积应该相当于今天的 83 平方公里 [19]，大约是明代长安城（今天西安内城）的 8 倍大。长安内城有南北大街 11 条和东西大街 14 条，其中最宽的朱雀大街宽达 150 米左右，放在今天也是世界上最宽的大道之一。城内布局横平竖直，共划成 110 个坊，十分规整。街道两边树木成行，城内还有四条渠道流经，供应生活用水。"九天阊阖开宫殿，万国衣冠拜冕旒" [20]，正是极盛时期长安作为世界中心的真实写照。如果想了解当年长安城恢弘的建筑风格，只要到今天日本的京都或者奈良去看一看即可，因为这两座日本历史名城就是完全仿照长安建设的。长安和当时的东都洛阳，人口都超过百万，在很长时间里保持着世界上最大城市的称号。

19
Ian Morris 在《为什么西方法统治世界》（*Why the West Rules for Now*）一书中描述唐代长安城，长 9721 米，宽 8652 米，是世界上最大的城市。在线阅读：http://t.cn/8FEaVxG

20
出自《和贾至舍人早朝大明宫之作》作者：[唐]王维。

当时，在世界范围内能和它们相比的，只有阿拉伯帝国的首都巴格达。

图 3.9 所示的是根据唐代风格建造的日本京都清水寺，现在成为了日本的名片。图 3.10 所示的日本奈良东大寺也完全是按照唐代风格建造的。

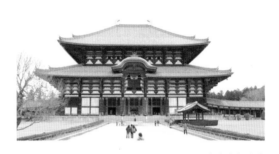

图 3.9　日本京都清水寺　　　　　　　　　　　　图 3.10　日本奈良东大寺

虽然唐朝末年因为战乱，长安衰落了，但是中国经济发展的动力依然强劲。图 3.11 所示的是五代南唐名画家顾闳中绘制的《韩熙载夜宴图》，这幅画充分反映了中国农业文明时期上层的奢华生活。

图 3.11　韩熙载夜宴图

到了宋代，中国的政治和文化中心东移，许多城市，包括汴梁（开封）、临安（杭州）、泉州和广州人口均超过百万。按照著名历史学家费正清《中国新史》[21] 一书的记载，有人估计临安的人口在南宋末年甚至达到过 250万。北宋张择端的名画《清明上河图》和孟元老的著作《东京梦华录》

费正清的《中国新史》

描述了当时宋代首都汴梁城的繁华景象。而按照马可·波罗的描述，当时杭州有上万座桥，一点也不输今天的世界名城威尼斯。宋朝不仅城市发达，而且整个社会的发展达到了前所未有的高峰。

以前，每当人们谈起强汉盛唐时一种自豪感便油然而生；但是在谈到宋朝时，总是感到屈辱和怅然。历史书中也是用"积贫积弱"四个字来概括宋朝。这里面的主要原因有两条。首先，宋朝最终亡于外族入侵，无论是北宋的靖康耻，还是南宋的灭亡，确实让人感到屈辱。第二，中国近代的历史教科书在介绍宋朝时普遍采用了钱穆先生的观点。他编写的《国史大纲》首先用到了"积贫积弱"的提法。由于钱穆先生在历史学界的泰斗地位以及这本书本身的影响力，他的这个观点成为几十年来历史学界的主流观点。

不过也有很多权威学者于此有不同的看法，比如国学大师陈寅恪就认为"华夏民族之文化，历数千载之演进，造极于赵宋之世。"紧接着他还在后面作出论断："后渐衰微，终必复振。"表明了对于中华文化的信心。如果说陈寅恪先生的观点代表一家之言，那么美国著名汉学家费正清教授的结论却是有根有据，不容置疑。他从经济学的角度得出和陈先生同样的结论，即宋朝是中华文明的高峰。

宋朝的经济发展水平可以说是空前的。根据宋末元初史学家马端临的专著《文献通考》记载，北宋中后期，国家税收为 7000 万到 8000 万贯，一贯大约相当于 0.7 两白银，折算下来每年税入在 5000 万—5600 万两白银，不仅远远超过前面的唐朝，而且比几百年后的明朝也高得多，直到清朝乾隆年间，才超过这个数字。到了南宋，虽然国土面积变小，但是由于经济的发展，国库收入进一步增加。很多年份里，国家税收超过一亿贯，和乾隆年间大致相当。与中国其他朝代所不同的是，宋代的主要税收并非来自农业，而是来自工商业。根据《文献通考》的记载，北宋太宗在位的公元 997 年，国家税收赋税总收入为 3559 万贯，其中农业两税[22] 为 2321 万贯，约占 65%；非农业税 1238 万贯，约占 35%。到了宋

22
自唐代以后，中国朝廷一年夏秋两季缴农业税，称为农业两税。

真宗时代（公元 1021 年），总税收增加到 5723 万贯，农业税绝对数稍有上升，为 2762 万贯，但是占比下降为 48%；非农业税，主要是盐、茶、酒等商业税，增长了一倍以上，达到 2936 万贯，占到了税收的 52%。到宋神宗时，总税收为 7070 万贯，其中农业税为 2162 万贯，占 30%，其他税入为 4911 万贯，占 70%。即财政收人三分之二以上来自农业两税以外的赋税，到了南宋，更是如此。相比唐代和明代，北宋的税率略高，农业税占农业收入的 10% 左右，而商业税的税率大约是 3%。但是由于生产力发达，因此百姓的生活富足而安定。两宋是中国历朝历代唯一没有大规模农民起义的朝代。

农业永远是农业社会的根本，宋朝的疆域[23]比唐朝小很多，但是它的开垦耕地面积却可能比唐代还多[24]，农田单位面积产量也高于唐。唐代最富饶的关中地区稻谷亩产二石，而宋代许多地区大米亩产已达到二至三石。而浙江明州（今天的宁波），"每亩收谷六七石"[25]，创造了世界古代农田单产纪录。唐代极盛之时，每年往首都输送的粮食大约是 300 万石，而到了北宋，每年运往汴京的粮食多达 600 万石。

宋代的工业也非常发达。按照费正清《中国新史》中的说法，宋代铁的产量之多，超过了英法两国工业革命初期的总和。宋代的造船业不仅远超前朝，而且遥遥领先于世界。宋代是中国第一次大规模建造远洋海轮的时代。宋神宗元丰元年（公元 1078 年）朝廷派使臣前往高丽，先是在明州（宁波）建造了两艘"神舟"，然后乘神舟自浙江定海出洋到达高丽，高丽人见此神舟，"欢呼出迎"[26]。几十年后，宋朝再派使臣出访高丽，又在明州建造两艘巨型海轮，宋代的徐兢在《宣和奉使高丽图经》中称此神舟"巍如山岳，浮动波上，锦帆鹢首，屈服蛟螭，所以晕赫皇华，震慑夷狄，超冠今古"，高丽人"倾城纵观"。神舟大的可运送 5000 石的货物或者五六百人，中等的亦可运送两三百人。根据徐兢的记载推算，最大的神舟长达 30 多丈、宽七丈五、深九丈，可比 400 年后哥伦布发现新大陆时乘坐的旗舰大多了。宋朝不仅能造大船，而且每年建造的大船数量还非常多。如宋哲宗元祐五年（公元 1090 年），朝廷规定温州、明

23

北宋的国土面积虽然不到中国今天的 1/3，但它所在都是今天中国经济和农业发达地区，这些地区的 GDP 占 2012 年中国 GDP 的 81%，而新疆、西藏、青海和内蒙占中国国土面积的一半，但是只贡献了 GDP 的 4.5%。（数据来源 http://www.dwz.cn/wmzg0304）

24

根据唐代杜佑《通典》估计，唐代经济最发达的天宝年间，有耕地 610 万唐顷，相当于今天的 485 万顷，而宋代 511 万顷。今天的学者估计唐代实际耕地面积为 800—850 唐顷，相当于今天的 650—680 万顷（汪籛：《隋唐史论稿》，中国社会科学出版社，1981 年版），而北宋实际耕地面积可能接近 800 万顷（葛金芳：《中国经济通史》第 5 卷，湖南人民出版社 2002 年版）。

25

出自漆侠《宋代经济史》。

26

脱脱等，《宋史》卷四百八十七·列传第二百四十六《外国三,高丽传》

州等地每年定造船在 600 艘以上。南宋高宗绍兴十年（公元 1140 年），名将张浚曾上书说已在福州造了千艘大海舶，准备从海路进攻山东的金兵。这可能是中国古代最大的两栖作战计划了。发达的造船业使得宋代的远洋贸易十分发达，同时也让南宋建立起强大的海军。

宋代的科技水平领先于世界。中国的四大发明中，有三个（火药、指南针和活字印刷术）都是在宋代得以普及应用。宋代的发明创造当然远不止这些。瓷器制造技术就是在宋代发展成熟，并且在之后 700 年里使得瓷器成为中国外贸的拳头产品。沈括在他的巨著《梦溪笔谈》中总结了中国古代，特别是北宋时期的科学成就，包括各种发明、工程方法、物理学发现以及在冶金、石油工业上的成就。

中国从宋代开始从单纯的农业经济向商品经济过渡。商业的繁荣远超唐代。在宋代以前，中国的城市按照功能划分坊区，商业只是集中在城市中特定的区域。到了宋代，商店的开设就再也不受城坊的限制，同时大量的城镇兴起。由于商品经济的需要，货币的流通量急速增加，因此宋朝每年的铜币制造量从唐代的几十万贯，增加到 500 多万贯（宋神宗时代）。到了南宋，中国出现了世界上最早的纸币 —— 交子[27] 和会子。

27
唐代虽然出现类似汇票的证券，但是不能流通。

图 3.12　南宋都城临安的繁华景象（取自《西湖清趣图》局部，收藏于美国国立亚洲艺术博物馆）

宋代（尤其是南宋）的海上贸易非常发达。我们前面讲到宋代的造船业非常发达，一艘海轮能运送的瓷器抵得上一千头骆驼的运力，因此，宋代的贸易主要以远洋贸易为主，虽然在宋辽、宋金边境也有少量的边贸。到了南宋，领土缩小，在经济上更依赖与西方的贸易，这促成了海上贸易的繁华。商人在这一时期得到了最大的解放，并最终导致了商业和贸易的大繁荣，开始出现早期的资本主义生产关系。南宋时期，不仅首都临安和西南重镇成都府人口已过百万，而且著名的港口城市泉州和广州也进入了百万人口的城市行列，泉州同时也是全世界最大的港口和瓷器集散地。

南宋开辟了古代中国东西方贸易的新纪元。对外贸易港口近 20 个，还兴起了一大批港口城镇，形成了南宋万余里海岸线全面开放的新格局，这种盛况不仅唐代未见，就是明清亦未能再现。与南宋有外贸关系的国家和地区增至 60 个以上，范围从南洋、西洋直至波斯湾、地中海和东非海岸。进口商品以原材料与初级制品为主，而出口商品则以瓷器、丝绸和各种生活用的手工制成品为主，表明其外向型经济在发展程度上高于其外贸伙伴。

宋代百姓的生活水平非常高。一些学者按照宋代的税收和税率估算[28]，发现宋代人均 GDP 超过 2000 美元，相当于 2007 年中国的水平，这似乎有点夸张。不过世界上普遍认同的宋代人均 GDP 水平在 450 美元左右[29]，相当于中国 1949 年的水平。如果按照宋神宗时税收 7070 万贯，其中农业税为 2162 万贯，其他税入（主要是商业）为 4911 万贯，而农业的税率为 10%，商业税率为 3% 估算[30]（假定没有偷漏税的），那时的 GDP 应该为 18 亿贯，约合 12.6 亿两白银，按照 2012 年国际市

图 3.13　宋代的纸币会子

28
望江海：《富甲天下的大宋王朝》，《商业文化》2008 年第 12 期，第 70 页。

29
安格斯·麦迪森：《中国经济的长期表现》，伍晓鹰等译，上海人民出版社 2008 年版，第 20 页。

30
不包括"过税" 2%。

场的银价计算，GDP 大约为 370 亿美元。宋神宗时约有百姓 1700 万户，每户人口约 4~5 人，那么总人口约 8000 万，人均 GDP 在 450 多美元，和麦迪森的估计类似。当然，准确估计前朝的经济水平是历史学家的事情，不是本书讨论的问题。但是不论如何计算，都说明宋代确实很富庶。

除了枯燥的数字，各种历史文献的记录都一致表明那时老百姓的生活非常优越。宋代名臣司马光曾感叹说："世风日下，贩夫走卒皆着丝袜"，意思是说，连农夫走卒都穿丝质的袜子。这从另一个角度说明，宋代人生活水平普遍较高。《水浒传》里那个猥琐而且没什么本事的武大郎，住的也是上下两层的楼房，相当于今天的联体别墅，这在《水浒传》中并不是个例，因为书中在城市中很多中下层的人住的都是这样的楼房。北宋时宰相和枢密使（执掌兵权，与宰相同级）的俸禄高达每月 300 贯，大约相当于 200 两银子，超过清朝时一品大员一年的官俸（180 两），当然清朝的低工资逼迫大臣们从开国到灭亡都变着法儿地私下里捞钱。

1275 年，威尼斯人马可·波罗来到中国，他看到的是经历了 50 年宋元战争破坏后剩下的一点点南宋繁华的浮影，但是对这位来自当时欧洲最强大、最富有的城市共和国的富商来说，他简直就像是进了天堂。在他笔下的杭州，居民住宅雕梁画栋，建筑华丽。老百姓都穿着丝绸衣衫，穷人也有肉吃，而贵妇人们都十分美丽（可能是没见过东方人），穿金戴银，打扮得花枝招展。

马可·波罗发现，杭州城内除了各街道上密密麻麻的店铺外，还有十个大广场（他可能是把中国的集市对应成了欧洲人的广场 Plaza），这些广场每边都长达半英里（0.8 公里）。大街位于广场前面，街面宽四十步，从城的一端笔直地延伸到另一端，有许多较低的桥横跨其上。这些方形市场彼此相距四英里。在广场的对面，有一条大运河与大街的方向平行。这里的近岸处有许多石头建筑而成的大货栈，这些货栈是为那些携带货物从印度和其他地方来的商人而准备的。从市场角度来看，位置便利，方便交易，每个市场在一星期的三天中，都有四五万人前来赶集。所有你能想到的商品，在市场上都有销售。这十个方形市场都被高楼大厦环绕着。高楼的底层是商店，经营各种商品，出售各种货物，香料、药材、小装饰品和珍珠等，应有尽有。有些铺子专卖酒水，不卖别的，店家不断地酿酒，以适当的价格，将新鲜货品供应给顾客。同方形市场相连的街道，数量很多，街道上有许多浴室，有男女仆人服侍入浴。这里的男女顾客从小时起，就习惯一年四季都洗冷水浴，他们认为这对健康十分有利。不过这些浴室中也有温水，专供那些不习惯用冷水的客人使用。所有的人都习惯每日沐浴一次，特别是在吃饭之前 [31]。

31
出自《马可·波罗游记》。

中国留给马可·波罗的印象是物质极大丰富，以至于他都不知道该如何形容了，他总是用一个词来形容——"百万"。他家乡的威尼斯人觉得他是在吹牛，给他起了个绰号叫"百万先生"，甚至把他们家所在的那条大街称为百万大街。直到大航海时代，很多欧洲人来到中国，才知道马可·波罗所言非虚。

图 3.14　清明上河图（局部）

对宋代繁华最直接且生动的描述，非张择端绘制的《清明上河图》莫属。这幅画卷长达 5 米多，部分画面绘制的是北宋汴梁城外汴河两岸繁华热闹的景象。而对两宋繁华记载更为细致具体的是孟元老的著作《东京梦华录》和周密撰写的《武林旧事》[32]。

32
杭州别称武林。因而得名。

《东京梦华录》成书于南宋，描写了北宋盛世的城市生活。在本章的附录里，我们引用了其中的一些片段，让读者对北宋市民的生活有清晰的了解。在这里，我们不妨看看这本书中"酒楼"一章对开封人饮食的一些详细描述。

一开始描述的汴梁街道如何繁华，酒楼如何气派。"更修三层相高。五楼相向，各有飞桥栏槛，明暗相通，珠帘绣额，灯烛晃耀"。值得注意的是，这些酒楼营业时间都非常长。书中描述说是"不以风雨寒暑，白昼通夜，骈阗如此。"也就是说不管是冬天还是夏天，不论是否刮风下雨，都开门到深夜。这说明当时商业的繁荣，以及市民夜生活的丰富多彩。我记得北京直到上个世纪 90 年代末，饭馆才能开到这么晚。第二段介绍这里美味佳肴、干鲜果品如何丰富，作者在这里列举了一百多种，比如"百味羹、头羹、新法鹌子羹、三危羹、二色腰子、虾蕈、鸡蕈、浑炮等羹、旋索粉、玉棋子……"等等。有兴趣的读者可以仔细研读附录中记述的这些珍馐佳肴的名称。估计这里面很多的美味恐怕今天的资深老饕也未必品尝过，而且这些美食的价钱还很便宜，一份小吃不过十五文钱。读到这里，恐怕很多人不禁要对当时宋朝人的生活神往一番。

按照《东京梦华录》、《武林旧事》和《马可·波罗游记》的描写，在两宋，节假日的热闹景象一点不输今日中国的太平盛世，很多灯会游园都是通宵达旦。更可贵的是，由于"仓廪实"，老百姓颇知礼数。虽然我们印象中的中国古代是男权社会，但是宋朝时的丈夫对妻子非常尊重。一些被我们认为是现代文明的生活习惯，比如一天洗一次热水澡，当时的杭州百姓已经能做到了。

宋朝时的中国可能是全世界所有农耕社会第一个兴办社会福利的国家。由于宋朝政府财力相当富裕，于正常开销外，还能拨出大量经费兴办公共服务和救助弱势群体。根据《东京梦华录》记载，在北宋时已经有了现代的消防局，遇到火灾，政府会出动"消防员"灭火，不用老百姓出力。《马可·波罗游记》中记述的杭州也是如此。

宋代在全国各县还设立了安济坊，收养贫病之人，仅汴梁的安济坊三年中就治愈了上千人。著名文学家苏轼在被贬杭州时，遇上流行病，他设立"病坊"收留病人，防止传染。宋代还设立居养院收养鳏寡孤独，对妇女儿童，还雇使女及乳母进行服侍，甚至达到"贫者乐而富者忧"的地步，有点像今天北欧的民主社会主义。另外，还设有漏泽园，安葬无主尸骨。这一点宋朝不仅做到了，而且坚持到宋朝灭亡。今天我们谈到欧美发达国家的高福利社会时，可曾想到中国在一千多年前就开始了这样的尝试。

关于两宋繁华生活的详细描述，可以参看附录中摘录的《东京梦华录》《武林旧事》和《马可·波罗游记》中的片段。我读完这些书，不禁得到这样一个印象：生活在宋代似乎并不比今天差。今天很多人讲起强汉盛唐都感到自豪，而我则因为中华文明中有过宋朝而感到骄傲，两宋为世界树立了文明的典范。我们乐于讲述汉代的卫青、霍去病，唐代的李卫公[33]、李英公[34]的功绩，但更应该记住在这片中华大地上创造了世界文明奇迹的农夫走卒们。

宋最后亡于蒙元入侵，这是一件非常遗憾的事情，否则中国或许会比欧洲更早进入工业社会。宋朝在军事上不是很强大，也没有像汉唐那样对北方游牧民族取得过决定性的胜利。但是，它并非像人们想象的那么弱。北宋从立国开始，到末代帝王宋徽宗之前，国土面积实际上是在不断增加的[35]。南宋时期，中国南北形成了金与宋的对峙，双方各有胜负。不过在水战和海战中，宋朝依靠发达的造船业和火器制造技术取得了两次完胜。公元1161年，金主完颜亮倾全国之力水陆并进，发动南侵宋朝的战争。在海上，宋将李宝以120条战船、3000将士对阵南下的金军海军，对方兵力20倍于宋军（600条战船，70000人），双方在唐岛展开决战，根据《宋史》和《金史》的记载，李宝命军士以火箭、霹雳炮环射金军船舰，用大火延烧金舰数百艘。这可能是世界上最早采用火器进行的大海战。战役的结果是，宋军烧毁敌舰600余艘，杀敌6万余人，俘虏3000余人，全歼了超过自己20倍兵力的金军舰队。与此同时，宋金双方在长江采石矶进行了一场更大规模的决定性水战，宋军在名将虞允文的带领下，以1.8万人大败17万金军。金军在战败之后发生内讧，金主完颜亮被部下

33
李靖。

34
李绩，就是演义小说中的徐懋功。

35
宋神宗力图开扩疆土，取得了绥、熙、河、洮、岷、兰等州。哲宗时又进一步取得了湟水流域，洮河上游与贵德一带的土地。

杀死，侵宋战争彻底失败。此后金国无力大规模南侵。南宋水军（海军）之所以能以如此悬殊的兵力以少胜多，除了将士用命外，主要原因是武器先进，无论是战船还是火器。宋金水上交战，或许可类比19世纪用洋枪洋炮武装起来的英国海军对付大刀长矛装备的满清军队。

南宋最后和野蛮的蒙古人进行了近半个世纪的战争，终因军力不及，加上奸相误国而灭亡。不过在被蒙古人征服的所有国家中，南宋坚持抵抗的时间是最长的。自宋以后，中国的农业文明有了较大的衰退，直到明朝永乐年间才再次成为世界上最有影响力的大国。

结束语

在历史上，多次上演过野蛮战胜文明的悲剧。公元前1500年前后，野蛮的雅利安人入侵印度，毁灭了那里已经相当发达的文明。公元前2世纪，相对落后的古罗马人毁灭了古希腊文明，而600年之后，野蛮的哥特人、日耳曼人和汪达尔 - 阿兰人不断入侵罗马帝国，并最终由汪达尔 - 阿兰人攻陷了罗马城，将整个欧洲带进长达近千年的黑暗时代。每一次落后战胜文明的结果，都是全人类的文明大倒退。在人类历史上，并非下一代人一定比上一代人生活得更好。我们今天的生活之所以比父辈和祖辈好很多，在很大程度上得益于从1945年至今近70年的和平环境。

宋朝虽然亡国了，但是中国的农耕文明依然在延续。到了明朝，中国率先进入了大航海时代，并且将各种文明成果直接和间接地传到欧洲，这是中国文明对整个世界的贡献。根据剑桥大学李约瑟研究所教授库伦的观点，今天，世界上大部分人得以衣食无忧，在很大程度上要感谢中国的农业文明。

附录

《东京梦华录》、《武林旧事》和《马可·波罗游记》所描述的中国农业文明景象

1. 《东京梦华录》里的东京汴梁城

外城：

> 东都外城，方圆四十余里。城壕曰护龙河，阔十余丈，濠之内外，皆植杨柳，粉墙朱户，禁人往来。城门皆瓮城三层，屈曲开门；唯南薰门、新郑门、新宋门、封丘门皆直门两重，盖此系四正门，皆留御路故也。

大内：

> 大内正门宣德楼列五门，门皆金钉朱漆，壁皆砖石间瓷，镂镂龙凤飞云之状，莫非雕甍画栋，峻桷层榱，覆以琉璃瓦。曲尺朵楼，朱栏彩槛，下列两阙亭相对，悉用朱红杈子。入宣德楼正门，乃大庆殿，庭设两楼，如寺院钟楼，上有太史局保章正测验刻漏，逐时刻执牙牌奏。每遇大礼，车驾斋宿，及正朔朝会于此殿。

最早的消防局：

> 每坊巷三百步许，有军巡铺屋一所，铺兵五人，夜间巡警收领公事。又于高处砖砌望火楼，楼上有人卓望。下有官屋数间，屯驻军兵百余人，及有救火家事，谓如大小桶、洒子、麻搭、斧锯、梯子、火叉、大索、铁猫儿之类。每遇有遗火去处，则有马军奔报。军厢主马步军、殿前三衙、开封府各领军级扑灭，不劳百姓。

2. 《东京梦华录》描写的都市生活

夜市：

> 出朱雀门，直至龙津桥。自州桥南去，当街水饭、熬肉、干脯。王楼前獾儿、野狐、肉脯、鸡。梅家鹿家鹅鸭鸡兔肚肺鳝鱼包子、鸡皮、腰肾、鸡碎，每个不过十五文。曹家从食。至朱雀门，旋煎羊、白肠、鲊脯、黎冻鱼头、姜豉类子、抹脏、红丝、批切羊头、辣脚子、姜辣萝蔔。夏月麻腐鸡皮、麻饮细粉、素签纱糖、冰雪冷元子、水晶皂儿、生淹水木瓜、药木瓜、鸡头穰沙糖、绿豆、甘草冰雪凉水、荔枝膏、广芥瓜儿、咸菜、杏片、梅子姜、莴苣笋、芥辣瓜旋儿、细料馉饳儿、香糖果子、间道糖荔枝、越梅、离刀紫苏膏、金丝党梅、香枨元，皆用梅红匣儿盛贮。冬月盘兔、旋炙猪皮肉、野鸭肉、滴酥水晶鲙、煎夹子、猪脏之类，直至龙津桥须脑子肉止，谓之杂嚼，直至三更。

过年：

> 正月一日年节，开封府放关扑三日。士庶自早互相庆贺，坊巷以食物动使果实柴炭之类，歌叫关扑。如马行、潘楼街、州东宋门外、州西梁门外踊路，州北封丘门外，及州南一带，皆结彩棚，铺陈冠梳、珠翠、头面、衣着、花朵、领抹、靴鞋、玩好之类。间列舞场歌馆，

车马交驰。向晚，贵家妇女纵赏关赌，入场观看，入市店馆宴，惯习成风，不相笑励。至寒食冬至三日亦如此。小民虽贫者，亦须新洁衣服，把酒相酬尔。

中秋节：

中秋节前，诸店皆卖新酒，重新结络门面彩楼花头，画竿醉仙锦旆。市人争饮，至午未间，家家无酒，拽下望子。是时螯蟹新出，石榴、漓勃、梨、枣、栗、孛萄、弄色杮桔，皆新上市。中秋夜，贵家结饰台榭，民间争占酒楼玩月。丝篁鼎沸，近内庭居民，夜深遥闻笙竽之声，宛若去外。闾里儿童，连宵嬉戏。夜市骈阗，至于通晓。

3. 《武林旧事》中描写的游西湖场景

西湖天下景，朝昏晴雨，四序总宜。杭人亦无时而不游，而春游特盛焉。承平时，头船如大绿、间绿、十样锦、百花、宝胜、明玉之类，何翅百余。其次则不计其数，皆华丽雅靓，夸奇竞好。而都人凡缔姻、赛社、会亲、送葬、经会、献神、仕宦、恩赏之经营、禁省台府之嘱托，贵珰要地，大贾豪民，买笑千金，呼卢百万，以至痴儿呆子，密约幽期，无不在焉。日糜金钱，靡有纪极。故杭谚有"销金锅儿"之号，此语不为过也。

4. 《马可·波罗游记》中的京郊小城市涿州已经非常繁荣了

过了这座桥，向西前进三十英里，经过一个有许多壮丽的建筑物、葡萄园和肥沃土地的地方，到达一座美丽的大城市叫涿州，偶像崇拜者在这里有许多寺院。

这里的居民大都以商业和手工业为生，他们制造金丝织物和一种最精美的薄绸。这里还有许多大旅馆供体面的旅客食宿。

离城一英里，就是大路的分岔处，一条向西，一条向东南，向西的路经过契丹省，向东南的路通往蛮子省。从涿州城向西走十日，经过契丹，到达大因府，沿路经过许多美丽的城市和要塞。这里的制造业与商业十分兴盛，并有许多葡萄园与耕地。契丹省内地不生长葡萄，所以都从这里运去。这里又有很多桑树，桑叶可供居民养蚕并取得大量的丝。这个地区的所有居民与附近无数市镇有着频繁的交流，所以可以在居民中间传播文明。一些商人不断地往来于这些市镇之间，每逢各市镇定期的集市，他们就把货物由一个城市运到另一个城市。

5. 《马可·波罗游记》中的南宋故都杭州简直不输今天世界上很多繁华的都市

离开吴州，走三日，途经许多人口众多和富裕的市镇、城堡与村落，居民们丰衣足食。第三日晚上便到达了雄伟富丽的京师（即杭州）城，这个名称就是"天城"的意思。这座城的庄严和秀丽，的确是世界其它城市所无法比拟的，而且城内处处景色秀丽，让人疑为人间天堂。

杭州，又称"天城"

马可·波罗时常游历这座城市，对于这里的一切事情，都详细地进行了考察，并且一一记录下来。下面细致的描述就是从中摘录下来的。按照通常的估计，这座城方圆约有一百英里，它的街道和运河都十分宽阔，还有许多广场或集市，因为时常赶集的人数众多，所以占据了极宽敞的地方。这座城市位于一个清澈澄明的淡水湖与一条大河之间。湖水经由大小运河引导，流入全城各处，并将所有垃圾带入湖中，最终流入大海。城内除了陆上交通外，还有各种水上通道，可以到达城市各处。所有的运河与街道都很宽阔，所以运载居民必需品的船只与车辆，都能很方便地来往穿梭。

据说，该城中各种大小桥梁的数目达一万二千座。那些架在大运河上，用来连接各大街道的桥梁的桥拱都建得很高，建筑精巧，竖着桅杆的船可以在桥拱下顺利通过。同时，车马可以在桥上畅通无阻，而且桥顶到街道的斜坡造得十分合适。如果没有那么多桥梁，就无法构成各处纵横交错水陆的十字路。

城外，在靠河的一面有一道宽沟环绕，长约四十英里。沟里的水就引自上面提到的那条河。这道沟是当地古代的君主挖掘的，为的是在河水泛滥时，将溢出的河水排泻到沟内。同时它还是一种防御措施。从沟中掘起的泥土就堆在护城河的内侧，形成许多小山，围绕此沟。

城内除掉各街道上密密麻麻的店铺外，还有十个大广场或市场，这些广场每边都长达半英里。大街位于广场前面，街面宽四十步从城的一端笔直地延伸到另一端，有许多较低的桥横跨其上。这些方形市场彼此相距四英里。在广场的对面，有一条大运河与大街的方向平行。这里的近岸处有许多石头建筑的大货栈，这些货栈是为那些携带货物从印度和其它地方来的商人而准备的。从市场角度看，这些广场的位置十分利于交易，每个市场在一星期的三天中，都有四、五万人来赶集。所有你能想到的商品，在市场上都有销售。

此处各种种类的猎物都十分丰富，如小种牝鹿、大赤鹿、黄鹿、野兔，以及鹧鸪、雉、类雉的鹧鸪（franeolin）、鹌鹑、普通家禽、阉鸡，而鸭和鹅的数量更是多得不可胜数，因为它们很容易在湖中饲养，一个威尼斯银币可买一对鹅和两对鸭。

城内有许多屠宰场，宰杀家畜——如牛、小山羊和绵羊——来给富人与大官们的餐桌提供肉食。至于贫苦的人民，则不加选择地什么肉都吃。

一年四季，市场上总有各种各样的香料和果子。特别是梨，硕大出奇，每个约重十磅，肉呈白色，和浆糊一样，滋味芳香。还有桃子，分黄白二种，味道十分可口。这里不产葡萄，不过，其它地方有葡萄干贩来，味道甘美。酒也有从别处送来的，但本地人却不喜欢，因为他们吃惯了自己的谷物和香料所酿的酒。城市距海十五英里，每天都有大批海鱼从河道运到城中。湖中也产大量的淡水鱼，有专门的渔人终年从事捕鱼工作。鱼的种类随季节的不同而有差异。当你看到运来的鱼，数量如此多，可能会不信它们都能卖出去，但在几个小时之内，就已销售一空。因为居民的人数实在太多，而那些习惯美食，餐餐鱼肉并食的人也是不可胜数的。

这十个方形市场都被高楼大厦环绕着。高楼的底层是商店，经营各种商品，出售各种货物，香料、药材、小装饰品和珍珠等应有尽有。有些铺子除酒外，不卖别的东西，它们不断地酿酒，以适当的价格，将新鲜货品供应顾客。同方形市场相连的街道，数量很多，街道上有许多浴室，有男女仆人服侍入浴。这里的男女顾客从小时起，就习惯一年四季都洗冷水浴，他们认为这对健康十分有利。不过这些浴室中也有温水，专供那些不习惯用冷水的客人使用。所有的人都习惯每日沐浴一次，特别是在吃饭之前。

在其他街上有许多红灯区。妓女的人数，简直令人不便启齿。不仅靠近方形市场的地方为她们的麇集之所，而且在城中各处都有她们的寄住之地。她们的住宅布置得十分华丽，她们打扮得花枝招展，香气袭人，并有许多女仆随侍左右。这些妇女善于献媚拉客，并能施用种种手段去迎合各类嫖客的心理。游客只要一亲芳泽，就会陷入迷魂阵中，任她摆布，害得失魂落魄，流连忘返。他们沉湎于花柳繁华之地，一回到家中，总说自己游历了京师或天城，并总希望有机会重上天堂。

在一些街上住着医生和星相家。他们教人读写和其它多种技术。他们在围绕方场的街道上也有住所。每一方形市场的对面有两个大公署，署内驻有大汗任命的官吏，负责解决外商与本地居民间所发生的各种争执，并且监视附近各桥梁的守卫是否尽忠职守，如有失职，则严惩不怠。

前面已经说过，城市中主要街道是从城的一端直达另一端的，这条街的两侧有许多宏大的住宅，并配有花园。附近有工匠的住所，他们是在自己的铺子里从事劳作的。众人为了维持自己的生计行业，来来往往，川流不息。任何地方要供养这许多人口，维持他们的生活，似乎都是一桩不可能的事。但就我观察，每到集市之日，市场中挤满了商人，他们用车和船装载各种货物，摆满地面，而所有商品都能够找到买主。拿胡椒为例，就可以推算出京师居民所需的酒、肉、杂货和这一类食品的数量了。马可·波罗从大汗海关的一个官吏处得悉，每日上市的胡椒有四十三担，而每担重二百二十三磅。

这个城市的居民是偶像崇拜者，通用纸币。男子与妇女一样，容貌清秀，风度翩翩。因为本地出产大宗的绸缎，加上商人从外省运来绸缎，所以居民平日也穿着绸缎衣服。

在此处所经营的手工业中，有十二种被公认高于其余各种，因为它们的用处更为普遍。每种手艺都有上千个工场，而每个工场中都有十个、十五个或二十个工人。在少数工场中，甚至有四十个人工作。这些工人受工场老板的支配。这些工场中富裕的手工业主人并不亲自劳动，而且他们还摆出一付绅士的风度，装模作样地摆架子。他们的妻子也同样不事劳作。前面已经说过，她们都非常美丽，并且从小娇生惯养。她们的绸缎衣服和珠宝饰品都贵得令人难以想象。古代帝王的法律虽然规定每个人都必须世代继承父业，但是只要他们有了钱，便能雇佣工人经营祖业，而不必亲自劳动。

居民的住宅雕梁画柱，建筑华丽。由于居民喜好这种装饰，所以花在绘画和雕刻上的钱数十分可观。

京师本地的居民性情平和。由于从前的君主都不好战，风气所致，于是就养成他们恬静闲适的民风。他们对于武器的使用，一无所知，家中也从不收藏兵器。他们完全以公平忠厚的品德，经营自己的工商业。他们彼此和睦相处，住在同一条街上的男女因为邻里关系，而亲密如同家人。

至于家庭内部，男人对自己的妻子表现出相当的尊教，没有任何妒忌或猜疑。如果一个男人对已婚的妇人说了什么不适宜的话，就将被看成一个有失体面的人。即使是外地来的商旅，他们也竭诚相待，请入家中，以示友好，对于其商业上的事务，也给予善意的忠告和帮助。另一方面，他们不愿意看见任何士兵，即使是大汗的卫兵也不例外，因为一看见他们居民们就会想起死去的君主和亡国之恨。

在我所说的湖的周围有许多宽敞美丽的住宅，这都是达官贵人的寓所。还有许多庙宇及寺院，寺中住着许多僧侣，他们都十分虔诚可敬。靠近湖心处有两个岛，每个岛上都有一座美丽华贵的建筑物，里面分成无数的房间与独立的亭子。当本城的居民举行婚礼或其它豪华的宴会时，就来到这两座岛上。凡他们所需的东西，如器皿，桌巾台布等这里都已预备齐全。这些东西以及建筑物都是用市民的公共费用备置的。有时，此处可同时开办一百桌婚丧喜庆的宴会，但里面的供应依然井井有条周到齐全，每家都有各自的房间或亭子可以使用，不会相互混杂。

除此之外，湖中还有大量的供游览的游船或画舫，这些船长约十五至二十步，可坐十人、十五人或二十人。船底宽阔平坦，所以航行时不致于左右摇晃。所有喜欢泛舟行乐的人，或是携带自己的家眷，或是呼朋唤友，雇一条画舫，荡漾水面。画舫中，舒适的桌椅和宴会所必需的各种东西一应俱全。船舱上面铺着一块平板，船夫就站在上面，用长竹竿插入湖底 —— 湖深不过一、二寻（fathom）—— 撑船前进，一直到达目的地。这些船舱内油彩艳丽，并绘有无数的图案；船的各处同样饰以图画，船身两侧都有圆形窗户，可随意开关，使游客坐在桌前，便能饱览全湖的风光。这样在水上的乐趣，的确胜过陆地上的任何游乐。因为，一方面，整个湖面宽广明秀，站在离岸不远的船上，不仅可以观赏全城的宏伟壮丽，还可以看到各处的宫殿、庙宇、寺观、花园，以及长在水边的参天大树，另一方面又可以欣赏到各种画舫，它们载着行乐的爱侣，往来不绝，风光旖旎。事实上，这里的居民在工作或交易之余，除掉想和自己的妻子或情人在画舫中或街车上休闲享乐之外，别无所思。至于这种街车是怎样成为居民的一种消遣手段的，这里也应略加描写。

京师大城其他详细情形

首先，大家必须知道，京师的一切街道都是用石头和砖块铺成的。从这里通往蛮子省的所有主要大路，也全都如此，所以，旅客行走各处，不会被污泥弄脏双脚。但是大汗的驿卒如要策马疾驰，就不能走石路，因此道路的一边是不铺石头的。

城内大街用石头和砖块铺砌，每边十步宽，中间铺着沙子，并建有拱形的阴沟，以便将雨水泄入邻近的运河之中，所以街道保持得十分干净。街车就在这种街道上往来驰骋。这种车子是长方形的，顶上有盖，四周挂有绸幔，并且配有绸制的坐垫，能容六人乘坐。那些喜欢游乐的男女常常雇它代步。因此，时常有大批的车子在街道上经过。他们中有些人是专门去游花园的，他们一到园中就被那些管理花园的人引到荫凉的洞穴去休息。这是管理人员专门为游人设立的。男人们带着妇女在这里游玩终日，直至晚上才乘马车回家。

京师人在子女降生时，马上将年、月、日、时记下来，然后请一个算命先生推算婴儿的星宿，算命先生的答复也同样详细地写在纸上。当婴儿长大后，如果有什么重要的事情，如经商、航海、订婚等等，就拿着这个生辰八字到算命先生那里，经过他详细推算之后，预言事情的成败。当事者对这个极为重视。因为算命先生操术精湛，所以预言也有灵验的时候。市场上的每一个地方都能遇到大批的算命先生，或着说是术士。任何婚姻，在没有得到算命先生的意见前，是决不会举办的。

任何达官显贵和富人大户死后，都必须遵守以下的仪式，这也是他们的风俗。所有死者的家属及亲友都必须穿起粗麻布衣服，伴送死者直到坟地。送葬的队伍伴以乐队，沿途吹吹打打，还有僧侣之类的人高声念颂经文。到达坟地后，人们把许多纸制的男女仆人、马、骆驼，金线织成的绸缎，以及金银货币投入火中。他们相信死者在阴间也可以享受这些东西，并且相信那些假人与贡物都会在阴间恢复原来的状态，即使货币、绸缎等也是如此。等这些东西烧完后，他们立刻奏响所有的乐器，声音宏大喧嚣，经久不息。他们认为这样的仪式，可以使他们的偶像接引那尸体已化为灰烬的死者的亡灵。

这个城市的每条街上都有一些石头房屋或阁楼。这主要是因为，街上的房屋大多是木材所建，很容易着火。所以，一有火警，居民可将他们的财产移到这些阁楼中，以求安全。

依照大汗的规定，每一座重要的桥梁上都驻有十个卫兵，五个人负责白天，五个人负责夜间。每个守卫都配有一个木制的报时器（木梆），一个铜制的报时器（铜锣），再加上测定昼夜时刻的计时仪。当夜间第一个时辰到来时，一个守卫就在木器和铜器上各敲一下，这就是向邻近街道上的居民宣布一更已经到了；当二更时，就敲两下；随着时间的推移，敲击的次数也随着增加。守卫是不准睡觉的，必须时刻处于警戒状态。到了清晨，太阳一出来，又和晚间一样，重新敲一下，这样一个时辰一个时辰地递增。

6. 《东京梦华录》中介绍酒楼的一章——《酒楼》

凡京师酒店，门首皆缚彩楼欢门，唯任店入其门，一直主廊约百余步，南北天井两廊皆小濩子，向晚灯烛荧煌，上下相照，浓妆妓女数百，聚于主廊□面上，以待酒客呼唤，望之宛若神仙。北去杨楼，以北穿马行街，东西两巷，谓之大小货行，皆工作伎巧所居。小货行通鸡儿巷妓馆，大货行通牒纸店白矾楼，后改为丰乐楼，宣和间，更修三层相高。五楼相向，各有飞桥栏槛，明暗相通，珠帘绣额，灯烛晃耀。初开数日，每先到者赏金旗，过一两夜，则已元夜，则每一瓦陇中皆置莲灯一盏。内西楼后来禁人登眺，以第一层下视禁中。大抵诸酒肆瓦市，不以风雨寒暑，白昼通夜，骈阗如此。州东宋门外仁和店、姜店，州西宜城楼、药张四店、班楼，金梁桥下刘楼，曹门蛮王家、乳酪张家，州北八仙楼，戴楼门张八家园宅正店，郑门河王家，李七家正店，景灵宫东墙长庆楼。在京正店七十二户，此外不能遍数，其余皆谓之"脚店"。卖贵细下酒，迎中贵饮食，则第一白厨，州西安州巷张秀，以次保康门李庆家，东鸡儿巷郭厨，郑皇后宅后宋厨，曹门砖筒李家，寺东骰子李家，黄胖家。九桥门街市酒店，彩楼相对，绣旆相招，掩翳天日。政和后来，景灵宫东墙下长庆楼尤盛。

饮食果子

凡店内卖下酒厨子，谓之"茶饭量酒博士"。至店中小儿子，皆通谓之"大伯"。更有街坊妇人，腰系青花布手巾，绾危髻，为酒客换汤斟酒，俗谓之"焌糟"。更有百姓入酒肆，见子弟少年辈饮酒，近前小心供过，使令买物命妓，取送钱物之类，谓之"闲汉"。又有向前换汤斟酒歌唱，或献果子香药之类，客散得钱，谓之"厮波"。又有下等妓女，不呼自来，筵前歌唱，临时以些小钱物赠之而去，谓之"礼客"，亦谓之"打酒坐"。又有卖红色或果实萝卜之类，不问酒客买与不买，散与坐客，然后得钱，谓之"撒暂"。如此处处有之。唯州桥炭张家、乳酪张家，不放前项人入店，亦不卖下酒，唯以好淹藏菜蔬，卖一色好酒。所谓茶饭者，乃百味羹、头羹、新法鹌子羹、三脆羹、二色腰子、虾蕈、鸡蕈、浑炮等羹、旋索粉、玉棋子、群仙羹、假河钝、白渫齑、货鳜鱼、假元鱼、决明兜子、决明汤齑、肉醋托胎衬肠沙鱼、两熟紫苏鱼、假蛤蜊、白肉、夹面子茸割肉、胡饼、汤骨头、乳炊羊肫、羊闹厅、羊角、炙腰子、鹅鸭、排蒸荔枝腰子、还元腰子、烧臆子、入炉细项、莲花鸭、签酒炙肚胘、虚汁垂丝羊头、入炉羊羊头、签鹅鸭、签鸭、签盘兔、炒兔、葱泼兔、假野狐、金丝肚羹、石肚羹、假炙獐、煎鹌子、生炒肺、炒蛤蜊、炒蟹、炸蟹、洗手蟹之类，逐时旋行索唤，不许一味有阙，或别呼索变。造下酒亦即时供应。又有外来托卖炙鸡、燠鸭、羊脚子、点羊头、脆筋巴子、姜虾、酒蟹、獐巴、鹿脯、从食蒸作、海鲜时果、旋切莴苣生菜、西京笋。又有小儿子，着白虔布衫，青花手巾，挟白磁缸子，卖辣菜。又有托小盘卖干果子，乃旋炒银杏、栗子、河北鹅梨、梨条、梨干、梨肉、胶枣、枣圈、桃圈、核桃、肉牙枣、海红嘉庆子、林檎旋乌李、李子旋樱桃、煎西京雪梨、夫梨、甘棠梨、凤栖梨、镇府浊梨、河阴石榴、河阳查子、查条、沙苑榅桲、回马孛萄、西川乳糖、狮子糖、霜蜂儿、橄榄、温柑、绵㭎金桔、龙眼、荔枝、召白藕、甘蔗、漉梨、林檎干、枝头干、芭蕉干、人面子、马览子、榛子、椰子、虾具之类。诸般蜜煎香药、果子罐子、党梅、柿膏儿、香药、小元儿、小腊茶、鹏沙元之类。更外卖软羊诸色包子，猪羊荷包、烧肉干脯、玉板鲜鲊、鲊片酱之类。其余小酒店，亦卖下酒，如煎鱼、鸭子、炒鸡兔、煎燠肉、梅汁、血羹、粉羹之类。每分不过十五钱。诸酒店必有厅院，廊庑掩映，排列小濺子，吊窗花竹，各垂帘幕，命妓歌笑，各得稳便。

参考文献

1　安格斯·麦迪森.世界经济千年统计（*The World Economy: Historical Statistics*）.伍晓鹰，施发启，译.北京大学出版社，2009.

2　安格斯·麦迪森.中国经济的长期表现，公元960——2030年（第二版）（*Chinese Economic Performance in the Long Run, 960-2030 AD, Second Edition, Revised and Updated*）.伍晓鹰，马德斌，译.上海人民出版社，2008.

3　宋史卷173，食货志上一·农田.中华书局，1977：4166

4　费正清.中国新史（*China: A New History*）.Belknap Press，2006.

5　李约瑟.中国科学技术史.科学出版社，2000.

6　司马迁.史记·河渠书.中华书局，2006.

7　大卫·尼科尔.中世纪生活.曾玲玲，殷小平，张小贵，译.希望出版社，2007.

8　孟元老.东京梦华录.中华书局，2006.

9　周密.武林旧事.中华书局，2007.

10　马可·波罗.马可·波罗游记.陈开俊，译.福建科学技术出版社，1981.

第四章　科学之路

从毕达哥拉斯到托勒密

古希腊文明是世界文明史上最灿烂的一页，它在政治、文化、科学和艺术上都达到了一个个高峰。古希腊的故事和古希腊留下来的文化艺术至今仍吸引着人们以极大的兴趣去探索。介绍古希腊的书籍和影视作品非常之多，在各大博物馆中，古希腊的文物和艺术品比比皆是，而这里要讲的是古希腊文明对今天科学的影响，这种影响力超过了任何古代文明，包括古埃及和美索不达米亚文明。

以前学习数学和自然科学时，我常常在想为什么今天的科学研究方法是西方人确定的？为什么各种自然科学的体系也是由西方人确立的？我们都知道经济基础决定上层建筑（包括科学水平），而在世界的文明史上，东方的经济在更长的时间里要领先于西方，但是为什么东方的文明古国，包括中国、波斯和印度没有诞生近代科学？我想很多人都会有同样的问题。要找到这些问题的答案，我们就必须了解古希腊人，了解他们对世界文明所做的贡献。

古希腊人在两千多年前就具有了其他民族缺少的逻辑推理能力和抽象思维能力。他们善于归纳和演绎，把经验上升为系统化的理论和科学。至于为什么古希腊人表现出相对思辨的特点，众说纷纭。有人认为与其海岛文化和注重商业有关，也有人认为是气候条件好，使得很多人有闲情思考大自然的道理，并且享受纯粹思维的乐趣，还有人认为他们实际上

继承了美索不达米亚文明中的科学成就，而后者有相当系统的科学研究
方法，并且距离建立各种科学体系仅一步之遥。不管是什么原因，结果
都是（抽象的）科学不仅在古希腊文明中占有重要地位，并且很多科学
体系的雏形也诞生于这个文明之中。

西方人从文艺复兴开始继承了古代希腊的思辨和逻辑传统，首先发展起
近代的自然科学。到了 17 世纪，法国思想家和数学家笛卡尔又在古希腊
研究方法的基础上建立起一整套系统的自然科学研究方法，这些方法至
今仍被自然科学家（和大部分社会学家）们所采用。

无论是在研究的广度还是深度上，古希腊文明都远远领先于同期的其他
文明，甚至比一千年后欧洲普遍的水平还高。古希腊人涉足的科学领域
很多，从数学、医学、物理学一直到天文学和地理学。而其中他们在几何学、
物理学和天文学上的贡献，最能体现出他们在建立完整的学科上的成就。

第一节　几何学

要了解古希腊人是如何通过归纳和演绎将经验变成系统化的科学的，我
们还是从几何学的发展谈起。

几何学并非起源于希腊，而是起源于古埃及和美索不达米亚。关于几何
学最早的文字记载可以追溯到公元前 2000 年，距今约 4000 年。我们在
前面讲过，古埃及的农业完全依靠尼罗河洪水每年泛滥后带来的肥沃土
地。为了准确预测洪水到来和退去的时间，以及丈量可耕种的土地边界，
6000 年前的埃及人发明了天文学和数学。人类早期科学的发展，都是源
于非常实际、具体的需求，几何学的发展也是如此。由于农业、天文、
建筑业和工程的需要，古埃及人逐步总结出有关长度、角度、面积和体
积的度量和计算方法。我们在第一章里提到，古埃及人在修建大金字塔
的年代（距今 4600 年），就知道了勾股定理，这比古希腊学者毕达哥
拉斯早了很多年。那时，爱琴海诸岛的文明还没有开始起步。

当前已知的最早有关几何学的文本是古埃及的莱茵德纸莎草书（Rhind Papyrus）[1]，它成书于公元前 1650 年前后。不过该书的作者声称，书中的内容是抄自古埃及另一本更早的书（前 1860—前 1814 年左右）。这样算下来，古埃及最早的几何学文献应该在 3800 年前。书中提到了不少数学问题的解决方法，其中包括很多几何学问题的解答。书中还给出了圆周率 π 的值——3.16，不是非常准确，而从大金字塔尺寸计算出的 π 值是 3.15，二者大致相同。

1
这份手卷发现于埃及的底比斯，以其发现者亚历山大·亨利·莱茵德（Alexandra Henry Rhind）的名字命名，现存于大英博物馆。

图 4.1　莱茵德纸莎草书（收藏于大英博物馆）

和古埃及同期发展起几何学的是美索不达米亚的古巴比伦王国（前 1894—前 1595）。在他们留下来的大约 300 块泥板上，记载着有关各种几何图形的计算方法，比如在平面几何方面，他们掌握了各种正多边形边长与面积的关系。他们尤其对直角三角形和等腰三角形了解较多，并掌握了计算两者面积的方法，他们还知道相似直角三角形的对应边是成比例的，等腰三角形顶点垂线平分底边。值得一提的是，他们也知道了勾股定理，并因此计算出根号 2（根据勾股定理，根号 2 等于直角边为 1 的等腰直角三角形斜边的长度）的值。在古巴比伦时期留下的泥板上，给出的一组最大的勾股数是（18541，12709，13500）。在立体几何方面，他

2

Neugebauer, O.; Sachs, A. J., Mathematical Cuneiform Texts, American Oriental Series 29, New Haven: American Oriental Society and the American Schools of Oriental Research, pp.38–41, 1945

们已经知道各种柱体的体积等于底面积乘以高度。美索不达米亚还是世界上最早将圆分成 360 度的地区，并且计算出 π 在 3.125 左右。另外，后世认为他们已经了解了三角学知识，因为他们留下了三角函数表。

1945 年，考古学家破解了美索不达米亚第 322 号泥板[2]。在这块 4000 多年前的泥板上，记录着许多勾股数，如图 4.2 所示。

美索不达米亚人是古希腊人直接的老师。到了公元前 6 世纪，古希腊出了第一位集大成的学者——毕达哥拉斯，他把东方的科学带到古希腊，他总结了美索不达米亚人在数学上的成果，

图 4.2　美索不达米亚第 322 号泥板

将零散的数学发现上升为系统的理论，形成体系和学派。毕达哥拉斯对西方的科学影响非常深远，我们很有必要了解一下他的生平和贡献。

毕达哥拉斯出生于希腊的萨摩斯岛（Samos），因此，人们在正式场合称呼他为萨摩斯的毕达哥拉斯（Pythagoras of Samos）。他的出生年月不详，从公元前 580 年到公元前 569 年，各种说法都有。他去世的时间也依然不准确，但是可以肯定的是，他活了大约 75 岁。恰巧在同一时期，东方也出现了一位贤哲，寿数和毕达哥拉斯相当，而且他们从事的事业也很相似——教育，这位贤哲就是著名的孔夫子。不过，和生活在中国奴隶制逐步走向衰落的孔子不同，毕达哥拉斯生活在古希腊奴隶制刚刚兴起的时代，当时他所在的萨摩斯岛和希腊周边的岛屿正处于极盛时期，在经济、文化等各方面都远远领先于希腊本土的各个城邦，文艺和音乐都开始兴起。毕达哥拉斯就曾经在萨摩斯向诗人克莱非洛斯（Creophylus 或者 Kreophylos，生平不详）学习诗歌和音乐。

毕达哥拉斯的父亲是一个富商，九岁时他被父亲送到腓尼基人建立的殖民城市提尔[3]，跟着闪米特族学者们学习科学、音乐和文学。那时候，虽然波斯帝国占领了西亚地区，但是那

图 4.3　萨摩斯岛的位置（实际上它离小亚细亚比离希腊本土近得多）

里的文化和艺术依旧蓬勃发展，而且领先于刚刚起步的欧洲地中海地区很多。各地的人们到西亚地区学习，就如同今天世界上很多人到美国留学或者交流一样，毕达哥拉斯也是其中一员。在这里他接触了东方的文化和科学。等年纪稍长，他又多次跟随父亲做生意，来到小亚细亚，直接看到了美索不达米亚文明留下的成果。公元前551年，毕达哥拉斯来到米利都[4]、得洛斯[5]等地，拜访了当时著名的数学家和天文学家泰勒斯（Thales of Miletus，前624—前546）[6]、阿那克西曼德（Anaximander，前611—前546）[7]和菲尔库德斯（Pherecydes of Syros，生平不详）[8]等人，并成为了他们的学生。

留学后回到家乡的毕达哥拉斯便成为了晚清末年假洋鬼子那样的人，穿上了东方人的服装，蓄着东方人的发型，而且宣传理性的神学。因此，家乡人并不喜欢毕达哥拉斯，也如同满清末年大部分民众并不喜欢洋务派一样。与同时代的贤哲孔子一样，毕达哥拉斯也不受国人的欢迎，被迫离开故土周游列国。这次，他的目的地是人类早期文明的中心埃及。途中他游历了腓尼基人在地中海沿岸修建的各个殖民城市。从公元前2000年开始，四处经商的腓尼基人就成为埃及和美索不达米亚文明的传播者，他们最大的贡献之一是将苏美尔人发明的楔形文字简化成几十个字母。在途中游历的城市里，毕达哥拉斯不仅学习当地的宗教和文化，而且开始静修，思考自己的使命。

9
古埃及第二十六王
朝法老（前570—
前526年在位），
他是埃及被波斯征
服以前最后一位伟
大的统治者。

10
位于今天意大利南
部。

毕达哥拉斯抵达埃及后，法老阿马西斯二世（Amasis II，前570—前526）[9]推荐他进入神庙学习，那时的神庙相当于中国的国子监，是埃及的最高学府。毕达哥拉斯在那里学习了象形文字以及埃及的历史和宗教，同时也向当地人宣传希腊哲学。这样，他便在当地的希腊人心目中有了非常高的威望，很多人开始跟随他求学。这些经历和孔子也有相似之处。

毕达哥拉斯返回家乡萨摩斯时已过不惑之年，这时的他已经成为一个学富

图 4.4　拉斐尔的名画《雅典学院》的局部 —— 毕达哥拉斯在教授音乐

五车的学者了，他希望将平生所学传给后人，于是开始办学。当时，古希腊的城邦政治并不稳定，毕达哥拉斯也是到处辗转，后来定居在克罗托内（Crotone）[10]，在那里他广收门徒。图 4.4 所示的，是毕达哥拉斯在教授音乐（这幅画收藏于梵蒂冈博物馆）。拉斐尔把不同时代的雅典先哲们绘制在梵蒂冈的这幅壁画中。

和孔子一样，毕达哥拉斯也是什么都教，从科学、文艺到宗教和音乐。他的讲学吸引了各阶层的人士参加，包括妇女。在此之前，妇女禁止出席公开的讲演，毕达哥拉斯打破了这个成规。在热心的女听众里有一位叫西雅娜（Theano）的年轻漂亮女子，后来成为了他的妻子。

毕达哥拉斯的学说在地中海北岸（今希腊和意大利）广为传播，形成了

毕达哥拉斯学派。渐渐地，毕达哥拉斯开始将科学宗教化，把数学变成一件神圣的事情。他和他的弟子们组织了一个神秘的团体，这个团体信奉数学，他们相信数学可使灵魂升华，与天地融为一体，万物都包含数，甚至万物都是数，神灵是通过数来统治宇宙的。加入这个团体并非易事，他们要接受长期的训练和考核，遵守很多清规戒律，并且宣誓永不泄露学派的秘密和学说。这么做的结果非常糟糕，他们当年在科学上的研究成果不仅无法被外人知道，而且鲜有文物记载。

毕达哥拉斯在哲学、音乐和数学上都颇有建树。在数学上，毕达哥拉斯最早将代数和几何统一起来，并通过逻辑推演而非经验和测量得到数学结论。具体到几何学上，毕达哥拉斯最大的贡献在于证明了勾股定理，因此，这个定理在大多数国家都被称为毕达哥拉斯定理 [11]。我们前面介绍过，人类很早就认识到这个定理，除了古埃及和美索不达米亚，古代中国和印度也在很早就观察到了直角三角形的这个现象。毕达哥拉斯应该是在东方游学时接触到这个定理。但是，东方的几个文明中心的早期记录只能说明他们发现了一些特例，比如勾三股四弦五的说法和其他一些勾股弦的整数组合（又称为勾股数），但是没有人肯定地将它描述成"直角三角形直角边的平方和等于斜边的平方"这样具有普遍意义的定理。中国最早作为普遍规律认识到勾股定理（而非列举勾三股四弦五这类特例）是在汉朝。东汉时期的《九章算术》有关于勾股定理普遍性的描述，而在西汉初年的《周髀算经》中还只是记述一些特例，当然这是题外话了。应该讲，古埃及人和美索不达米亚人（或者其他早期文明）在这方面的知识更多来源于实际的度量结果，而非逻辑推理。毕达哥拉斯的工作实际上是将数学的研究方法和实验科学的方法分开了，今天很多数学家还坚持认为数学是与科学并立的学科，因为研究方法不同。这一切肇始于毕达哥拉斯。

毕达哥拉斯和以前东方学者的区别在于，他坚持数学论证必须从"假设"出发，然后通过演绎推导出结论，而不是通过度量和实验得到结论。这种方法对数学的发展影响很大。具体到勾股定理，相比前人，他有两方

11
在日本和韩国又称三平方定理。

面的突破。首先，他认识到这是一个关于直角三角形的普遍规律（从个别例子上升到对普遍情况的假设）；其次，他试图用严密的方法证明它，而不是穷举符合这个规律的例子。很遗憾，现在无法找到当年毕达哥拉斯的证明方法，因为他的学说不外传，将这个功劳授予毕达哥拉斯的却是后世几何学的集大成者欧几里得（现存最早的证明方法是欧几里得给出的，见附录）。不过毕达哥拉斯应该是找到了这个定理的证明方法，他的学校当时为了庆祝证明这个定理举行了盛宴，吃掉了一百头牛。因此，勾股定理在西方有时又被戏称为"百牛定理"。

另一个证据说明毕达哥拉斯完全理解了勾股定理，因为是他发现了 $\sqrt{2}$ 是个无理数。如果勾股定理是对的，则使用勾股定理，就很容易严格证明出等腰直角三角形的斜边就是直角边的 $\sqrt{2}$ 倍，然后也很容易证明这是个无理数（见附录）。无理数的发现使毕达哥拉斯（和整个数学界）陷入了一场危机，因为在他看来，数字应该是完美和永恒的，而完美的前提是可认识，一就是一，二就是二，清清楚楚。如果有无理数存在（没完没了不循环的小数，当时还被认为是不可认识的），那么数字就不完美了。于是他只好装鸵鸟，对无理数的存在视而不见。据说他的学生喜帕索斯触犯学院章程，向外人透露了无理数的存在，毕达哥拉斯便下令将其淹死。如果这是真实的，无疑是文明史上的一个悲剧。

毕达哥拉斯毕生都在探索自然的规律，这一点和孔子完全不同，后者的学说主要阐述了人与人之间的关系。毕达哥拉斯学派在他死后持续繁荣了两个世纪之久，而且深深影响了后来古希腊的大学者柏拉图。毕达哥拉斯的学术思想在西方的影响力非常长久，比如他认为圆是最完美的几何图形，后来无论是主张地心说的托勒密，还是主张日心说的哥白尼，都认定这是研究天体运动的先决"公理"。

毕达哥拉斯去世的前后，古希腊诞生了另外一位数学家恩诺皮德斯（Oenopides of Chios，约前 500—? ）。恩诺皮德斯试图使几何学成为完美而纯粹的理论，这其实是后来欧几里得公理化体系的早期尝试。他提出"定理"与"问题"的区分，尽管两者都是对一些假设的解答或者证明，但是"定理"是几何学这幢大厦的骨干，通过定理可以建立起完整的理论，而"问题"只是孤立的练习而没有更重要的价值。从此，希腊几何学的研究就建立在定理的发现和证明之上了，而脱离了东方那种靠举例子和测量来说明问题的研究方式。另外，恩诺皮德斯最早提出"尺规作图"，我们今天学习几何作图依然要求只能使用圆规和没有刻度的直尺，这个传统就来自于他。几何学经过恩诺皮德斯的发展，已经颇为抽象化了，整个几何学的发展依靠新的定理的发现和通过逻辑推理证明这些定理。这种严格缜密的思维方式，是东方科学发展所不具备的。

恩诺皮德斯和古希腊政治家伯里克利 [12] 几乎是同时代的，这时古希腊的文明进入了繁荣时期。在这之后，古希腊历史上，乃至整个西方历史上赫赫有名的哲学家柏拉图出生了（公元前 427 年前后）。柏拉图的哲学思想和著作，细究起来，至少可以写上一本书，好在这方面的专著和通俗读物非常之多，这里不再赘述。不过，他做的一件事，影响深远，值得一提：他在雅典城郊区创立柏拉图学院，这所学院是西方文明史上最早的有完整组织结构的高等学府之一，也是西方中世纪期间发展起来的大学的前身。这所学院存在了九个世纪，经历了希腊时代、罗马统治时期和拜占庭帝国的前期，直到公元 529 年被查士丁尼大帝 [13] 关闭为止。

柏拉图学院受毕达哥拉斯的影响很大，课程设置包括毕达哥拉斯学派的传统课题，比如算术、几何学和天文学。柏拉图在数学上虽然没有什么建树，但是他的学院为古希腊乃至西方培养出许多学者，其中最出名的当属亚里士多德。柏拉图时代正是中国处于从春秋到战国转变的时代，那是中国历史上各种学说百家争鸣的时代。遗憾的是，中国实现大一统后，学术反而没有春秋战国时期活跃了。

在公元前四世纪末，随着北方马其顿帝国的崛起和对外的征服扩张，希腊诸城邦失去了原有的独立地位，成为马其顿帝国的一部分。不过，学术空气在这片土地上依然很盛，这在很大程度上要感谢亚里士多德的好

12
伯里克利（希腊文：Περικλῆς；英文：Pericles，约公元前 495— 前 429）雅典黄金时期（希波战争至伯罗奔尼撒战争）最重要的领导人。

13
查士丁尼一世是古罗马时代末期最重要的一位统治者，他的统治期一般被看作是历史上从古典时期转化为希腊化时代的东罗马帝国的重要过渡期。

学生亚历山大大帝。亚历山大大帝征服埃及后，在开罗附近建立了亚历山大城，并且在城里建造了著名的亚历山大图书馆，这样，世界学术的中心也从古希腊本土转到了埃及的亚历山大城。在接下来的几个世纪里，埃及完全希腊化了，在亚历山大城出了一位了不起的学者，他就是被称为"几何之父"的欧几里得。

我们对欧几里得的生平所知甚少，欧几里得（Euclid，希腊文：Εὐκλείδης， 前 325 —前 265）一词在希腊语里是"好名声"的意思，因此，这或许是后人对他的尊称而非他的本名。欧几里得年轻时可能在柏拉图学院学习过，并且生前一直活跃于亚历山大图书馆。除此之外，我们对欧几里得其他的生活细节了解甚少。

图 4.5 拉斐尔的名画《雅典学院》的局部 —— 欧几里得在教授几何学

欧几里得的最大成就，是在总结东西方历史上几个世纪积累的几何学成果的基础上，创立了基于公理化体系的几何学。在欧几里得几何学中，一切定理都由定义和简单得无法证明的五条公设直接（仅以公理和定义为前提）或者间接地（除了公理和定义，还可以使用已经证明的定理）演绎得出。这一方法后来成了建立任何知识体系的典范，至今仍被奉为在数学上必须遵守的严格规范。欧几里得确定的五条几何学公设（Five Axioms）[14]是简单到无法用更简单的公理和定义证明的论述（或者假设），

14
Axiom 应该翻译成公理，但是早期几何原本就译成了公设，因此我们沿用这种习惯。

它们是：

- 由任意一点到另外任意一点可以画直线。

- 一条有限直线可以继续延长。

- 以任意点为心及任意的距离 [15] 可以画圆。

- 凡直角都彼此相等。

- 同平面内一条直线和另外两条直线相交，若在某一侧的两个内角的和小于二直角的和，则这二直线经无限延长后在这一侧相交 [16]。

欧几里得几何学，就是建立在这五条简单得不能再简单的公设之上。而这五条公设相互独立，也就是说，任何一条公设都无法从另外四条中推导出来。为了保证推理的逻辑严密，欧几里得还提出了五条一般性的概念（Common Notions），在早期的几何原本中把它们称为五条公理，即：

- 等于同量 [17] 的量彼此相等。

- 等量加等量，其和仍相等。

- 等量减等量，其差仍相等。

- 彼此能重合的物体是全等的。

- 整体大于部分。

欧几里得将他的公理化体系几何学写成了《几何原本》一书，这本书被认为是对世界影响力最大的一本书。它不仅为几何学、数学和自然科学后来的发展奠定了基础，而且对西方人的思维方法影响深远。可以说，没有《几何原本》，就没有阿基米德、伽利略、笛卡尔和牛顿等人的成就。

《几何原本》传到中国是在明朝灭亡前。意大利传教士利玛窦将这部巨著的拉丁文版带到中国，并与明代学者、官员徐光启将一共十五卷中的前六卷合译成中文，定名为《几何原本》，几何的中文名称就是由此而来的。但是，在接下来的两百多年间，这本书在中国并未产生什么影响，直到 19 世纪中叶，才由曾国藩的幕僚李善兰和英国人伟烈亚力将后九卷

15
原文中无"半径"二字出现，此处"距离"即圆的半径。

16
这就是大家提到的欧几里得第5公设，即现行平面几何中的平行公理的原始等价命题。

17
这里的"量"与第4条公理中的"物体"在原文中是同一个字 thing。

18
为了区别面积相等与图形相等，《几何原本》译者将图形"相等"译为"全等"。

译出，并由曾国藩的长子曾纪泽作序，曾国藩出资刊印。之后，随着洋务运动的兴起，中国一些有识之士抱着了解西方科技的心态，开始学习《几何原本》，这样几何学才在中国开始普及。

第二节 物理学

与数学（比如几何学）不同，物理学和其他自然科学不是建立在逻辑推理基础之上，而是建立在观察和实验基础之上，当然它也要使用数学和几何学的基础知识。古希腊时期，自然科学的集大成者是亚里士多德和阿基米德，后者还被认为是和高斯、牛顿齐名的数学家。

亚里士多德（希腊语：Αριστοτέλης，Aristotélēs，前384—前322）出生在希腊北部马其顿王国的色雷斯，位于今希腊北部和保加利亚交界处。他的父亲是马其顿王国的名医。他18岁时被送到雅典的柏拉图学院学习，跟随老师柏拉图学习了近20年，直到柏拉图去世。根据古希腊著名传记作家普鲁塔克的记载，在离开学院后，亚里士多德先是游学到了小亚细亚（今土耳其的一部分），后来被马其顿王国的国王腓力二世召回故乡，成为当时的太子（即后来的亚历山大大帝）的老师。正是在亚里士多德的影响下，亚历山大大帝始终关注科学事业，也非常尊重知识。在亚历山大提供的人力和财力支持下，亚里士多德才能在许多科学领域都卓有成就。

当亚历山大的军队征服欧亚大陆时，亚里士多德随军走遍了欧亚非各地，得以了解到各地的人文地理、科技文化、宗教和政治制度，同时也第一次采集到很多动植物的标本。他涉足的研究领域非常广泛，有人说他研究过的自然科学包含了生物学、天文学、地理学、地质学、气象学、物理学等，这些在当时被统称为自然哲学。而在人文和社会学科方面，他写了关于政治学、心理学、美学和神学的诸多著作。另外，他也研究教育、文学和诗歌。因此，后世认为他简直就是古希腊的百科全书。

图 4.6 · 拉斐尔名画《雅典学院》全景

图 4.6 所示的是拉斐尔的名画《雅典学院》全景，中间是柏拉图和亚里士多德，柏拉图（左）手指向天，象征他认为美德来自形而上，而亚里士多德（右）手指向地，象征他认为知识来自观察。

亚里士多德可以说是物理学和许多自然科学学科的开山鼻祖，这并不是说在他以前没有人研究过物理的现象，比如运动速度、质量等物理学问题，但他最早将对大自然发生的现象和规律的研究变成一些独立的学科，并且将它们从传统的"知识"（哲学）中分离出来。在亚里士多德以前，自然科学（当时称为自然哲学）和哲学是混为一谈的，比如说德谟克利特（Democritus，前460—前370）的原子论，与其说是关于物理学的假说，不如说是在哲学意义上对世界本原的认识。而亚里士多德超越了他的前辈，将过去广义上的哲学（即知识或所有学科的总称）分为三个大的领域：

1. 理论的科学，即我们现在常说的理工科，比如数学和自然科学；

2. 实用的科学，即我们现在常说的文科，比如经济学、政治学、战略学和修辞写作；

3. 创造的科学，即诗歌、艺术。

对于不同的学科，亚里士多德认为有不同的研究方法。在自然科学（当时称为自然哲学）的研究方法上，亚里士多德的贡献在于他创造了一种新的研究方法——格物致知。亚里士多德之所以这么做，或许是因为他的兴趣太广泛，以至于他必须开始将研究对象分门别类。

如果说毕达哥拉斯和欧几里得在科学方法上的贡献是通过演绎的方法建立起一个科学体系——几何学，那么亚里士多德则开创了通过归纳方法研究科学的先河。这在很大程度上得益于他跟随亚历山大的大军到过"世界"各地，收集了大量的信息和动植物样本，才能从经验中归纳出各个学科的规律性。后来证明这种研究方法对物理学和天文学的发展至关重要。

由于认识的局限性，亚里士多德对科学的大多数结论都是定性而非定量的，而且亚里士多德在物理学上的很多结论都是错的。他的错误主要是因为他对于一些基本的物理概念，比如质量、速率（速度）、力、温度都缺乏认识，他定义了速率、温度等概念，但是却没有进行定量地测定，比如速度是每秒多少米，温度是多少度。因此，他的结论常常是：像这样"速度快"，或者"温度高"。他最著名的错误，就是认为重的物体落地速度要比轻的物体快，这后来被伽利略证明是错误的[19]。在科学发展的历史上总是可以看到，人们对世界的认知难免会有错误，这并不可怕。一个经常犯错但允许别人修正自己错误的科学家，比一个经常正确但是不接受任何批评的人，更能促进科学的发展。亚里士多德从来都不认为自己的观点绝对正确，因此，在他生活的时代，科学在不断地发展。

亚里士多德的很多结论是定性而非定量的，很像宗教的教条，可能是因为这个缘故，他的思想容易和教义结合，并且在中世纪末和文艺复兴的初期被教会视为正统观点。在牛顿经典力学体系创建之前，整个西方世界的科学都以亚里士多德的物理学理论为基础。

亚里士多德的功绩在于用格物致知的方法建立了很多学科体系，并且采用归纳法总结出一些自然科学的定律，这些定律是构建各个自然科学学

19
据说伽利略在比萨斜塔上做实验，将一个10磅的铅球和一个一磅的铅球同时落下，两球同时着地，从此证明了物体下落的速度和重量无关。现在认为伽利略可能没有做过这个实验。但是伽利略的结论是对的。

科的基石和支柱。但是，亚里士多德是按照自己的知识对现象给出解释，而不是通过大量可重复的结果得出结论，因此，总结的这些规律很多都是错误的。而完成物理学从定性研究到定量研究这一飞跃的，是大科学家阿基米德。

阿基米德（Archimedes of Syracuse，希腊语：Αρχιμήδης）于公元前287年出生在西西里岛的叙拉古（Syracuse），和编纂中国第一部百科全书的吕不韦是同时代的人。不过，他的兴趣在于数学和物理学，而不是吕不韦的帝王术。在古希腊时期，叙拉古是和雅典齐名的文明中心，那里有著名的阿波罗神庙和雅典娜神庙（不是雅典卫城的那个雅典娜神庙）。不过，在阿基米德时代，文化的中心已经从雅典和叙拉古转移到埃及的亚历山大。和很多学者一样，阿基米德在亚历山大学习过，据说在这期间他看到埃及的农民灌溉很辛苦，便发明了阿基米德式螺旋抽水机（Archimedes Screw Pump），至今埃及仍在使用。从埃及回到叙拉古后，阿基米德就一直生活在故乡，直到去世。

图 4.7　阿基米德式螺旋抽水机

从亚历山大回到故乡后，阿基米德就成了国王希伦二世（Hiero II）的座上宾。在这种优越的环境下，他从事研究工作长达几十年，并在数学、物理学和工程机械等诸多领域有了许多重要的发现。他不仅是古希腊时期最有建树的科学家，而且被誉为世界三大数学家之一，另外两个是大名鼎鼎的高斯和牛顿，不过阿基米德对物理学的贡献和影响其实更加深远。

阿基米德最著名的物理学发现是浮力定律。相传叙拉古的国王请金匠打造一个纯金的王冠，做好之后，或许国王觉得成色不对，怀疑金匠不老实，可能用白银换掉了部分黄金，但又苦于找不到证据证明自己的怀疑，于是国王就把这个难题交给阿基米德来解决。阿基米德苦思冥想了几天，一直找不到好方法。有一天，他在洗澡时，发现自己坐进去后，浴盆水位上升了，他的脑子里冒出一个想法："王冠排开的水量应该正好等于王冠的体积，所以只要拿和王冠等重量的金子，放到水里，测出它的体积是否与王冠的体积相同，如果王冠体积更大，就表示其中掺了银。" 想到这里，阿基米德不禁从浴盆中跳了出来，光着身子跑到王宫，嘴里高喊着"尤里卡（Ericka）！尤里卡！"，意思是我发现了。（今天欧洲的高科技计划也因此称为尤里卡计划，另外，有个著名的发明博览会也是以尤里卡命名。）果然，经过验证，阿基米德确定王冠中确实掺了假，成功地揭穿了金匠的诡计，从此国王对他愈加信任了。后来，阿基米德将这个发现进一步总结为浮力定律，即物体在液体中的浮力等于该物体所排开的液体的重量，简称浮力等于排水量。这个原理是其著作《浮体论》（*On Floating Bodies*）的核心。

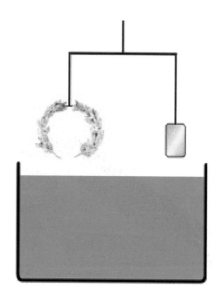

图4.8　阿基米德的浮力实验

在阿基米德之前，应该有人凭直觉认识到浮力和排水量的关系，造船的工匠们显然知道船造得越大，承载的重量就越多。但是却没有人将它提炼成浮力定律，这就是工程和科学的差别，有工程经验不等于能够上升到科学理论，这是希腊文明优于之前的一些文明的地方。阿基米德的伟大之处在于他不仅总结出浮力定律，而且给出了量化的公式。要是让亚里士多德来总结浮力定律，他一定是这样写："排水量大的物体，浮力也大"，却没有定量的描述。

关于阿基米德的另一个故事，是他曾经说过"给我一个支点，我就能撬动地球。"这当然只是个比喻，阿基米德用这句话只是想说明杠杆足够

长时，用很小的力
量就能撬动很重的东
西。这句话说明阿基
米德对简单机械有非
常深刻的认识。

其实早在阿基米德出
生前几千年，埃及和
美索不达米亚的工匠
们就开始使用简单的

图 4.9　阿基米德撬动地球

机械了。在阿基米德时代，简单的机械，比如螺丝、滑轮、杠杆和齿轮，
在工程和生活中已经很常见了。在亚里士多德的书中也提及过杠杆。但
是系统研究这些简单机械的是阿基米德。他花了许多年研究这些机械的
原理，终于提出了力矩的物理概念（力乘以力臂）。他最早认识到"杠
杆两边力矩相等"这一原理，并且用力矩的概念解释了杠杆可以省力的
原理。

阿基米德生活的时代，正值罗马和迦太基在地中海争霸。而在遥远的东方，
正是秦灭六国的时代。阿基米德一生经历了两次布匿战争，在第一次布
匿战争中，西西里站在了罗马的一边，最终成为了胜利的一方；不过在
第二次布匿战争中，叙拉古投到了迦太基的一方，和罗马人开战。阿基
米德积极投入到抗击罗马军队的战争中。

凭借对机械省力的原理有深刻的理解，阿基米德制造了许多工程机械和
守城器具，用以对抗强大的罗马兵团。他制造的最著名的"武器"就是
投石机和起重机。投石机是利用杠杆原理制造出来的，凡是靠近城墙的
敌人都尝到了它的厉害。起重机据说可以将敌人的战舰吊到半空中然后
摔到地上，不过后人对此表示有些怀疑。

关于阿基米德最神奇的传说，是他召集叙拉古城的妇女，用多面青铜镜
聚焦阳光，烧毁了大量罗马的帆船战舰。不过许多物理学家和历史学家

图 4.10　传说中阿基米德俘获战舰的机械

一直对这个传说的真实性看法不一。支持者认为当时阿基米德已经懂得了凹面镜聚光的原理，因此这种说法是可信的。1973年，希腊科学家伊奥安尼斯·萨卡斯决定通过试验来确定到底能否利用反射和聚焦的太阳光烧毁船只，他让 60 名水手排队站在码头上，每人拿着一面大镜子，组成一面巨大的凹镜形状，在太阳正盛时把光线反射到 50 米开外的一只小船上，结果不到 3 分钟，船只就着火了。不过麻省理工学院和亚利桑那大学的研究人员不同意这种说法，他们在 2005 年 10 月到当年古叙拉古王国所在地进行了实验。在实验中，麻省理工学院的研究人员在岸边拼起一个 300 平方英尺（大约 28 平方米）的铜镜和玻璃镜，用来反射和聚焦阳光，径直射向 45 米外的渔船上，结果仅仅使渔船上的木头冒烟但并未着火。于是，他们又把渔船停泊在离岸边约 22.5 米的地方，这一次聚焦的阳光点燃了船上的易燃品，冒出了小火苗。但是，在战争中，不能指望敌人的战舰停在 22.5 米的近处任由别人去烧，因此，学者们认为这次实验是失败的。还有一些学者认为这个故事其实发生在 700 年后的君士坦丁堡，只是被张冠李戴了。据美国肯塔基州路易斯维尔大学历史学教授罗伯特·泰普尔说，公元 515 年，拜占庭首都君士坦丁堡遭到敌人围攻，科学家普罗克鲁斯命士兵手举镜子组成"燃烧镜"，高度聚焦的太阳光烧毁了敌人的战船，击退了敌人的进攻，而这个"燃烧镜"是他与他的学生安提米乌斯共同研究的成果。如果真是将几百年后的事情套在了阿基米德的头上，这只能说明在西方世界里阿基米德已经成了智慧的化身。

但是不管阿基米德是否发明了这些"超级武器"，他发明的守城器械确实令罗马军队惊慌失措，人人自危。连统军的将军马塞拉斯（Marcus Claudius Marcellus，前 268－前 208）都苦笑着承认"这是一场罗马军队与阿基米德一人的战争"、"阿基米德是神话中的百手巨人"。久攻不下，马塞拉斯调整策略，对叙拉古长期围困而不进攻，等着这座孤城弹尽粮绝。阿基米德虽有守城的妙计，却变不出粮食，最后，公元前 212 年叙拉古被罗马军队攻陷了。相传罗马军队进城时，阿基米德正在地上画图研究几何问题，一个不懂事的士兵走近阿基米德，并踩坏了地上的图形。阿基米德说："请让开，别踩了我的图形"。这位丘八一怒之下拔剑杀了这位优秀的科学家。马塞拉斯得到这个消息后非常悲痛，专为阿基米德建了一座墓，墓碑上镌刻有球内切圆柱图形，来表达对这位大科学家的敬意。

阿基米德之死令人遗憾不已。他和杀死他的这个士兵，其实分别象征着文明和武力，而文明常常要输给武力。在世界历史上文明多次被武力摧毁，早期罗马人在这方面扮演了非常不光彩的角色。

阿基米德在数学上的建树也不少，他用近似的方法计算出球的面积和体积，以及椭圆的面积等。他还发明了一种求圆周率的方法，估算出圆周率在 22/7 到 223/71 之间（即 3.1408 到 3.1428 之间），这在当时是最精确的估算了。

阿基米德在天文学上的贡献也非常大，这里就不一一介绍了。值得一提的是，他发明了一种天象仪或者说太阳系的模型，显示了太阳、月亮和五个行星的运动。据著名古罗马政治家和作家西塞罗（Marcus Tullius Cicero，前 106－前 43）[20] 的记述，当时罗马的统帅马塞拉斯看到阿基米德做的模型和机械，非常喜爱，于是将这两座用于天文学的仪器带回罗马，并且将其中一座据为己有，另外一座则捐赠给了罗马的功德庙。马塞拉斯的那一座仪器后来被公开演示，据西塞罗说，观看了演示的人记录了如下过程：

20
西塞罗是罗马晚期的哲学家、政治家、律师和作家，对拉丁文的发展有重大贡献。西塞罗对欧洲的哲学和政治学说影响深远，至今仍是罗马历史的研究对象。

当马塞拉斯移动球模型时，这个铜制装置上的月亮便跟随着太阳一起运动，如同现实中的天空一样。而当太阳、月亮和地球呈一条直线时，投影的状态则再现了日蚀现象。

遗憾的是这两座仪器都没有流传下来，阿基米德是按照日心说还是地心说建立的模型[21]，我们不得而知。所幸根据他留下的手稿，我们得知他采用的是日心说模型。如此算来，阿基米德应该是提出日心说的第一人。

图 4.11　阿基米德手稿的抄本（巴尔的摩沃尔特博物馆收藏）

说起他的手稿，这里面还有一段得而复失的传奇故事，非常精彩。阿基米德的手稿在他死后被整理出来并且流传下来，遗憾的是最完整的一本羊皮纸抄本在 1229 年被一位教徒擦掉后抄上了祈祷书，好在利用现代科技可以恢复被擦掉的字迹。1998 年，美国一位匿名的收藏家以两百万美元的高价拍得这本被毁坏的手稿抄本，并将它交给了巴尔的摩的沃尔特博物馆，该博物馆成立了"阿基米德项目"修复这个抄本。经过 13 年的努力，该博物馆终于在 2011 年复原了原始内容。今天我们对阿基米德的研究成果的细节有详尽的了解，在很大程度上要感谢这个抄本，感谢沃尔特博物馆，感谢为恢复手稿而努力的工作者。

应该讲，亚里士多德和阿基米德共同奠定了物理学的基础。在他们之前，人类对物理学知识已经有相当的了解，但是把物理学变成一门单独学科加以研究，这要归功于亚里士多德。而把具体现象总结成通用的规律并加以定量描述的则是阿基米德。古希腊人靠着抽象思维能力和总结概括能力以及对科学不断探求的精神，奠定了自然科学的基础。

第三节　天文学

天文学起源于古埃及。和很多自然学科一样，天文学源于农业生产。我们在前面讲到过，尼罗河洪水每年泛滥一次，给尼罗河下游带来了十分肥沃而且灌溉方便的土地，使得古埃及地区出现了最早的农业文明。在农业上，施肥应该是中国人的发明，而在非洲和欧洲，大规模的农业生产大多是靠天吃饭，古埃及的收成就全仰仗尼罗河了。每当洪水过后，埃及人就跑到退洪的土地上耕作，到了季节就赶紧收获，然后等着来年河水的再一次泛滥。这种生产方式一直延续到上个世纪60年代，直到在尼罗河上游修建了阿斯旺大坝，尼罗河下游再也没有洪水带来的肥沃土地为止。

在6000年以前，为了准确预测洪水的到来和退去，以确定播种和收获的时间，埃及人发明了天文学。和我们想象的不同，古埃及人是根据天狼星和太阳在一起的位置来判断一年中的时间和节气。在古埃及的历法中没有闰年，它的一个"季度"也非常长：长达 $365 \times 4 + 1 = 1461$ 天，因为每隔这么多天，太阳和天狼星一起升起。（因此，古埃及的日历周期很长。）事实证明，以天狼星和太阳同时出现做参照系比仅以太阳做参照系更准确些。古埃及人可以准确地判断洪水能到达的边界和时间。

到了人类文明的第二个中心美索不达米亚兴起的时候，天文学有了进一步发展，苏美尔人发明了太阴历，把按照月球环绕地球一周的时间定为一个月。由于地球环绕太阳一周（365天多一点）的时间超过12个月，不到13个月，因此，苏美尔人的太阴历和中国的农历一样，每三年加入一个闰月。当时，他们已经观测到了五大行星（金、木、水、火、土）的运动与其他恒星不同。这些天体的运动轨迹不是简单地围绕地球转，而是呈波浪性地运动。西方语言中，行星 planet 一词的意思就是漂移的星球。因此，苏美尔人对这五颗星格外关注，认为每颗星对应一个神仙，加上太阳神和月神，让这七个星辰的主神每个掌管一天，循环反复，就成了现在的"星期"。到了古巴比伦时期，天文学有了进一步的发展，古巴比伦人发现五大行星在近日点运动比远日点快，并且计算出月亮和五大行星的运行周期，能够预测日食和月蚀。

公元前 6 世纪，天文学从美索不达米亚地区传入希腊，并得到快速发展。毕达哥拉斯将天文学看作数学的四个分支之一（另外三个是算术、几何和音乐），并加以研究。而柏拉图则总结了前人天文学的成就，他的学生欧克多索（Eudoxus of Cnidus，前 408－前 347）做了三件有意义的事：

1. 指出五大行星的运动是漂移的；

2. 建立了一个以地球为中心的两个球面的模型，里面的球面代表地球，而外面的球面代表日、月、星辰运动的轨迹；

3. 认识到需要建立一个数学模型，使得计算出来的五大行星轨迹与观测一致。

在柏拉图时代，希腊人认为天体按照离地球的远近依次是：月亮，金星，水星，太阳，火星，土星，木星，恒星。这个排序是正确的，后来托勒密也采用了这种说法。

到了喜帕恰斯（Hipparchus of Nicaea，希腊文："Ἵππαρχος，约前 190－前 120）的年代，天文学又有了发展。传说喜帕恰斯的视力非常好，发现了一些别人看不见的星系。当然他对天文学的贡献主要不是靠他的视力，而是靠他发明的一种数学工具——三角学。他利用三角学原理，测出地球绕太阳一圈的时间是 365.25－1/300 天，和现在的度量只差 14 分钟；而月亮绕地球一周为 29.53058 天，也与今天的估计 29.53059 天十分接近，相差大约一秒钟。他还注意到地球的轨迹并不是正圆的，夏至离太阳稍远，冬至离太阳稍近。应该说喜帕恰斯发现了很多天文现象，并且留下了很多观测数据，但是他距离创立天文学体系还差一步之遥。

真正创立了天文学，并且计算出诸多天体运行轨迹的是伟大的天文学家克劳第斯·托勒密（Claudius Ptolemy，希腊文：Κλαύδιος Πτολεμαῖος，约公元90—168）。从时间上来看，托勒密不能算是希腊时代的人，因为他生活在古罗马统治下的埃及亚历山大城。不过他的确是希腊人，而且有可能是托勒密王朝的后裔（和埃及艳后应该多少有点血缘关系）。因此，人们依然把他算作希腊天文学家，他同时也是个诗人，《希腊诗选》中收录有他的诗。

托勒密的名字大家应该不陌生，他是地心说的创立者。因为政治的需要，托勒密在中国总是被作为错误理论的代表受到批判，以至于大部分人基本上不知道他在天文学上无以伦比的贡献。我自己也是到了美国以后，读了些科学史的书籍才了解到他的伟大之处，正是托勒密把前人留下的零散的天文学知识变成了天文学这门严谨的自然科学学科。

作为数学家、天文学家和地理学家，托勒密有很多发明和贡献，其中任何一项都足以让他在科学史上占有一席之地。托勒密发明了球坐标（至今仍在使用），定义了包括赤道和零度经线在内的经纬线（今天的地图就是这么画的），并且给出了一度经线的距离（虽然比实际的小了10%，不过幸好有这个错误，才让哥伦布得出从西面到亚洲的距离比往东绕过非

图 4.12 伟大的天文学家托勒密

洲到亚洲更近的结论）。托勒密还提出了黄道，即地球绕太阳公转的轨道平面和天球相交的圆。此外，他还发明了弧度制（中学生刚开始学习的时候可能还会感觉有点抽象）。

当然，他最著名、也是最有争议的发明是量化的地心说。虽然我们知道地球是围绕太阳运动的，但是在当时，人们从观测出发，很容易得到地球是宇宙中心的结论。中国古代著名天文学家张衡提出的浑天说，其实就是地心说，但是张衡未能进行定量地描述。从图 4.13 和图 4.14 可以看出两者非常相似。只是因为张衡是中国人的骄傲，在中国历史书中从来是正面宣传，而托勒密在中国却成了唯心主义的代表。其实，托勒密在天文学上的地位堪比欧几里得之于几何学，牛顿之于物理学。

当然从地球上看，行星的运动轨迹是不规则的，托勒密的伟大之处在于

图 4.13　托勒密的地心说模型

图 4.14　张衡的浑天仪（与托勒密的模型非常像）

用 40—60 个在大圆上套小圆的方法，精确地计算出了所有行星运动的轨迹，如图 4.13 所示。托勒密继承了毕达哥拉斯的一些思想，他也认为圆是最完美的几何图形，因此，所有天体均以匀度按完全圆形的轨道旋转。事实上，后来日心说的提出者哥白尼也坚持认为天体运动的模型必须符合毕达哥拉斯的思想。但是实际上天体以变速度按椭圆轨道绕地球以外的中心太阳运动。为了维护原来的基本假设，就必须用大圆套小圆的方

法解释了。托勒密使用了 3 种大小圆相套的模型，即本轮、偏心圆和均轮，如小图所示。这样，他就能对五大行星的轨道给出合理的描述，不过这五大行星的轨道无法用一组圆来统一描述，因此，托勒密用了很多个圆分别描述，互相嵌套的大小圆多达 40—60 个。

托勒密认为模型必须与观测数据相吻合，要感谢喜帕恰斯为托勒密留下了很多观测数据，使得他的模型能够建立得很准确。托勒密的追随者宣称托勒密地心说的模型和前面 800 多年的观测数据相吻合，但是事实上，托勒密时代的人可能只有 100 多年的观测数据。不过即使如此，这个模型也很了不起了。托勒密根据自己的模型绘制了一张表，给出了未来某个时刻某个星球所在的位置。托勒密模型的精度之高，让后来所有的科学家都惊叹不已。即使今天，在计算机的帮助下，我们也很难解出 40 个圆套在一起的方程。每每想到这里，我都由衷地佩服托勒密。根据托勒密的计算，制定了关于日月星辰位置的《便携用表》，这些和当时的儒略历相吻合，即每年 365 天，每 4 年增加一个闰年，多一天。1500 年来，人们根据儒略历和《便携用表》决定农时。但是，经过了 1500 年，托勒密对太阳运动的累积误差，还是多出了 10 天。由于这十天的差别，欧洲的农民从事农业生产的日期几乎差出了一个节气，很影响农业的收成。1582 年，教皇格里高利十三世在日历上抹掉 10 天，然后将每一个世纪最后一年的闰年改成平年，然后每 400 年再插回一个闰年，这就是现在采用的日历，这个日历几乎没有误差。为了纪念格里高利十三世，我们今天的日历也叫做格里高利日历。

托勒密的另一大贡献在地理学。他发明了经纬度，并在《地理学》这本专著中，收集了当时欧、亚、非三个大洲八千多个地方的经纬度坐标，并且绘制了几十幅环地中海地区的地图。在这本专著中，托勒密详细说明如何将球体的地球绘制到平面上，提出投影的方法。这个方法至今仍是地图绘制的基本手段。我们今天的地图都是按照上北下南、左西右东的规矩绘制，这一切也源于托勒密。

托勒密的《地理学》在罗马灭亡以后被历史尘封了很长时间。1406 年，这部了不起的手稿被翻译成拉丁文，后来受到无数涌动着大航海梦想的年轻人追捧，其中就包括哥伦布。在当时一些历史学家看来，《地理学》的重印意义重大，简直就和后来哥伦布发现新大陆一样激动人心。

过去中国对他的评价不高，除了意识形态上的考虑，还因为受到李约瑟（Joseph Needham，1900—1995）误导。李约瑟是著名的科学史家，尤其对中国古代的科技推崇备至，因此中国人很相信他，虽然在西方，甚至在英国本土他的名气都没有在中国大。李约瑟并非所有的观点都正确，其中一个错误观点就是"亚里士多德和托勒密僵硬的同心水晶球概念，曾束缚欧洲天文学思想一千多年"的说法，这个谬误至今仍在许多中文著作中被反复援引。但这种说法其实明显违背了历史事实。其一，亚里士多德主张一种同心叠套的水晶球（crystalline spheres）宇宙体系，但托勒密的地心说完全不是这种同心圆的宇宙体系，他也从未表示自己赞同这种体系。其二，由于罗马帝国末期基督教徒焚毁了大量的科学著作，亚里士多德学说的拉丁文著作已经不存在了（只有在阿拉伯世界还保留着他著作的希腊文和阿拉伯文译本），直到 13 世纪他的学术仍被正统的罗马教会视为异端，多次被禁止在大学里讲授。因此，无论是托勒密还是亚里士多德，都根本不可能"束缚欧洲天文学思想一千多年"。亚里士多德和托勒密的学说被罗马教廷接受是 14 世纪以后的事情。1323 年，教皇宣布托马斯·阿奎那（Thomas Aquinas，1225—1274）[22] 为"圣徒"，阿奎那庞大的经院哲学体系被教会官方认可，成为钦定学说。这套学说是阿奎那与其师阿尔伯图斯（Albertus Magnus，？—1280）将亚里士多德学说与基督教神学全盘结合而成。在论证水晶球宇宙体系时，阿奎那曾引用托勒密的著作来论证地心、地静之说。此后亚里士多德的水晶球宇宙体确实束缚了欧洲天文学思想大约二三百年，但这不应该成为托勒密的罪状。

托勒密的功绩不仅在于系统地提出了地心说，还在于他最早用数学模型定量描述天体运动。托勒密确立了通过观测数据（实验数据）归纳出数学模型的治学方法，这在后来对伽利略和开普勒等人有很大的启发。托勒密建立起来的天文学体系和研究方法，使得后来人们在天文学上的每一点贡献都可以加进整个天文学中。这样一来，学习天文学的人很快就能系统地学习到天文学的基础，而研究者们也不需要一切从头做起，可以站在巨人的肩上。

结束语

近代自然科学的很多体系都是在古希腊时代奠定的，希腊人在学术研究上有别于东方文明之处不在于一两项科学发明和发现，而在于他们将自然科学各学科分门别类，对每个学科都建立起一整套系统的体系，在此基础上，演绎或归纳出普遍规律性，即定理或定律，继而成为自然科学各个学科的基石和支柱。后人可以在前人发现的基础上继续研究，推动科学的发展。无论是古希腊奠定的几何学、天文学和物理学，还是后来笛卡尔发明的解析几何或者牛顿发明的微积分，无不遵循古希腊人建立科学学科分支的办法。反观东方的文明，在科学研究上有两大缺陷，首先是缺乏完整的理论体系；其次常常会将问题和定理定律混为一谈，虽然他们的解答和证明过程可能类似。这样一来，后人就很难继承前人的工作，几乎所有的研究都得从头再来，导致几千年来在科学研究上原地踏步。事实上，中国清代的数学家估算圆周率并不比祖冲之更准确，而19世纪阿拉伯最好的数学家也未必掌握了他们祖先1000年前的数学发现。

是因为有了毕达哥拉斯、亚里士多德、阿基米德和托勒密，希腊才为人类的文明开辟了科学之路，还是因为希腊人的理性和思辨产生了这些震古烁今的学者，仁者见仁，智者见智。但是大家都公认的是，古希腊在人类文明史上占有非常重要的地位，而最大的贡献或许是建立起这些学科体系。雅典的卫城会在希腊沦陷后随时间的流逝而成为残垣断壁，阿芙洛狄忒的雕像[23]会因为深埋在地下而少了漂亮的胳膊，但是古希腊人对科学的贡献却薪尽火传，惠及后世。

23
也称为断臂的维纳斯。

附录一　《几何原本》中关于毕达哥拉斯证明勾股定理的方法

假设直角三角形的直角边和斜边分别为 a，b 和 c。

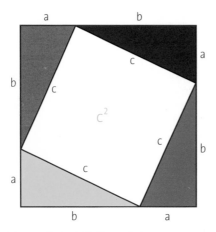

图 4.15　毕达哥拉斯的证明方法

左图中外面大的正方形边长为 a+b，内部是四个全等的、边长为 a，b 和 c 的直角三角形，以及一个边长为 c 的正方形。外面正方形的面积为

$$(a+b)^2 = a^2 + 2ab + b^2$$

内部小正方形和四个直角三角形的面积之和为

$$c^2 + 2ab$$

由于同一个（外面的）正方形面积一定相等，因此：

$$a^2 + 2ab + b^2 = c^2 + 2ab$$

即　　　$$a^2 + b^2 = c^2$$

附录二　$\sqrt{2}$ 为无理数的证明

采用反证法，假定 $\sqrt{2}$ 为有理数，则可以表示成两个互素的整数的比值 $\dfrac{P}{Q}$，

即　　　$$\sqrt{2} = \frac{P}{Q}$$

两边平方后，得到：

$$2 = \frac{P^2}{Q^2}$$

因此，P 一定是偶数，我们假定为 2m，并且代入上式，得到：

$$2 = \frac{4m^2}{Q^2}, \quad 即\ \frac{2m^2}{Q^2} = 1$$

因此 Q 必定为偶数，我们不妨用来 2n 表示。这样一来，就和 P 与 Q 是互素的假设矛盾了，因此 $\sqrt{2}$ 不是有理数，而是无理数。

参考文献

1　欧几里得 . 几何原本 . 兰纪正，朱恩宽，译 . 译林出版社，2011.

2　G.E.R. Lloyd. 早期希腊科学: 从泰勒斯到亚里士多德(*Early Greek Science: Thales to Aristotle*). W. W. Norton & Company，1974.

3　G.E.R. Lloyd. 亚里士多德之后的希腊科学（ *Greek Science After Aristotle* ）.W. W. Norton & Company，1975.

4.　Thomas Stanley. 毕达哥拉斯的生平和教学（ *Pythagoras: His Life and Teachings* ）.Ibis Press，2010.

第五章　罗马人三次征服世界

罗马法

古罗马是世界史上故事最丰富的文明。这一时期出了很多家喻户晓的传奇人物，比如，大小西庇隆[1]、苏拉[2]、马略[3]、克拉苏[4]、斯巴达克斯[5]、恺撒、庞培[6]、安东尼[7]和屋大维等人；古罗马的很多历史事件，几千年来，被广大的史学家和剧作家不停地研究，不断地搬上舞台，比如三次布匿战争[8]、斯巴达克起义、恺撒的高卢战事和远征英国、前三雄（克拉苏、恺撒和庞培）和后三雄（安东尼、屋大维和雷比达[9]）的故事，等等。这些人和事，每一个都可以写成一本书，针对这些内容，市面上有大量更权威、更生动的读物。而本章要讲的是古罗马的法律——罗马法，因为这才是古罗马人为人类文明做出的最大贡献。

罗马人一共三次征服了世界，第一次是靠武力，第二次是靠拉丁语[10]，而第三次则是靠罗马的法律体系。

从公元前2世纪开始，罗马人逐步征服了地中海沿岸的早期强国希腊（当时已经是马其顿帝国的一部分）和迦太基，并且向西征服了高卢（今法国境内）、西班牙和英国；向北征服了日耳曼人（今德国境内）的部落；往东征服了小亚细亚、美索不达米亚地区，一直到波斯；往南征服了埃及和非洲北部。到了屋大维时代，除了印度和中国因为路途遥远鞭长莫及，当时世界上靠马匹和士兵步行所及之处，全都纳入到罗马共和国的版图里。在公元前后，屋大维建立了罗马帝国，元老院授予他"奥古斯都"

1

大西庇隆（Publius Cornelius Scipio），古罗马军事统帅。小西庇隆大西庇隆之子（Publius Cornelius Scipio Africanus，前236—前183）），古罗马军事统帅，以击败汉尼拔而著称。

2

苏拉，全名卢基乌斯·科尔内利乌斯·苏拉（Lucius Cornelius Sulla Feilx，前138—前78)，古罗马政治家、军事家、独裁者。

3

盖乌斯·马略（Gaius Marius，前157—前86)，古罗马著名的军事统帅和政治家。

的称号。奥古斯都大帝在位42年，带领罗马帝国进入了全盛时期，并且将地中海变成了罗马的内海。但是，仅仅一个世纪后，帝国就开始衰落。到了公元3世纪末帝国便分裂成西罗马帝国和东罗马帝国。西罗马帝国在公元476年灭亡，罗马城沦陷。东罗马帝国一直延续至公元1453年，并且有过短暂的中兴，但是总体上逐渐沦落为一个二流国家，领土仅限于希腊和土耳其的一部分。靠武力建立起来的罗马（先是共和国，后是帝国），从立国开始到西罗马帝国灭亡，一共持续了700年左右，只相当于美索不达米亚文明过程中一个中等时间跨度的王朝。古罗马帝国的中心即意大利地区，今天在欧洲也不过是一个二流偏上的国家。可以说，昔日罗马帝国辉煌不再。

图5.1 罗马全盛时期的版图

不过，罗马人在其全盛时期创造了辉煌灿烂的文明，而这些文明的影响力一直延续至今。罗马人发明了拉丁语，并且把它变成了世界上语法最严谨的语言。18世纪以前，拉丁语是欧洲各国人民交流的媒介语言，相当于今天英语的地位，几乎所有的学术著作都是用拉丁语写成的。比如牛顿的《自然哲学的数学原理》就是先有拉丁语版本，后翻译成英语的。18世纪以后，感谢法国的太阳王路易十四，由于他强有力的统治，法国当时的国际地位炙手可热，这使得拉丁语的分支法语成为欧洲大陆最流行的语言。很多国家的王室，比如俄国的沙皇，讲的都是法语，而不是俄语。在19世纪末以前，美国大学主要教授的课程就是拉丁语，而不是工程技术。直到1876年约翰·霍普金斯大学创立后美国才有了研究型大学。但是，随着工业革命的兴起，英语渐渐取代了拉丁语的国际地位。今天，世界上只有少数基督教的神职人员及学者能够流利使用拉丁语。几乎没有人在日常生活中继续使用拉丁语，虽然许多西方国家的大学和中学里仍然开设有拉丁语的课程。因此，拉丁语已经被认为是一种死语言了。不过，即便如此，拉丁语也比武力的影响力更为持久。

9
雷必达（Marcus Aemilius Lepidus），约前 89—前 12，古罗马贵族，和屋大维、安东尼结成后三雄。

10
法学家耶林认为第二次是靠基督教，但是基督教并不是罗马的产物，罗马的宗教是万神教。基督教征服了罗马而不是反过来。

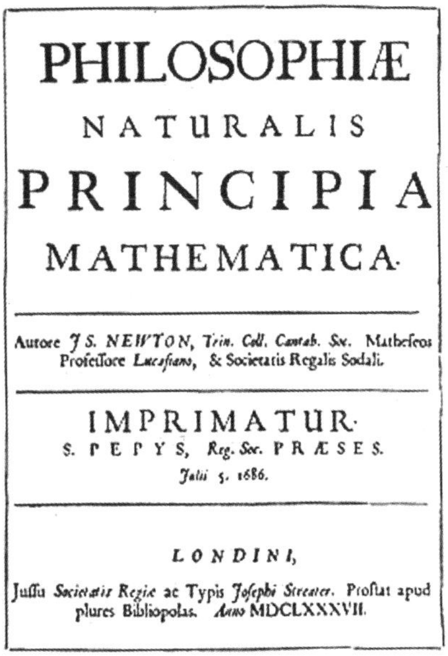
PHILOSOPHIÆ
NATURALIS
PRINCIPIA
MATHEMATICA.

Autore J S. NEWTON, Trin. Coll. Cantab. Soc. Matheseos Professore Lucasiano, & Societatis Regalis Sodali.

IMPRIMATUR.
S. PEPYS, Reg. Soc. PRÆSES.
Julii 5. 1686.

LONDINI,
Jussu Societatis Regiæ ac Typis Josephi Streater. Prostat apud plures Bibliopolas. Anno MDCLXXXVII.

图 5.2 牛顿的《自然哲学的数学原理》一书，完全使用拉丁文写成。

如今，古罗马人依旧影响着我们的生活（诸如国际关系），这种影响力是通过罗马法来实现的。罗马的法律和司法制度，是古罗马人对人类文明的一大贡献。要讲清楚这个问题，我们先要看看罗马的法律体系是如何发展起来的。

第一节 罗马的崛起与司法制度的形成

“罗马不是一天建成的”，罗马的司法制度和法律也是如此。后者是随着罗马的兴起而逐渐发展起来的。所幸的是，它没有随着帝国的灭亡而消失，而是薪尽火传，延续至今。

古罗马的中心——意大利这个地方，早在公元前 2000 年左右就有人开始居住。一些印欧语系的部落从北方越过阿尔卑斯山脉，来到亚平宁半岛这片气候宜人的土地上，定居下来。当时，他们的文明程度还处于石器时代，也就是说，落后于古埃及或者美索不达米亚几千年，甚至比近邻古希腊也要落后几百年。很多周边的民族，比如腓尼基人、希腊人甚至是高卢人都到过或入侵过这片土地。不过到了公元前 8 世纪以后，这片土地终于成了当地许多意大利部落的天堂。这些部落的名字列举出来至少有十几个，大致分为三支：伊特鲁里亚（Etruria）、萨博利族（Suburana）和拉丁族（Latin），其中拉丁族的一支在台伯河畔建立了罗马城，罗马的历史就从这里开始了。

罗马早期（前8—前7世纪）有四个"王"，相当于中国上古时期的尧、舜、禹，这段历史称为王政时期。不过罗马的"王"既不是我们所说的国王的概念，因为当时罗马还称不上是个国，也没有后来的国王那样绝对的权力。但是，既然西方历史书上称他们为King，我们就还是称之为"王"，其实他们更像大酋长。罗马人从各个部落中选出了100名部族首领，组成了元老院，也称为百人院。不过，很快随着罗马的不断壮大，很多新的部族融入进来，元老院也只好不断扩大，后来扩大到300人。元老院不是摆设，而是"王"的顾问助手，同时也拥有征税、征兵和签订合约等重大权力，罗马的"王"是终身的，但不能世袭。因此，古罗马在立国前，基本上就形成了一种共同执政的民主政治制度。

图 5.3　收藏于卢浮宫的法国古典主义大师杰克·路易斯·达维特的名画《荷拉斯兄弟之誓》（*Oath of the Horatii*，by Jacques-Louis David），三位兄弟在父亲面前表示在与阿尔贝的战争中，即使敌人是他们姐妹的丈夫也将被杀，这是罗马父权社会的典型写照

到了罗马的第五个"王"老塔克文时期，城市开始兴起，罗马才算是在一群氏族部落的基础上建立起了真正的国家。按照西方对文明的定义，古罗马的文明从这时才开始。这时的罗马处于奴隶社会，除了奴隶，自由民之间还有贵族和平民之分，而老塔克文是靠平民支持上的台。他在位期间颇有作为，对外平叛，开疆拓土；对内修建城市、水利工程和公共设施。不过，老塔克文的影响力也随着他政绩的提升而不断扩大，元老院怕这样会破坏了民主制度，便设计将他暗杀。

所幸的是，第六任国王（这时候可以称他是国王了）塞尔维乌斯·图利乌斯（Servius Tullius，？—前534）也是一位贤王。他对罗马进行了一系列改革，重点就是打破了原来的氏族部落组织结构，按照财产多寡将自由民分为五等，每一等都要出一定数量的人去充当士兵。由于古罗马士兵的武器装备是自备的，反而是最富有的第一阶层自由民尽的兵役义务最多，他们一共出了80个重装步兵百人队、18个骑兵百人队，占罗马军队人数（193个百人队）的一多半。塞尔维乌斯建立了由各个阶层代表组成的议会，各阶层比例按照其百人队数量来分配，相当于每个百人队出一个代表。这样，第一阶层为国家尽的义务最多，发言权也就最大，虽然不能算是完全公平，却也颇为合情合理，至少比完全的专制制度要好得多。议会负责选举、对外宣战和司法。这样，权力便从由原来部落首领组成的元老院转移到由各阶层代表组成的议会。塞尔维乌斯之后的国王，一个不如一个。公元前509年，罗马人发动起义，驱逐了国王，从此，罗马由王政时期进入共和时期。

在共和时期，罗马的最高统治者是两名由议会选举出的执政官，设置两名执行官的目的在于用权力制约权力。执行官的权力虽然在万人之上，但是任期只有一年，因此无法形成独裁。而元老院的元老却是终身执政，因而反倒是元老院对政治的影响力大。元老院中的元老，绝大部分是贵族，而议会中也是富人代表居多。这样一来，平民的权益就很难得到保证了。

在古罗马，平民和贵族的界限很难逾越，因为他们之间禁止通婚。但是，平民争取权力的斗争从来没有停止过，并且平民利用两次外敌入侵的时机撤出罗马，这样就迫使贵族做出了让步，罗马从此设立了保民官，开始是两名，后来增加到五名。他们不参加元老院的投票，但是可以旁听，并且有权对不利于平民的政府法令行使否决权。这成为制衡贵族权力。

罗马的共和制持续了五百年，直到公元前 27 年，屋大维被元老院加封"奥古斯都"[11] 的称号，成为罗马的皇帝，从此罗马进入帝国时代，实行君主制。不过元老院依然保留了下来，而且权力还相当大。与中国的皇帝不同，罗马皇帝大多是传贤不传亲，也就是说，皇帝看好谁有才能做自己的接班人，就把他收为"养子"，然后传位给他。不过，有时元老院会废掉或暗杀一些妨碍他们行使权力的"昏君"（实则明君），再选举出一位新君。罗马的君主制一直延续到西罗马帝国和东罗马帝国先后灭亡。

总体来讲，古罗马的社会在贵族乃至平民之内是有充分的民主的，从立国起到东罗马帝国灭亡为止，大约两千三百多年里，统治者个人的作用在罗马的政治格局中不如其他帝国那么重要，更多地是依靠制度和法律维系整个国家。与其他早期文明不同的是，罗马的法律更多的是基于理性，而不是风俗。当然，这些法律是在很长时间里相继完成的，与某个东方帝王在某天公布和推行一套法律的做法完全不同。从罗马建国，到具有标志性的《查士丁尼法典》的完成，前后历经千年。这期间颁布的各项法律都被称为"罗马法"，因此，罗马法不是专指一部法典，而是一系列的法律和法律文件。

在罗马国家形成的初期，和其他文明一样，它并没有明确成文的法典，虽然人们根据普遍的习惯或风俗解决纠纷，处罚犯罪，但是，因为这些习惯或风俗没有固定成文，有很大的伸缩性和不确定性。一旦执行起来，贵族会利用权势袒护自己的过错和罪行，而对平民则实行严峻的苛罚。为了改变这种不平等的地位，平民主动组织起来向政府施压，与贵族争夺权益。最终在公元前 454 年，罗马成立了立法委员会。在这样的背景

11
奥古斯都，原意为"至高无上的"，后来成为了屋大维的封号，再后来演变成罗马皇帝的代称。罗马皇帝的另一种称号为恺撒。

下，古罗马历史上第一部成文的法律文件《十二铜表法》（Law of the Twelve Tables）于公元前 450 年诞生了 [12]。这个年代正好是中国历史上奴隶制晚期三家分晋时代 [13]，而罗马的奴隶制才刚刚开始，这说明了两个文明在时间上的差距。《十二铜表法》共分为十二个部分，即十二表，每个表用青铜铸成，这部法律因此而得名。刻有法律条文的铜表在公元前 390 年高卢人入侵时被毁坏了，好在法律的内容在诸多古代著作中都有记载。这部法律的大致结构是这样的：

第一表 传唤和审判的流程；

第二表 审判（第一表的延续）；

第三表 债务赔偿；

第四表 家庭的父权；

第五表 继承和监护权；

第六表 占有和所有制权；

第七表 土地权；

第八表 伤害处罚和赔偿；

第九表 公众法；

第十表 宗教法。

法律原本到此为止，后来罗马人觉得漏了一些内容，在第二年（即公元前 450 年）又补上了两个表：

第十一表 对第一、第二、第三、第四和第五表的补充；

第十二表 对第六、第七、第八、第九和第十表的补充。

《十二铜表法》的很多内容借鉴了古希腊和其他文明的成果。这些法律条文，在今天看来很多是不合理甚至荒谬的，比如在关于家庭父权的第四表有一条规定："对于逆子，父亲有权将他处死。"显然处罚太重了。对于债务赔偿的法律规定，也颇为偏向债主。现在有些老赖动不动就丢下两句话："要钱没有，要命一条"，或者"来世变牛变马再报答"。

12
《十二铜表法》因为由青铜铸成而得名，公元前 451 年古罗马制定了其中的前十表，第二年又补充了两表，成为古罗马第一部成文的法典。

13
三家分晋是指中国春秋末年，晋国被韩、赵、魏三家瓜分的事件。三家联合灭掉了同为晋国四卿的智氏。公元前 403 年，周威烈王封三家为侯国。《资治通鉴》记载："周威烈王二十三年，初命晋大夫魏斯、赵籍、韩虔为诸侯……"。史学界以此作为东周时期春秋与战国的分界点。

这些无赖在古罗马可就得逞不了了，因为不需要来世，现世就能满足他们的要求。根据《十二铜表法》对于债务赔偿的规定，债务人若在一定期限内不能偿还债权人的债务，他将作为奴隶被拍卖（已经牛马不如了），或者由债权人处死（确实是"要命一条"）。不过，总体来讲，《十二铜表法》是人类文明的一个进步，因为法律既已成文，量刑定罪就以它为准了，在一定程度上制约了贵族的为所欲为。不过，当时贵族和平民之间仍有很深的矛盾，双方在立法权和法律内容的制定上进行了长达几个世纪的拉锯战，而这个过程本身，实际上就在不断地完善法律，使之能兼顾各个阶层的利益，日趋合理。

相比其他早期文明的法律如《汉谟拉比法典》，《十二铜表法》有了很大的进步。《汉谟拉比法典》是一部非常严酷的法典，比如它有这样的条款："倘若自由民指控另一位自由民杀人而不能证实，揭发者应处死"，其总的原则是"以眼还眼，以牙还牙"。相比之下，罗马法虽然也有很多严酷的规定，但是在早期文明的法律上来看，相对要理性得多。比如罗马法强调没有证据，任何人都不能被处死。另外，《十二铜表法》中还有很多与现代法律思想颇为相近的条文规定，比如同居一年以上即被视作事实婚姻。

罗马的司法制度也与其他文明有所不同。在古埃及和美索不达米亚的历史上，司法权掌握在行政官员和祭祀手里。而古罗马（和它的老师希腊）则实现了司法与行政的分离。法官不管行政事宜，只管司法。在早期，法官常常是兼职，比如通过抽签选出一批公民组成法官群体，这就是今天西方国家大陪审团的雏形。法官在裁判案件之前，并不直接接触案件，也不主动搜集或调查证据，只是根据诉讼双方提交的证据来判断哪一方所讲的是事实。法官们注重的是衡量双方的证据，确认事实，而不太考察动机，有犯罪动机而没有犯罪行为是构不成犯罪的（这和今天大部分国家的法律一致）。罗马后来设置了最高裁判官来处理民事诉讼，但并不插手调查，每每遇到重大刑事案件，法庭会指定一些人组成委员会，负责收集证据，寻找罪犯，并将嫌疑人提交法院进行审理裁断。

由于对法律的解释不断增加，也日趋复杂，诉讼双方当事人已经很难像《十二铜表法》刚刚诞生时那样自己就能对付整个诉讼过程，尤其是应对法庭上的辩论。因此，需要熟悉法律的人给予帮助。在罗马共和国末期到罗马帝国初期（公元前1世纪的后半叶），专门的辩护

图 5.4 古罗马的庭辩

人便应运而生了。再到后来，辩护人或者诉讼代理人就需要有专门的资格证明，表明他们在大城市里学习过法律，这才可以从事诉讼代理人的职业，这就形成了专业的律师行当。在罗马帝国之后的欧洲封建时代，封建领主（贵族和骑士）自己兼任了行政官和执法者，罗马辩论式的诉讼被封建领主的责问所代替，律师这个行业也就消失了。直到日后资本主义兴起，律师行业才重新得到恢复和发展。

第二节　罗马法的体系和法学的发展

罗马人在法律体系上的第一个创举，是将法律分为公法和私法。在古罗马以前，没有明确的公法、私法之分。

公法是针对危害公共利益的行为而设置的。对触犯了公法的人，由"公诉人"作为原告提起诉讼，然后由法官进行裁判。人类历史上的公诉人制度就是从古罗马开始的。而对于个人之间的纠纷，则用私法处理。私法又可以进一步分为人法和物法。

14
古罗马的公民包括
原本住在罗马的人
和在罗马出生的
人，随着罗马帝国
的扩展，它也接受
被征服地区（行省）
的贵族为公民。其
他人如对罗马有特
殊贡献，也可以成
为罗马公民，而最
简单的方法就是从
军。在古罗马，公
民有很多特权，比
如他们不能够被判
处死刑，除非他们
被控诉叛国罪。

所谓人法，就是对人的权利和义务的规定。根据罗马的法律，任何自由人，不论高低贵贱，都享有人格、权利，并须承担义务，从这方面看他们是平等的。当然奴隶不在被保护之列。所谓人格，是指每个自由民都有自由权、公民权和家族权。自由权很好理解，就是指每个人都有自己的自由和意志。公民权或市民权，主要是指选举权、被选举权、财产权和婚姻权等。公民权在早期是罗马公民[14]的特权，到了公元212年，卡拉卡拉（Caracalla，188－217）皇帝将公民权扩展到罗马境内的所有自由人。家族权则有点像中国五代时期规定的三纲五常中的父子关系和夫妻关系，而且与古代中国类似，父亲在家庭中有非常大的权力。不过到了罗马后期，家庭中的夫权逐渐消失了。

在罗马早期，人法的主体都是自然人（但并非自然人都是法律的主体）。不过，到了共和时期，罗马出现了很多的社会团体。一些法学家认为：这些团体也应该像人一样具有独立的"人格"；团体中的个人和团体本身是两回事；个人财产和团体财产应该分开，团体的债务不应该转嫁给团体中的个人。这样一来，团体似乎应该和自然人一样，成为法律的主体。到了帝国时期，"法人"的概念在罗马法律中开始出现，上述的团体在法律上被赋予独立的"人格"，人法适用的范围就从自然人扩展到法人。

随着罗马帝国在欧亚大陆的地位不断提高，来到罗马的外国人逐渐增加，罗马法中的人法又衍生出针对外国人的"万民法"，它是今天国际法的起源。

罗马法中的物法是私法的主体，它包括物权法、债务法和继承法等几部分。物权法的核心就是"谁的东西就是谁的"，这个道理今天很好理解，但是在刚刚从原始部落过渡到私有制社会时，所有权的概念是非常模糊的。罗马法明确指出，物品不再是分享的，而是具有所有权的，这个所有权归物品的主人拥有，他人不得分享。这实际上是从法律上保护了私有制。今天欧美国家的法律规定个人财产不可侵犯，就是源于罗马法。古罗马的债务法规定了债务的担保、履行和偿还等诸方面的细节。至于继承法，与我们今天的理解没有太大的差别。

古罗马的物法后来演变出契约和合同法，现代的契约概念就源于古罗马。在当时，契约的不履行被视为侵权行为，因此，大家必须遵守契约或者合同的规定。

法律的制定一般都会稍稍滞后于社会的发展。随着罗马的迅速扩张，各种不断变化的需求使得早期的法律已经无法完全覆盖现实。当然，一种解决办法是不断制定新法。但是，如果法律经常改来改去，其严肃性、权威性和一致性就会受到质疑。罗马法的诸多变化仍然是在传统价值体系下完成的。执政官并不重新修改法典，而是通过对法律条文进行新的解释或修订已有的法律来解决新的问题。罗马人确立了对传统法律的依赖以及对变动的谨慎态度，这种态度是今天西方国家建立法律体系的一个基本原则。无论是英美法系的代表国家美国，还是大陆法系的代表国家法国，在近代两百多年里都只有一部宪法，不会像前苏联，在十月革命后的六十多年里颁布了四套宪法。

对于法律的解释，最早是由执行官进行的，但是很快罗马人就发现这种司法与行政相混淆的做法容易形成集权和暴政，因此，后来在古罗马出现了专门解释法律的人。当然这些人的资格很重要。到了公元前27年，也就是中国历史上西汉与东汉交接的时代，奥古斯都大帝屋大维授予一些法学界人士所谓的"解答特权"，即凡享有该项特权的法学家的解答才具有法律效力。而既然他们的解释具有法律效力，法官就必须遵从。以后的罗马皇帝一直沿用这一办法。这样一来，司法权和行政权其实就互相分离了。在古罗马历史上，屋大维（即奥古斯都大帝）无论从任何角度来看都是划时代的人物。在他之前是共和时代，在他之后是帝国时代。在他之前的罗马历史富于传奇色彩，英雄辈出，但是社会其实并不完善，法律也不健全。而在他之后，罗马的历史少了传奇色彩和英雄人物，但是却进入了空前的繁荣时期，因为那时的罗马，个人作用已经被法律所代替。罗马法学的发展，基本上是在屋大维之后的事情。

说起罗马的法学，不能不提到屋大维时期一位杰出的学者西塞罗（Marcus

图 5.5　西塞罗半身像（收藏于意大利卡比托利欧博物馆，Capitoline Museums）

Tullius Cicero，前 106－前 43），他曾经担任过古罗马的执政官，在恺撒成为独裁者后，西塞罗对政治心灰意冷，便退隐回家著书立说。他在政治学、法学、哲学和修辞学上都颇有建树。法学上，他可以称作是罗马法的第一理论家，他的三卷法律专著《论法律》为罗马法提供了理论基础。

15

芝诺（Zeno）于公元前 300 年左右在雅典创立的学派。斯多葛学派认为世界理性决定事物的发展变化，个人只不过是世界的整体中的一分子。

西塞罗法学理论的出发点是斯多葛学派（Stoa）[15] 的自然法观念。他第一次明确而系统地阐述了自然法哲学的前提性观点："法律是自然的力量，是明理之人的智慧和理性，也是衡量合法与非法的尺度。"换句话说，也就是一切都要以法律为准绳。他强调法律是理性和永恒的——"法律乃是自然中固有的最高理性，它允许做应该做的事情，禁止相反的事情。当这种理性确立在人的心智之上并且得到实现，就是法律。"

在随后几百年里，西塞罗的学说和自然法精神对罗马法学的影响非常深远。在查士丁尼时期的重要法学论著《法学阶梯》中，我们能够找到自然法被嵌入罗马法中的条文。在《法学阶梯》中，罗马法被明确地区分为三部分：自然法、公民法和万民法。自然法是自然界"赋予"一切动物的法律，不论是天空、地上或海里的动物都适用，而不是人类所特有。比如自然法认为，传种接代是自然赋予的权利，因此产生了男女的结合，我们把它叫做婚姻，有了婚姻，从而也就有了抚养和教育子女的义务，这就如同母狮子要教小狮子捕食一样。欧美一些国家的环境保护意识和善待动物的传统，源于罗马法中的自然法原则。当然，自然法对罗马法的影响不仅仅因为它是罗马法中的一部分，正如 19 世纪英国著名的法律史学家亨利·梅因（Sir Henry Maine，1822—1888）所说："如果我们只计算那些肯定归属于斯多葛学派教条的法律条文数目来衡量斯多葛派对于罗马法发生的影响，这将是一个严重的错误。"[16] 西塞罗和自然法精神对于罗马法的贡献，在于给予罗马法的合理性一些基本的假设。这些基本假设被后人冠以"不言而喻的真理"，比如作为法律主体的人是平等的，每个人都有追求生命、自由、财产和幸福的自然权利。法律的一切规定都必须以这些"不言而喻的真理"为最高原则。1776 年，托马斯·杰弗逊在《独立宣言》开篇就讲："我们认为下面这些真理是不言而喻的：造物者创造了平等的个人，并赋予他们若干不可剥夺的权利，其中包括生命权、自由权和追求幸福的权利。"这里用的就是自然法原则——天地之间有一些"不言而喻的真理"。根据这些自然法原则，杰弗逊在《独立宣言》中一一列出了殖民地的人民应享有的独立权利。由此可见西塞罗学说影响力之深远。

在西方法学史上，西塞罗的《论法律》第一次系统地阐述了罗马法的本质和体系，西塞罗的思想直接影响了后来的罗马法学家，也影响了欧洲近代的启蒙思想家，为他们提供了天赋人权与分权学说的思想源泉。

从奥古斯都时代开始，法学家的地位在罗马得到了极大的提高。他们有的著书立说，有的协助皇帝立法和改革司法制度。在公元 1—3 世纪，罗马先后出现了五位非常著名的法学家，被称为五大法学家。[17] 他们发展了西塞罗的学说，著有大量法律专著。这些专著形成了罗马法完整的思想和理论体系，成为后来的法官解释法律的依据。到了公元 426 年，罗马皇帝狄奥多西二世颁布了《学说引证法》，规定以这五大法学家的著作作为解释法律的依据。如果这五位法学家著作中有矛盾之处，则以多数人的观点为准；如果分不出多数，则以伯比尼安的解释为准。他们的理论和对法律的解释，收集在后来东罗马帝国的查士丁尼大帝组织编写的《查士丁尼民法大全》中。

从哈德良（Publius Hadrianus Augustus, 76—138）[18] 开始的罗马历代皇帝，除了那些无道昏君，都热衷整理和汇编先前法学家的论著和著名法官的判例。公元 130 年，哈德良下令组织一个委员会整理和修订历代大法官

16
亨利·梅因：《古代法》沈景一译，商务印书馆 1959 年版，第 45 页。

17
他们是盖尤斯、保罗、乌尔比安、伯比尼安和莫迪斯蒂努斯。

18
奥古斯都之后罗马帝国五贤帝之一。

的告示和判例，并将它们编订成书，赋予永久的法律效力，这就是罗马法的《永久敕令》。公元 212 年，卡拉卡拉皇帝颁布了《安托尼努斯敕令》，给予所有在罗马帝国出身自由的人以完整的罗马公民权，后来美国和加拿大等国的移民法借鉴了这道法令。在随后的一百年里，罗马帝国的法学研究和法律编撰全面展开。到了公元三世纪末戴克里先（Gaius Aurelius Valerius Diocletianus，250—312）当皇帝时，虽然罗马帝国已经开始衰弱，但是汇编法典和法律文献的工作不仅没有停止，反而还在加强，直到帝国灭亡。这期间法律上的主要成就包括在戴克里先时期汇编了六部法典，总结了从哈德良皇帝到戴克里先执政期间的全部法律。

到了公元四世纪初，罗马城已经破落不堪，君士坦丁大帝干脆放弃了罗马，在欧亚大陆交汇地建立了君士坦丁堡，帝国的中心从此东移。一个世纪后，狄奥多西一世干脆把帝国一分为二，西罗马帝国以罗马为中心，日渐衰落。而东罗马帝国以君士坦丁堡为中心，正欣欣向荣。罗马法的发展也从西罗马帝国转到了东罗马帝国。到了公元五世纪中叶，东罗马帝国皇帝狄奥多西二世（Theodosius II，401—450）颁布了《狄奥多西法典》，这是当时最完善的一部法律，多达 16 卷。不过，罗马史上，乃至到工业革命之前，最为系统、规模最大的法律汇编是查士丁尼（Justinianus I，484—565）[19] 时代编撰的《查士丁尼民法大全》。

查士丁尼是东罗马帝国早期颇有雄才大略的一位皇帝，有点像中国历史上的汉武帝，是东罗马帝国在文治武功上数一数二的帝王。在军事上，他靠着一代名将贝利萨留的赫赫武功，

图 5.6　查士丁尼大帝的马赛克像

几乎恢复了罗马帝国全盛时期的疆土，再次将地中海变成罗马帝国的内海。当然，和很多帝王一样，在盛世的时候查士丁尼也喜欢修书，不过他编撰的是法律。

从罗马立国后颁布《十二铜表法》开始，历朝历代留下了大量的法律文件，既包括各项法令，也包括几百年来的法律判例，以及法学家对法律的解释。几个世纪以来，法律文件积累甚多，但是不同时代的文件会有矛盾之处，有些已经不合时宜，不同法官的判例也未必一致，以至于后来难以运用。查士丁尼找来大臣和学者帮他将罗马历史上的各种法律文件全部整理出来，统一编修，最终完成了一件影响了西方社会上千年的大工程，这就是《查士丁尼民法大全》。

这部法律大全分为四个独立的部分，第一部分是公元 529 年颁布的 12 卷《查士丁尼法典》。四年后（公元 533 年）他又颁布了《法学阶梯》，里面简要阐明法学原理，成为后世学习罗马法学原理的教材，因此后人也称之为《查士丁尼法学总论》。同时，这位皇帝还组织了十几位当时著名的法学家，对罗马历代著名法学家的著作分门别类加以整理，编成了《学说汇集》，又名《查士丁尼学说汇编》，在同年颁布。在查士丁尼去世的那一年（公元 565 年），法学家们又将《查士丁尼法典》完成后新颁布的 168 条新敕令汇编成集，称为《查士丁尼新律》。其主要内容属于行政法规，也有关于遗产继承制度方面的规范。这四个部分被后人统称为《查士丁尼民法大全》。它是关于罗马法最重要的法律文献，虽然是在西罗马帝国灭亡一百年后编修的，但是覆盖了整个罗马时期，尤其是帝国全盛时期的这种法律，使后人得以了解罗马古典时期的全貌。查士丁尼时期，正是欧洲奴隶制完结的时期，虽然他希望通过法典来延长奴隶制，但是，由于奴隶制已经不符合时代的要求了，他不得不在法律中写上释放奴隶的条文。

东罗马帝国在查士丁尼大帝时代靠武功得来的辽阔疆域，在他死后很快就丢光了，在历史上对东罗马帝国的统治几乎没有任何帮助，但是他主持编撰的法典却流传至今。在历史上，武功总是不如文治来得长久，而且文治在一个时代过去以后，多少会给世界文明留下一些宝贵财富。

第三节 罗马法的复兴和影响

西罗马帝国灭亡后，欧洲大部分地区进入了漫长的中世纪，也就是欧洲的封建时期。所谓封建，就是通过分封而建立起来的统治。虽然欧洲还有国王，但是地方的管理权实际上是交给了大大小小上千个封建领主，也就是我们常常在小说里读到的某某公爵、某某伯爵或某某骑士。这些封建领主在自己的领地内既是行政长官，又是司法者和执法者，而法律条文大多是这些贵族们立的私法。因此，在中世纪的欧洲，虽然奴隶制被消灭了，但是经济没有发展，政治上甚至是大倒退。英国著名作家狄更斯在《双城记》里描写的那两个邪恶的侯爵兄弟，就是当时那些为所欲为的贵族的代表，而当时社会上没有法律和公正可言。

在中世纪，宗教成了逃避现世苦难生活的麻醉剂。所有人在精神上都被洗脑，他们从一生下来就被告知，将来要受到审判，可能要下地狱，于是，一生都生活在一种来自内心的巨大恐惧中，唯一的出路就是死后能有个好的归宿。在中世纪人的眼里，现世是苦难的。不仅社会下层人士如此，贵族们也是天天生活在恐惧中，生怕自己将来受到审判后要下地狱，因此，当教会声称若将土地奉献给上帝，他们身上的原罪就能被免除时，他们毫不犹豫地将土地捐给了教会。到了中世纪后期，英国居然有四成左右的土地为教会所拥有。宗教作为最有势力的权力机构，不仅管人的灵魂，还掺乎世俗的事情，并且在很多时候拥有了司法权，以至于后来很多民主国家为了防止宗教干政，不得不把政教分离的原则写入宪法。

到了中世纪末，在几任教皇，尤其是格里高利七世的鼓动下，欧洲的基督教徒们进行了5次十字军东征。虽然从军事上讲，这是一场彻头彻尾的失败，但是客观上却打开了欧洲通往东方的大门。被封闭了几个世纪的欧洲人发现原来东方的世界比他们知道的要好得多。从西古罗马帝国灭亡后就中断了的东西方交流又恢复了起来，商业和手工业开始发展。而在作为东西方连接地的意大利，最早开始出现了资本主义的萌芽。威尼斯、佛罗伦萨、米兰和热那亚等城市共和国开始在意大利兴起，这些城市不受封建主的统治，它们更多的是由商人、手工业老板或者干脆就是由市民来管理，他们需要用法律治理城市，或者调停商业纠纷。于是，在意大利的各个城邦，掀起了重新研究和宣传罗马法的高潮。到11世纪末，意大利的博洛尼亚设立了以教习罗马法为主的法律专科学校，它的学生来自整个欧洲，这直接引发了全欧洲研习罗马法的热潮。起初，大家还只是以考证和解释罗马法为主，后来就逐步发展到要变通罗马法，让它与现实社会相适应。

到了18世纪，罗马法对法国的启蒙运动产生了重大的影响。法国著名启蒙思想家孟德斯鸠（Charles de Secondat Montesquieu，1689—1755）写下巨著《论法的精神》。在这部著作中，无论是分析的话题，还是使用的材料，都源自罗马法。他在著作的一开头就重述了西塞罗倡导的自然法原则的观点：

> "从最大限度的广义上说，法是源于客观事物性质的必然关系。从这个意义上推断，所有的存在物都有属于自己的法；上帝有他的法；物质世界也有它的法；高于人类的'先知圣人们'有着他们的法；畜类也有自己的法；人类拥有他们的法。"

在对法律普遍意义的认识上，孟德斯鸠接受了罗马法学家的主流观点，他在该书的"序言"中这样写到：

> "我确定了某些原则，并且看到某些特殊的情况符合这些原则；所有民族的历史也只是这些原则的引申而已；每一项特殊的法律都与另一项法律相联系，或是依赖于另一项更具普遍意义的法律。"

《论法的精神》一书被视为人权保护和确立三权分立原则的经典著作。孟德斯鸠的这些观点和结论，都深受罗马法的影响。在该书的第二卷中，孟德斯鸠重点论述了自由的概念、法律自由与政体的关系。他将国家政体的权力归结为三种，即立法权、行政权和司法权。他著作中所有的材料，除

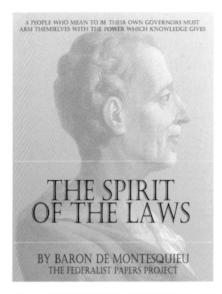

A PEOPLE WHO MEAN TO BE THEIR OWN GOVERNORS MUST ARM THEMSELVES WITH THE POWER WHICH KNOWLEDGE GIVES

THE SPIRIT OF THE LAWS

BY BARON DE MONTESQUIEU
THE FEDERALIST PAPERS PROJECT

图 5.7　孟德斯鸠和他的《论法的精神》，封面上引用了孟德斯鸠的名言"人民如果想自己做主，就要用知识武装自己"

了来自当时已经实行分权的英国的案例，就是古罗马的诸多案例。孟德斯鸠经过研究，指出了处理三者之间的关系的方法——"用权力制约权力"。

在第四卷中，孟德斯鸠重点论述了"天赋人权"的重要性。而他的理论基础来源于罗马法中的自然法原则。孟德斯鸠认为，人类的繁衍是人类社会赖以生存和发展的基础，因此，婚姻和生育应符合社会发展的需求，同时国家也应制定相应的法律法规保护人类的各种权利。

启蒙时代的另一位重量级思想家卢梭也深受罗马法的影响，他从罗马法中强调的法律主体（自由人和团体法人）的平等性，推广到人的平等性，即"法律的条件对人人都是同等的，因此既没有主人，也没有奴隶。"而为了做到这一点，首先要做到经济上的平等。卢梭认为"政府的最重要的任务之一，就是要防止财富分配的极端不平等。"[20]

20
卢梭：《论政治经济学》，商务印书馆，1962 年版。

当然，孟德斯鸠和卢梭的论著是现代西方政治制度和司法制度的理论基础，而不是法律本身。要真正复兴罗马法的精神，就必须从它出发，制定一部现代法律。在这个过程中，一位科西嘉人起了很大作用。这位身材矮小的法兰西高等军事学院（École Militaire）的学生，非常喜欢读书，尤其是历史书。有一次他在学校被关禁闭时，发现禁闭室里有很多关于罗马法的书，他便如饥似渴地读了起来，并且对书中的内容产生了浓厚的兴趣。十几年后，这位科西嘉人执政法兰西，他的名字让欧洲的君主们颤栗，他就是拿破仑。1800 年，他下令制定一部法兰西共和国的法典，后来这部法典以他的名字命名，被称为《拿破仑法典》。

拿破仑非常重视并亲自参与了法典的制定。由他任命的起草委员会在完成了民法草案的起草工作后，经过一系列的修改，最后提交参议院讨论。参议院共召开了 102 次讨论会，拿破仑亲自担任委员会主席并参加了其中的 97 次会议，且逐条审

图 5.8　拿破仑参加制定法律的讨论会

议了法典。在讨论会议上他常常引经据典，滔滔不绝地发言，这让著名法学家马尔维尔（Jacques de Malleville, 1741—1824）[21]、冈巴塞雷斯（Jean Jacques Régis de, 1753—1824）[22]、普雷阿梅纳（Bigot de Préameneu, 1747—1825）[23] 等人惊讶不已。法典最后经立法院通过，于 1804 年 3 月 21 日正式公布实施。当初这部法典之所以以拿破仑的名字命名，是因为拿破仑的军队打到哪里，就把这部法典带到哪里。虽然拿破仑在军事上的胜利在 1812 年就终结了，但是整个 19 世纪，欧洲依然是在拿破仑·波拿巴的影响下度过的，因为这部法典把资本主义制度从法国推向了全欧洲。在人们的印象中，拿破仑是以他的武功而名垂青史，但是他自己总结一生的成就，最为自豪的却是这部法典。1821 年，拿破仑在圣·赫勒拿（Saint Helena）岛病逝。临终前，他不无感慨地说道："我一生 40 次战争胜利的光荣，被滑铁卢一战就抹去了，但我有一件功绩是永垂不朽的，这就是我的法典。"

《拿破仑法典》采用了查士丁尼《法学阶梯》的结构体系，除序章外，共有三编 2281 条。三编的名称分别为：人法、财产及所

21
马尔维尔是罗马法专家，《拿破仑法典》四个主要起草人之一。

22
冈巴塞雷斯被认为是《拿破仑法典》的起草委员会的领导者，他当时是法国第二执政。

23
普雷阿梅纳是《拿破仑法典》四个主要起草人之一，时任司法部长。

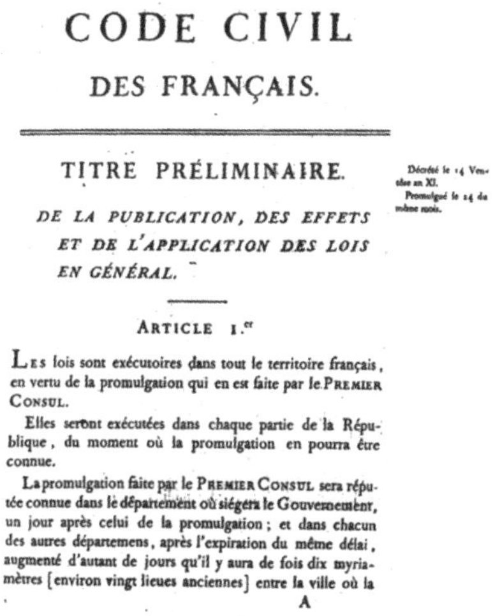

CODE CIVIL

DES FRANÇAIS.

TITRE PRÉLIMINAIRE.

DE LA PUBLICATION, DES EFFETS ET DE L'APPLICATION DES LOIS EN GÉNÉRAL.

ARTICLE I.er

LES lois sont exécutoires dans tout le territoire français, en vertu de la promulgation qui en est faite par le PREMIER CONSUL.

Elles seront exécutées dans chaque partie de la République, du moment où la promulgation en pourra être connue.

La promulgation faite par le PREMIER CONSUL sera réputée connue dans le département où siégera le Gouvernement, un jour après celui de la promulgation ; et dans chacun des autres départements, après l'expiration du même délai, augmenté d'autant de jours qu'il y aura de fois dix myriamètres [environ vingt lieues anciennes] entre la ville où la

A

图 5.9　拿破仑法典

有权的各种形态和取得所有权的各种方式。该法典的基本原则和罗马法非常相似，主要强调法律的主体平等、私有财产神圣不可侵犯、契约自由以及过错责任。

《拿破仑法典》奠定了今天大陆法系（欧洲大陆各国，以及世界上除英美以外绝大多数国家采用的法律体系）的基础，而它本身在很大程度上继承了罗马法的精神和很多条款。《拿破仑法典》后来成为欧洲很多国家进入资本主义社会时立法的参照系。在德国，罗马法一直被沿用到 19 世纪末期，而在 1900 年颁布的《德国民法典》也深受罗马法的影响。而日本和中华民国的法典又直接参照了《德国民法典》。从这个角度上讲，罗马人通过法律第三次征服了世界。

各种文明都有自己的法律，为什么只有罗马法对今天世界各国的社会和司法产生了全面的影响，而其他文明的法律没有做到？应该讲，各个文明的法律大多适合各自的发展要求，不过这些法律大多随着王朝的灭亡而终结。但是罗马法却与众不同，它有着很好的延续性，并且历经一千多年，在不断地发展和完善，日渐合理。第二，就要归功于深深浸透在其中的自然法原则了。

24
亨利·梅因《古代法》http://t.cn/StV8wL

亨利·梅因说："我找不出任何理由，为什么罗马法律会优于印度法律，假使不是有'自然法'理论给了它一种与众不同的优秀典型"[24]。在罗马法文献中，直接赋予自然法的情形并不多，但是自然法的精神浸润到了罗马法的深处。然而，若要进一步追问罗马法究竟如何体现了自然法精神，则颇需要费一番解释。

首先，罗马法不是立法者意志的体现，而是要符合自然的法则。这两点区别我们可以通过中国古代杰出的法学家商鞅在变法前游说秦孝公的过程看出来。《史记·商君列传》中有这样的记载：

"（鞅）乃遂西入秦，因孝公宠臣景监。以求见孝公。孝公既见卫鞅，语事良久，孝公时时睡，弗听。罢而孝公怒景监曰："子之客妄人耳，安足用邪！"景监以让卫鞅。

卫鞅曰："吾说公以帝道，其志不开悟矣。"後五日，复求见鞅。鞅复见孝公，益愈，然而未中旨。罢而孝公复让景监，景监亦让鞅。鞅曰："吾说公以王道而未入也。请复见鞅。"鞅复见孝公，孝公善之而未用也。罢而去。孝公谓景监曰："汝客善，可与语矣。"鞅曰："吾说公以霸道，其意欲用之矣。诚复见我，我知之矣。"卫鞅复见孝公。公与语，不自知跶之前於席也。语数日不厌。景监曰："子何以中吾君？吾君之驩甚也。"鞅曰："吾说君。以帝王之道比三代，而君曰：'久远，吾不能待。且贤君者，各及其身显名天下，安能邑邑待数十百年以成帝王乎？'故吾以彊国之术说君，君大说之耳。然亦难以比德於殷周矣。"

这段话大意是说，商鞅到了秦国，通过秦孝公的宠臣景监见到了秦孝公，两个人第一次见面，商鞅滔滔不绝地谈了很久，秦孝公听得索然无味，居然睡着了。之后，孝公骂景监："你推荐的人说话不靠谱。"景监把孝公的话转给了商鞅。商鞅说："我和孝公谈三皇五帝的

图 5.10　商鞅游说秦孝公

帝道，但是他不开窍。"过了一段时间，商鞅又见到孝公，虽然这次谈得好一些，但是孝公仍然没有打算用商鞅，并且让景监转告商鞅。商鞅说我上次和国君谈的是成汤、文王、武王的王道，他虽然喜欢但是不打算用。过了一阵子，商鞅和孝公又谈了第三次。这次，商鞅谈的是齐桓晋文的霸道，秦孝公听得津津有味，身体不自觉地不断向前倾，最后跌倒在坐席上。而且接下来他们又谈了好几天。

很显然，秦孝公的目的是富国强兵，称霸诸侯，对建立一个传说中的王道乐土（帝道的范畴）没有兴趣。后来，就有了大家熟悉的商鞅变法的

故事。商鞅制定的法律有很强的功利性，这些法律是秦孝公统治意志的体现，一切以强国为中心。这样，法律就成了政治和军事的工具，短期功效明显。因此，一百多年后，秦国就吞并了六国，统一了中国。但是，正如当初商鞅预料到的一样，秦很难超越周朝——"然亦难以比德于殷周矣。"[26]事实上，暴秦在统一中国后二十几年就灭亡了，它的皇室亦遭灭族。有人（尤其是儒生）将秦的暴政苛法归罪于商鞅，这并不公平。商鞅其实和同时代的古罗马法学家一样，看到了遵从自然法则建立王道乐土则国运必然长久的道理，只是秦孝公既没有这个耐心，可能也没有什么兴趣。

26
《史记·商君列传》

回到罗马人建立法律体系的原则和方法。他们没有像秦孝公那样，把法律作为开疆拓土的手段，而是从自然法的原则出发，坚持法律必须永远与公正、正义相符。这样才能中立地判断什么是对的，什么是错的，什么可以做，什么不可以做。在现实中，某件事情或行为是否符合公正和正义，不在于它是否符合统治者的意志（即实定法），更重要的是它是否符合于自然。与自然相符合便是自然的，因而也是正义的。这是罗马法明显区别于其他文明的法律最重要的特征。

其次，由于自然法的正义化身形象以及自然普遍存在的理论，导致了自然法在时间和空间上具有普遍性的结果。相比之下，体现或者部分体现统治者意志的实定法只局限于特定的地区和特定的人，比如《秦律》适用于以统一天下为己任的秦国，但是到了国家统一以后，那些严酷的法律就不适合了，它最终造成"天下苦秦久矣"的结果。而自然法则不同，它不受时间和空间的限制，不分种族、性别、财富、智力而适用于所有人，不拘是贵族抑或平民，自由人亦或奴隶，也不仅是现在如此，将来亦如是。在自然法下，现实中的种种差异都已被过滤，剩下的都是同样赤裸的平等灵魂。

由于自然法并不体现立法者的意志，人们可能会问：它是如何产生的？对这个问题，法学界有不同的看法。有人认为自然法产生于自然，也有人认为它出自于人之本性，还有人认为其源自人类对上帝的敬畏。但是有一点大家的看法是相同的，即认同自然法在来源上的先验性，也就是说，自然法属于无需经验或先于经验获得的知识，就如同几何学上的公理，是不证自明的。我们回顾一下上一章介绍的几何学的公理化体系，就会发现虽然人类对几何学的认识是从具体的图形、形状和度量开始的，但是在发展到一定阶段后，就由欧几里得把它给统一到一个公理化的体系中。基于这些不证自明的公理，就能演绎出整个学科。罗马法也是这样，在诞生之初，它是具体的法律条文，和其他文明没有太大的差别，但是罗马的法学家不断地寻求法律中那些永恒的原则，并且最终在自然法里找到一切法律中不变的基础。比如"在法律意义下，法律的主体（人和法人）是平等的"，比如"人有若干不可剥夺的权利，其中包括生命权、自由权和追求幸福的权利"，再比如"人（和法人）对私有财产的权利"，等等。根据这些类似"不证自明"的公理，演绎出完整的法律体系和新的法律条文。比如从人对私有财产的所有权这条"公理"，演绎出各种所有权法，包括后来的著作权法、专利法，等等。再比如，从法律的主体一律平等，演绎出近代的各种人权法案。

基于自然法的罗马法除了在体系上和基础上明显优于其他文明的法律外，在严谨性和完备性等方面也几乎无懈可击，这也是它后来被广泛采用的重要原因。比如，对于商品生产和交换的一切重要关系，如买卖、借贷等契约及其财产关系，罗马法都有非常详细、明确的规定，以致不必做任何实质性的修改，直接成为后世立法的基础。罗马法的内容和立法技术远比其他文明的法律更为详尽，它所确定的概念和原则具有措词确切、严格、简明和结论清晰的特点，尤其是它所提出的自由民在"私法"范围内形式上平等、契约以当事人之合意为生效的主要条件和财产无限制私有等重要原则，都是适合于资产阶级采用的现成的准则。因此，无论从法律的基础上讲，还是从逻辑性上讲，罗马法都堪比法律学中的"欧氏几何"。

马克思对罗马法的评价非常高，他一再强调，罗马法是奠基于私有制基础上最完备的法律形式，不是一般完备，也不是比较完备，而是最完备的法律形式。他和恩格斯在仔细研究了法国的《拿破仑法典》和德国的《普鲁士普通邦法典》，并且对比了英、美、法三国的法律与罗马法的关系之后，得出这样的结论：近代国家都是以罗马法为基础，把现代生活翻译成司法语言，才创造了像《拿破仑法典》这样典型的资产阶级社会的法典。

罗马法传到中国是在清朝末年，清政府当时锐意变革，从日本请来了法学教授，传授法学知识，特别是重点讲授罗马法。从这以后，罗马法对中国各个时期的立法也产生了重大影响。中国从 1949 年后共颁布了四套宪法，应该讲前三套与中国历朝历代的法律没有什么大的差别，改朝换代了就有新法，完全根据需要立法。第四套仔细读起来，已经有了很大的进步，多少能看到一点罗马法的影子，也就是说，法律本身该是什么样就是什么样。因此，第四套宪法存在的时间比前三套的总和还长。

除了法律和法学本身，罗马人在司法制度上的创造也沿用至今。今天，很多国家立法和司法都是相互独立的，并且独立于行政。写到这里，我们不能不说，法律和司法制度，是罗马人留给世界最好的文明成果。

结束语

罗马法历经数千年，其间尽管命运多舛，但它对今天的法律依然有着很大的影响力。罗马法在理论上的合理性来自自然法，它也为今天世界各国的法律提供了理论上的一个脚注。自然法描绘了一种公正和正义的理想图景，在它的指引下，人类从野蛮走向文明。虽然在现实生活中，它未必能够完美地实现，但它提供了一种用于评价国家法律和限制政府权力的普遍性准则。

图 5.11　今天看到的古罗马的遗迹，昔日的辉煌已经不再

古罗马人和罗马帝国都已不复存在，标志着古罗马物质文明的万神殿、斗兽场和凯旋门只剩下了破损的遗迹。但是，我们今天依然能深深体会到罗马人对文明的贡献。他们取得了辉煌的科学和工程成就，为今天的民主制度奠定了基础。尤其重要的是，他们制定的罗马法为今天包括中国在内的大部分现代国家的法律提供了理论依据和参考。罗马法是古罗马人对世界最大的贡献，它所蕴涵的人人平等、公正至上的观念，具有超越时间、地域与民族的永恒价值。

附录　和罗马法有关的大事年表

前 8 世纪，　　　　罗马诸部落在今意大利地区定居

前 753—前 509，罗马王政时期，元老院成立

前 509—前 27，　罗马共和时期

前 450，　　　　十二铜表法诞生

前 106—前 43，　西塞罗生平，罗马法被赋予自然法的基础

前 27—476，　　帝国时期

前 27，   屋大维被授予奥古斯都的尊号，成为罗马皇帝，他赋予法学家解释法律的权利，将法律的解释独立

1—3 世纪，   罗马五大法学家生活的年代，他们的法律著作后来成为解释法律的依据。

130，   哈德良将历代大法官的告示和判例编订成书《永久敕令》，赋予永久的法律效力，这成为世界上最早的判例法律

212，   卡拉卡拉颁布《安托尼努斯敕令》，给予所有在罗马帝国出身自由的人完整的罗马公民权，这成为后来很多国家移民法的依据

438，   狄奥多西二世颁布了《狄奥多西法典》，这是工业革命前最完善的法典

285—1453，   东罗马帝国时期

529—565，   查士丁尼颁布《查士丁尼民法大全》，成为罗马法最重要的文献

1804，   采用罗马法结构的《拿破仑法典》颁布

1900，   德国采用罗马法结构的《德国民法典》颁布

参考文献

1   十二铜表法 .http://t.cn/8FEuQSQ

2   彼德罗・彭梵得 . 罗马法教科书（第二版）. 黄风，译 . 中国政法大学出版社，2005.

3   埃米尔・路德维希 . 拿破仑传 . 郑志勇，译 . 陕西师范大学出版社，2009.

4   孟德斯鸠 . 论法的精神 . 许明龙，译 . 商务印书馆，2009.

5   Simon Baker. 古代罗马（*Ancient Rome: The Rise and Fall of An Empire*）.BBC Books，2007.

第六章　人造的奇迹

瓷器

在中国几千年的文明史上，没有任何一种商品能像瓷器那样，改变世界的政治文化和人类的生活。因此，中国被称为"瓷器之国"毫不过分。瓷器是彻底的人造物，它和金属、玻璃（包括水晶）这些东西不同，在自然界是找不到的。它完全是人类活动的结果和文明的标志。

第一节　陶和瓷

我们经常讲陶瓷，其实陶和瓷是两种完全不同的东西，虽然它们多少有点关联。陶器的历史比瓷器要长得多，它不仅是人类文明早期就开始使用的器皿，而且各个文明都独自制造出了陶器。瓷器则不同，它的发明需要很多机缘巧合和技术的准备，它是中华文明成就的集中体现。不过，要介绍瓷器，还要先从陶器说起。

当人类走过茹毛饮血的发展阶段后，便需要用盛器来装水和食物，并储存粮食。最早的盛器可能是一片芭蕉叶，一个瓢，一片木板或者贝壳，甚至是鸵鸟蛋壳（古巴比伦）。但是这些天然的盛器既不方便，也不耐用。我们的祖先在无意之中发现粘土经过火烧之后会变得坚硬而结实，这样，陶器便应运而生。

1953 年，在西安东北部的半坡村，发现了距今七千多年的新石器时代仰韶文化一个村落的遗址。在那里出土了大量的陶器，从储存粮食的大罐，

图 6.1　人面鱼纹彩陶盆（现收藏于中国国家博物馆）

到日常使用的锅碗瓢盆，等等。其中最精美的当属人面鱼纹彩陶盆（如图6.1所示），它的尺寸和今天的脸盆差不多，这便是远古陶器的代表作了。在中国西北，从众多的遗址和墓葬中仍能找到大量的陶器。

遗憾的是，在中国没有文字记载或其他的描述告诉我们这些陶器是如何制作和烧造的。不过没有关系，在人类的第一个文明中心埃及，保留了大量的壁画，壁画上描绘了古代陶器的制作过程。更让我们兴奋的是，由于全球发展的不平衡性，有些偏远地区至今还在按照古老传统的陶器制作工艺来烧造陶器。这让我们有机会真实地了解到人类远古祖先烧制陶器的过程。

在印度尼西亚日惹（Yogyakarta）地区的农村，人们的生活和埃及壁画中描绘的五千年前古埃及人的生活颇有相似之处。当地人需要用器皿盛水和装食物，因为粘土随处可见，而且便于成型，所以它成了制作器皿的首选原料。美国探索频道的记者在当地的巴亚特（音译）村看到了原始陶器的烧制过程，器皿成型后，被放在火中露天烧制。烧制的方法很简单：将泥皿堆在柴火上，然后用瓦片盖好，点燃柴火即可。这种烧制方法只能达到摄氏六百至八百度，而且温度不均匀，烧制出的陶器不是很牢固，还容易在水中溶解。而附近的一些村庄（如卡索根村，Kasongan），烧制陶器的方法要高明得多。他们用粘土搭了一个一米多高的炉子，将泥皿放在炉子中烧制，这样不仅可以提高炉温，而且温度要均匀得多，出炉后的陶器内部应力较小，陶器也因此变得结实很多。在埃及卢克索帝王谷的壁画中，人们记录了烧制陶器的过程，这和今天巴亚特村的非常相似，只是所用的炉子更高大。

如前所述，除了粘土，陶器的质量还取决于烧制的温度和炉温的均匀程度。我们前面提到美索不达米亚的赫梯人，他们不仅最先使用铁器，也最早烧制出高温陶器。早在公元前 14 世纪，他们就能将烧制陶器的炉温提高到1100 度（否则无法冶铁），在这样的温度下，陶土颗粒结合得更紧密，烧制的器皿不仅结实而且可以做得相对轻巧。今天，在很多大博物馆中，我们都可以看到这些从美索不达米亚出土的几千年前的陶器。它们制作精美，历经几千年，依然完好地保存了下来。

图 6.2　赫梯人制作的陶罐

制作高质量陶器的另一个关键是要保持炉温均匀。在烧制过程中，陶器会收缩，如果炉温不均匀，有些地方收缩得多，有些地方收缩得少，这样就会产生内部的应力。我们知道，岩层的应力最终会导致地震，而陶器内的应力就像一个定时炸弹，一旦陶器受到来自某个方向不大的外力，就会破损。陶器越大，炉温不均匀带来的问题就越大。这个问题解决得最好的国家就是中国。虽然中国并没有这方面技术的记载，但留下了这项技术的大量物证——兵马俑和秦砖。

大家所熟知的秦陵地宫兵马俑是陶俑，其尺寸基本上是真人大小。这些陶俑并非整体烧制而成，而是一个部件一个部件烧制后，再拼装成人形。陶俑烧成后，体积大约缩小了 20%，因此在烧制过程中必须做到粘土成

图 6.3　兵马俑刚出土时是彩色的，但是由于色彩不是烧制在陶俑的表面而是绘制上去的，一旦出土，便迅速氧化褪色，变成土灰色

分一致，而且窑火要非常均匀，才能保证各个部件收缩率相同，在烧成之后配合得天衣无缝。在全世界同时期出土的陶器中，没有比兵马俑更精美的了。如今的各种兵马俑仿制品，与原作相比只能用粗制滥造来形容。

我们常说的秦砖汉瓦，指的是非常古远的两种优质建筑材料。其实秦砖不同于我们今天盖房子用的砖头——它的体积要大得多，可以长达一米多，而且是空心陶砖。秦砖非常坚固，很多秦砖用于铺台阶，经受多年踩踏，依然完好无损。要烧制这么大的陶器，窑火的温度一定要均匀，否则就会有裂缝，而且不结实。今天无人知道当时的中国人是如何做到的，但是从结果来看，中国人的确做到了。另外，从年代和地点上讲，秦砖并非专指秦朝或者秦国的陶砖，而是泛指先秦时代中国各地制作的同类空心陶砖。这类砖在战国时期的很多地区都有发现，说明当时全中国烧制陶器的技术已经非常高超。

图 6.4　古希腊陶器（作者摄于纽约大都会博物馆）

同一时期，古希腊的烧陶技术也非常高超。古希腊人将绘画艺术和陶器的烧制结合在一起，留下了很多精美的陶器。此外，古希腊人还发明了分三次烧制的工艺流程，可在同一陶器上烧出红黑相间的颜色，历经几千年也不会褪色。他们首先做好陶胚，然后用颜料画上图案。在第一次烧制时，他们将温度升到 800 度，这

样整个陶器和颜料部分都呈红色，有点像今天的红砖。第二次烧制时，升到 950 度，整个陶器全部呈黑色。第三次温度再降回到 800 度 [1]，这时颜料部分依然呈黑色，而陶器其他部分呈红色。

1

当时的希腊人并没有记载这些温度，这些温度是根据今天实验结果倒推出来的。

但是无论是希腊人还是中国人烧制的陶器，即使再结实，再美观，也无法克服陶器本身的诸多先天不足。首先就是密水性不好。如今日常生活中使用最多的陶器恐怕就是花盆了，之所以用像瓦片一样的花盆养花，就是因为它能渗水透气。但是，如果用来装水或盛汤，渗水这个特性就让人很不舒服了。虽然古代几个发达的文明国家都试图解决这个问题，比如古埃及人在陶器烧制前往土坯上涂抹一层甘蔗汁，但是防水的效果有限。陶器的第二个重大缺陷就是强度不够，不仅厚重而不好用，而且易碎。因此，在古代，无论是埃及、希腊还是中国，王公贵族们并不使用陶器饮酒吃饭。

在埃及卢克索拉美西斯二世的神庙里，墙壁上的壁画描绘了他向众神敬献美酒和食物的场面。从壁画中可以看出，他使用的是精美的石器，虽然当时古埃及早已使用陶器上千年了。石器餐具的制作，如同中国后来帝王用的玉碗、玉碟一样，既费时费力，又不可多得。在古波斯也是类似，向大流士进献食物用的碗也是石头制作的（如下图所示）。

在古希腊，贵族们通常使用银器（甚至是金器）来做餐具。在相当长时间里，古罗马白银的主要用途也是制作餐具。即使到了今天，美国中产之家（不包括第一代移民）多多少少都有些银质餐具，一个家庭拥有一两公斤的银

图 6.5　侍从们用石碗向大流士国王进献食物（图片来源：伊朗百科项目 [2]）

2

Encyclopædia
Iranica, 网站 www.
iranicaonline.org

图 6.6　美国中产之家标准的银质器具（包括咖啡壶、茶壶、牛奶罐、茶叶罐和糖罐）

器毫不奇怪。而刀、叉、勺这些餐具在英语中仍被统称为银具（silverware），尽管早就不是银质的。很显然，在古希腊和古罗马，银器并不适合广大平民使用。中国的情况我们比较清楚，王公贵族用的是青铜器，虽然到了汉代有一阵使用漆器，但依旧采用青铜器的造型。全世界都需要用一种更好的盛器取代陶器，这就诞生了东方的瓷器。

第二节　上天的眷顾

从陶器到瓷器的飞跃，最初的动机是为了改进盛器的缺陷，尤其是陶器的密水性问题。现在我们知道瓷器的密水性来自于两个方面，即材料本身的差别和外部的釉质。但是古代的人们却不知道这些。历史上很多技术的发明是可以说是"踏破铁鞋无觅处，得来全不费功夫"，完全是意外发现的。上釉技术源于美索不达米亚文明，早在公元前一千年甚至更早就已发明。往返于沙漠的商人无意中发现，沙子和盐（或者苏打）一起加热到 1000 度[3]时，就会变成半透明的糊状物，当它冷却下来，就可以在物体的表面形成一层光滑的釉。釉有玻璃的属性，既美观又防水，因此，新巴比伦的工匠们就想到了在陶器泥皿的表面涂上一层细砂、苏打和石灰，然后再进行烧制。这样陶器的表面就带上了一层釉。中东人掌握上釉的技术比中国早了上千年，但是当时的上釉技术并不成熟，在陶器上烧制出来的釉面既不密实，也不牢固，水照样从釉的缝隙中渗透。因此，新巴比伦人放弃了这种吃力不讨好的尝试，干脆将这项技术用在建筑材料——釉面砖的制造上。他们烧制的釉面砖有点像中国的琉璃瓦。当时除了穷人，大多数人家的房子都用这种釉面砖装饰，其中保留下来

3
这个温度也是根据今天的实验倒推出来的。

图 6.7 新巴比伦城门，又称为伊斯塔门（Ishtar Gate），保存在柏林佩加蒙博物馆

的最漂亮的建筑当属著名的巴比伦城门，又称为伊斯塔门。这座城门高约 14 米，宽度超过 30 米，今天保存在柏林佩加蒙博物馆里。整座城门是 2600 年前彩色釉面砖构建而成的杰作，宏大而精美。蓝色的釉面砖组成了城门深邃而亮丽的基色，上面整齐排列着许多金色的雄狮与骏马。

除了巴比伦城门，新巴比伦留下来的釉面装饰非常之多，尤其是雄狮的图案，这种釉面砖的狮子图案，今天成为了新巴比伦的象征，在世界许多大博物馆中都可以见到。

图 6.8 巴比伦釉面砖墙（收藏于纽约大都会博物馆）

新巴比伦人发明了上釉的技术，并且被后来的波斯人发扬光大，但是整

个中东地区始终没有能发明瓷器。这项技术也传到了古埃及，在埃及法老图坦哈蒙的黄金面具上镶嵌着闪着玻璃光泽的釉面，但是古埃及人也没有造出瓷器。这不是因为他们的文明不发达，而是缺少烧制瓷器的另外两个必要条件——高岭土和大量的燃料。而上天把这些条件给了中国，让瓷器最终在中国诞生。

4
华盛顿的弗瑞尔美术馆（The Freer Gallery of Art）和赛克勒博物馆（The Arthur M. Sackler Gallery）合称为美国国立亚洲艺术博物馆。

图 6.9 在安阳出土的殷商后期的白陶罐，做工精细，纹饰优美（收藏于美国国立亚洲艺术博物馆）

中国人在发明瓷器之前，制作过一种特殊的陶器——白陶，这种陶器加上后来的上釉技术，最终导致了瓷器的诞生。今天，这种早期的白陶在中国已经不多见了，但是在华盛顿的美国国立亚洲艺术博物馆[4]里仍能见到。在那里陈列着许多亚洲的文物，包括各个国家的陶器，而来自中国的一些陶器与其他国家的陶器有着本质的不同，因为它们不是用一般的粘土烧制的，而是用一种叫高岭土的原料制成的，这就是白陶。白陶早在中国的商代就有了，但是它依然是一种陶器，不是瓷器，虽然它的原料和后来的瓷器一样。

烧制白陶的高岭土又称瓷土，因景德镇高岭山的瓷土质量最优而得名。高岭土的名称虽然带个土字，但其实不是土，而是一种矿石，由花岗岩风化形成，主要成分是二氧化硅（石英，即水晶）和三氧化二铝（刚玉）。高岭土矿石被采集下来后，粉碎成非常细致的粉末。在中国古代，高岭土的加工非常麻烦，首先要用类似于舂米的舂子在石缸里把它们舂碎，然后经水洗过滤，得到比面粉还细的粉末。高岭土其实并不是什么稀罕物，在世界上的分布非常广，今天随处都可以买到，而且很便宜。但是在古代乃至近代，高岭土可是宝贝。

由于高岭土是一种储存在岩石之间的矿，早期的各种文明要么当地没有高岭土矿，比如古埃及和美索不达米亚；要么就

图 6.10　从美国手工店（Michaels）购买的高岭土，它比面粉还细致

没有发现，比如欧洲。因此，中国成了唯一一个发现并使用高岭土的早期文明。美洲倒是世界上高岭土储量最丰富的，但是那里的文明落后欧亚大陆几千年，使用高岭土自然是不可能的。人类的文明进程常常得益于地理条件和环境。正如尼罗河三角洲温暖的气候和肥沃的土地造就了古埃及的农业文明，美索不达米亚三大洲交汇的特殊位置让它成为了人类最早的商业和贸易中心一样，上天也同样眷顾着中国，给了中国丰富的高岭土和充足的燃料——大片的森林。这也是为什么世界上各个文明都很早地掌握了制陶技术，但除中国之外的其他古代文明未能烧制出瓷器的原因。

烧制瓷器需要三个条件：高岭土、高温和上釉技术，缺一不可。在美索不达米亚地区，新巴比伦人掌握了后两项技术，但是缺少第一个条件；而在中国，尽管陶工们在三千多年前就掌握了用高岭土烧制陶器的技术，并且在接下来的一千多年里，不断研究它的特性，改进工艺，但是因为窑的温度不够高，同时也没有掌握上釉技术，因此烧出来的是陶器，而不是瓷器。

虽然新巴比伦人很早就发明了上釉技术，但是或许是因为远隔大漠和崇山峻岭，这种技术在长达一千年的时间里也没有能传到中国，虽然在当地已广泛应用于建筑，并传入古埃及。中国工匠掌握上釉技术先是靠一些意外的发现，后来是独立找到了上釉的技巧，和美索不达米亚文明无关。到了西汉时期，铁器已经在中国广泛使用，说明那时火炉的温度可以提升到

1100 度以上了。到了东汉末年，中国陶器的烧制温度普遍达到了这个水平。在这个温度下，奇迹终于发生了。

某一次烧窑时，熊熊的火焰将窑温提高到了 1100 度以上，这时，一个偶然的意外发生了，烧窑的柴火灰落到陶胚的表面时，与炙热的高岭土发生化学反应，柴火灰的作用相当于中东陶工用的苏打或者盐，它能使石英在高岭土陶胚的表面形成一种釉面。这种上釉方法后来被称为自然上釉法。当窑主和陶工们在几天后打开这个窑，看到因柴火灰溅落而形成的有斑斑点点釉色的陶器时，不知道他们当时是懊恼还是惊喜——坦率地讲，这样的釉面并不十分美观。这种自然上釉法的古瓷或者古陶器今天已经很难找到了，我找了很多博物馆，才见到一件日本江户时代自然上釉的陶器仿品（如左图所示），从图片看，它确实很不漂亮。如果陶工们因此而懊恼，一点也不奇怪。

图 6.11　日本 19 世纪烧制的自然上釉的陶器，釉面的厚薄和色泽都不均匀

但是，窑主和陶工们很快就发现，这种釉可以防止陶器渗水。而且或许有人真的喜欢这种流光溢彩的釉面，陶工们显然希望这种奇迹再次发生，烧出一批表面完全覆盖了釉面的精美陶器。不过，这种靠自然上釉得到彩陶的成品率实在是太低了。这时，中国陶工们的聪明才智就显示出来了。他们很快找到了产生这种偶然意外的原因——由柴火灰溅到高岭土的陶胚表面。既然柴火灰可以让陶胚包上一层釉，何不在烧制前主动将陶器浸泡在混有草木灰的石灰浆[5]中呢？我们不知道这个好点子是谁想出来的，他或许是一位普通的陶工，或许是个窑主，不管怎样，想必他是一

5
釉药中主要成分有氧化钙，钙和石英结合可以防止渗水。

位勤劳而聪明的中国人。当然，第一次涂上草木灰浆烧制的陶器未必成功，或许经过了很多次烧制，陶工们才熟练掌握了其中的技巧，或许经历了很多代人，但结果是，中国人发明了一种可控的上釉方法——草木灰上釉法。

如果说陶工们注意到自然上釉的现象还只是一个发现，那么草木灰上釉法则是一个有明确目标的主动发明。这是一项伟大的发明，在人类发明史上，其作用不亚于我们常说的中国四大发明，因为它解决了一个困扰人类几千年或许上万年的问题——怎样让烧制出的器皿不渗水。它在随后的一千多年里将继续改变世界。我们有时说到发明和创新，必言乔布斯，必言爱迪生和福特，但是相比之下，发明这项上釉技术的人（而且很可能是一批人）更伟大，值得每个炎黄子孙引以为荣。他们当时可能没有意识到这项发明的重要性，然而，它改变了世界的文明史。

在 1100 度左右的温度下烧制出来的仍然是陶器而不是瓷器。陶器和瓷器有本质的区别，只要将两者打碎，比较断面就能看出：陶器的断面还呈颗粒状，用一个铁钉子刮一刮它还会掉渣，因为陶器内部的高岭土粉末虽然粘连在了一起，但是它们只是粘在一起的细小颗粒，不是一个整体。如果放在高倍显微镜下看，它们就像是一个个焊在一起的小钢球，而不是一块铁板。但是瓷器就不同了，它的断面是整齐的，而且用铁钉根本划不动。因此，要烧制出瓷器，炉窑的温度还得升高。

从东汉末年到隋唐，中国人的陶器烧制技术不断提高。当窑内的温度到了 1250－1300 度时，奇迹再次出现：高岭土坯呈现出半固态、半液态的质态。高岭土内部的分子结构发生了根本的变化，原本的粘土颗粒完全融在了一起，形成了一种像晶体式的结构，等冷却下来时，就形成了瓷器。在显微镜下观察瓷器断面，它像铁板一样，是完整的一块，因此，它的强度要比陶器高得多。正因为如此，瓷器可以做得很薄，加上它有半透光性，看上去温润如玉。

中国最早的瓷器出现在什么时候，至今仍有争论。过去一直认为应该是

6
社科院学者王仲殊（1982 年）声称，早在东汉已经有瓷器了。但是法国陶瓷专家理查德·杜瓦（Richard Dewar）（2002 年）则认为真正的青瓷烧制炉温至少需要 1260 ℃，并且经过降火过程，这些直至北宋（960—1127）初期才被发现。另外，个别瓷器的发现可能是偶然烧制而成的结果，并不说明有了批量生产的技术。

7
Adshead, S.A.M. (2004). T'ang China: The Rise of the East in World History. New York: Palgrave Macmillan.

在隋唐，但是后来出土的一些早期瓷器证实，在三国魏晋时代中国应该已经开始生产瓷器了，虽然那些瓷器的质量不高。1970 年在浙江金坛县一处西晋墓葬出土了一件青瓷扁壶，说明在西晋时期已有少量的瓷器了。至于瓷器产生的年代是否更早，以及最早的介于陶器和瓷器之间的器皿到底算陶器还是瓷器，海内外学者观点各不相同[6]。汉学家、《世界史上的中国》（*China in World History*）一书的作者西蒙·亚德里安·阿谢德（Samuel Adrian Adshead）倾向于认为规模量产的瓷器制作始于唐代[7]，因为后来出土了很多那个时代的越窑瓷器。但即使在唐代，陶器仍然占主导地位。当时最有名的陶器当属唐三彩了。而瓷器的普及，则要到北宋时期。

烧制瓷器的几个关键要素：高岭土、上釉技术和高温，中国都已具备了，要量产瓷器，就需要大量的燃料。上天不仅赐给了中国丰富的高岭土储备，还给了中国广袤的森林（至少在 500 年前依然如此）。因此，瓷器由中国人发明，并且垄断近上千年，似乎是老天对中国特殊的眷顾。中东地区由于缺乏高岭土和燃料，从三千多年前发明高质陶器后，几千年来在制陶技术上都没有突破，今天依然在烧制陶器。当然，光靠老天爷的眷顾是无法让中国人在瓷器上领先和垄断近千年的，中国人的聪明才智以及中国古代的科技水平在瓷器制造上得到了很好的体现。

为了大批量生产瓷器，需要修建能够达到高温的大型瓷窑。生过火的读者都知道，无论是扇子还是鼓风机都可以让火烧得更旺，因为这样能及时补充氧气。当然，另一个办法是修建一个高高的烟囱，它能起到同样的作用，将外面的空气吸进炉膛。在中国南方，瓷器工匠们想出了一个更好的方法，他们利用南方多丘陵的地势，将瓷窑依山而建，这些瓷窑通常有几十米长，高处比低处能高出 10 米左右，作用相当于高高的烟囱，这样能让体积很大的瓷窑长期保持高温。这些发明在当时的意义远远超过建立一个现代化的炼钢厂，因为没有这样的技术，瓷器很难量产。中国古代的这些瓷窑相比古埃及和中东地区的小炉窑，就相当于现代化炼钢厂相比 1958 年中国农村建的土高炉。在接下来的近千年里，中国不断改进炉窑。正是靠这样的"高科技"炉窑，中国生产出了大量的瓷器，并且传播到世界各地。

第三节　宋代青瓷

喜欢收藏瓷器的朋友都知道，瓷器有青瓷和白瓷之分，当然还有不常见的黑瓷。青瓷和白瓷本质上并无太大差别，主要是高岭土中的含铁量不同。高质量的高岭土是纯白色的，但是天然的高岭土或多或少都含有杂质，杂质的成分主要是铁，当然也会混有少量其他金属氧化物。高岭土中的氧化铁在烧制过程中被还原成氧化亚铁。氧化亚铁本身呈黑色，因此，如果高岭土中含铁量过高，陶瓷就呈黑色。如果能将铁元素完全去除，烧出的陶瓷就呈白色，而如果介于两者之间，陶瓷就呈青色或者黄绿色。青瓷的出现比白瓷早了好几百年。早期人们不知道如何去除高岭土中的杂质铁，因此烧出的陶器不够白。如此说来，青瓷似乎多少有点缺憾，但是中国人恰恰利用了这点缺憾制造出了非常富有美感的瓷器。

青瓷的制作在唐代已经很成熟了，其代表是浙江上林的越窑瓷器[8]。唐代诗人陆龟蒙曾经用"九秋风露越窑开，夺得千峰翠色来"来赞美越窑青瓷。青瓷器皿在那个时代是非常珍贵的。上个世纪八十年代，在重修陕西名刹法门寺时，发现了两千多件地宫宝藏。那是唐朝皇帝进献给佛祖最贵重的宝物，包括印度的象牙制品、中亚的金器等，而当中放着的"秘色八棱净水瓶"就是越窑青瓷里的上品。这说明在当时唐朝皇帝的看来，青瓷器皿比黄金、象牙还贵重。

[8] 对于古代瓷器的命名，大多来自窑址的地理位置，越窑顾名思义，来自唐代的越州，即今天的浙江东南部。

图 6.12　陕西法门寺地宫宝藏秘色八棱净水瓶

真正意义上的白瓷出现在隋代。早期的白瓷依然无法彻底去除瓷胎铁质，因此窑工们常常在瓷胎表面先涂上一层妆土，来掩盖瓷器的杂色。到唐代中晚期，工匠们已经能将胎质中的铁去除得比较干净了，这种施以妆土的做法才渐渐消失。唐代白瓷的制作中心在中国北方的邢州，与南方的越州形成了南青北白的对峙局面。或许是因为白瓷出现得较晚，接受程度不如青瓷，在当时比较有代表性的观点是"邢不如越，白不如青"。但是，白瓷最终在世界历史上扮演了更重要的角色。

虽然唐代的瓷器已经传到日本和东南亚一些国家 —— 日本今天茶道的用具和唐代出土的茶具颇有相似之处，但是，瓷器真正走向全世界并且影响世界文明进程是从宋代开始的。

根据费正清和大多数海外学者的观点，宋朝是中国经济发展的高峰。加上宋朝历代皇帝重文轻武，客观上造就了文化的繁荣和艺术的发展。宋朝开始了文人画，文人们的审美修养和境界都非常高。在这样一个大环境下，宋朝人烧制出了极有品位的高质量瓷器。这些瓷器，在世界史上的地位堪比从路易十四到二战前夕法国的奢侈品。瓷器的制作在北宋达到了第一个高峰，最具有代表性的是被称为汝、官、哥、钧、定的宋代五大名窑，而其中又以汝瓷最为珍贵。

汝窑因产地在河南省的汝州而得名，它位列五大窑之首有两个原因。第一是质量上乘而且稀有，第二是漂亮而精致，符合文人的审美。先说说它的稀有性。汝窑建造于北宋末年，实际上是为宫廷服务的瓷窑之一。南宋人叶寘在《坦斋笔衡》中记录："本朝以定州白瓷器有芒，不堪用，遂命汝州造青窑器，故河北、唐、邓、耀州悉有之，汝窑为魁。"因此，汝窑又被称为汝官窑。而正因为是供给宫廷使用，所以汝窑瓷器质量上乘，胎薄而坚。可惜的是汝窑瓷器的烧制时间非常短，前后不过二十多年，而且产量很少。汝瓷在南宋时期已经一器难求了，而流传至今的，全世界不到百件，其中大部分保存在海峡两岸故宫博物院、大英博物馆和伦敦戴维德中国艺术基金会[9]。笔者有幸在海峡两岸的故宫博物院和大英

9
戴维德中国艺术基金会（Percival David Foundation of Chinese Art）是世界上收藏中国瓷器最多的博物馆，收藏宋、元、明、清瓷器1700多件。

博物馆见到过十几件。不了解瓷器的人第一次见到汝窑瓷器，未必能留下什么深刻印象，因为它的色泽和今天的瓷器相差甚远。笔者二十多年前在北京故宫博物院看到汝窑瓷器时，除了古老之外，并不觉得有什么特殊之处。后来了解了一些宋瓷的常识，在台北故宫博物院再次观摩时，才特别留意了宋代五大名窑的作品。不过，宋代五大名窑各有千秋，而单纯从色彩上讲，色彩丰富的钧瓷更能给人留下深刻印象。直到后来对世界各国陶瓷了解得比较多，并熟知陶瓷的历史和制作工艺后，再回头看汝瓷，方能体会其美妙之处。

汝窑瓷器之所以名贵，和它内在的美感分不开。汝窑瓷器呈天青色，这是一种深邃而透亮的淡蓝色。这种颜色一方面来自于它特殊的釉，相传釉中掺有玛瑙粉，另一方面来自它特殊的瓷胎，因为其中含有少量的铜，光线经过青色釉面射到瓷胎的表面，部分颜色的光被吸收，而反射回来的青色光变得非常深邃而柔和。这种天青色被形容成"雨过天青云破处"，非常难得，被认为是青瓷的最高境界。这种天青色的瓷器，对全世界的审美产生了很深远的影响。在波斯，商人们通过丝绸之路把宋朝的瓷器带回去，大家都被这种温润如玉、带有天青色光泽的神奇器皿迷住了。当地的工匠试图在陶器上涂上青色的釉，烧制出类似的仿品。直到今天，在伊朗仍然有人在烧制这种颜色的陶器。但是由于青色是涂抹颜料的颜色，而并非瓷器本身的颜色，因此，缺乏汝瓷那种深不可见底而又温润晶莹的神韵。即使是在汝瓷的故乡中国，历代也没有再仿制出真正意义上的汝窑瓷器。清代雍正年间是仿宋瓷做得最好的年代，然而仿制的汝窑瓷器，也只是在釉色上相似，而胎本身呈白色，缺乏宋代青瓷的神韵。笔者在伦敦大英博物馆看到一件汝窑杯盏，据说几件同类的汝窑瓷器都在英国。从图片中可以看出它薄而坚的特点，釉色温润，历经千年依然光洁如镜。

图 6.13　汝窑杯盏（收藏于伦敦大英博物馆）

其他四大名窑也各有各的特点。哥窑、官窑和钧窑都是青瓷器，只有定窑是白瓷。我们前面讲到，在瓷器发展的早期，人们不知道如何去除高岭土中的铁杂质，因此无法烧制出纯白的瓷器。而到了五代和北宋时期，定窑瓷器已经达到了洁白如玉的水平。与青瓷器不同，定窑瓷器表面常常有雕花和纹饰，以迎合市民阶层的审美。这可能是因为早期定窑属于民窑，而非官窑。虽然定窑瓷器也有进贡给宫廷使用的，但是宋朝的文人对此评价不高。关于宋代五大名窑汝、官、哥、钧、定的特点，在本章附录中有简单的介绍。

到了南宋时期，由于北方被金国所占，中国的瓷器中心转移到了南方。在浙江龙泉地区，出现了著名的龙泉窑。今天在那里，考古学家们找到了许多依山而建的窑址，最长的近百米，一般都在 80 米以上，每个窑一次就可烧制 2 万多件瓷器。据估计，宋代每年能烧制上千万件的瓷器。而瓷器则从北宋开始走向全世界。两宋是中国最富足的朝代，南宋时很多年税收超过一亿贯，相当于七八万两白银，超过元代、明代和清初的任何一年，这个记录只有到了乾隆朝最鼎盛时才被超过。两宋三百年，农民的负担并不沉重，那么这些税赋从哪里来？很主要的来源就是贸易，而瓷器成了继丝绸之后第二种远销中东和欧洲的中国商品。

10
关于印度尼西亚瓷器贸易，这里有些资料：http://t.cn/8sDwK89

福建泉州是宋代对外贸易的中心，在这里中国的商人将瓷器装上远洋货轮，然后经过中国南海，穿过马六甲海峡一直到达印度尼西亚[10]，即当时的爪哇国西部。从那里往西的印度洋是阿拉伯帝国的势力范围，往东的太平洋则是中国人的天下，这样印度尼西亚就成了双方货物的中转站。今天在印度尼西亚，依旧保留有很多宋代的青瓷。有两件小事可以说明在宋代当地的居民对这些漂亮的瓷器非常喜爱，甚至到了迷信的地步。第一件事是他们在祭祀中使用的是中国的瓷器，因为祭祀要用最好的器皿。第二件小事更有意思。很多宋代留下来的青瓷器都有缺口，问一下当地人才知道，当年的爪哇人相信漂亮的瓷器拥有魔力，于是他们把瓷器碾成粉入药了。今天，在印度尼西亚的一些药店里，依然在销售主要成分为高岭土的治疗痢疾的药。用 Google 搜索一下高岭土和痢疾这两个词的英文 Kaolin 和

Dysentery，就能找到很多用高岭土治痢疾的偏方，内容大多来自东南亚和印度。

中国瓷器的输出，在无形中影响着世界一些民族的生活习惯。去印度旅游过的人都会注意到两个奇怪的现象。第一，在印度街头，今天依然能看到人们使用一次性的陶器，用完了就扔掉。这些陶器都是在城市郊区的农村当街用干牛粪烧制的，而制陶的粘土在印度随处可见，因此成本很低。为什么印度会

图 6.14　高岭土做的药

有这样（不环保）的习惯呢？这跟印度的种姓制度[11]有关。不同种姓之间是不能混用餐具的，否则就得扔掉。既然得扔掉，不如使用廉价的陶制杯子和盘子。第二个现象就是用沙子洗碗和盘子，大部分中国人不明白其中的道理。我在请教印度的同事后了解到，这和早期中国青瓷器有关。早期的青瓷器经过丝绸之路来到印度时，非常昂贵，以至于即使被不同种姓的人用了，主人也舍不得扔掉，而是用细沙擦洗一遍重新使用，这个习惯保留至今，虽然很多锅碗瓢盆是用不锈钢而非陶瓷制作的。在印度出土的早期青瓷器上，可以看到底部均留有被细沙打磨过的痕迹。

瓷器在改变世界的同时，也促进了中国的科技进步。首先，出口的需求大大提高了中国的造船水平。当时中国的远洋货轮，是世界上最大最先进的，可以载200多吨的货物，足足抵得上2000匹骆驼。这种平底的帆船，已经有了密水舱，该技术比欧洲早几百年。加上中国已发明指南针，使得宋代的航海技术相当发达，这是强汉盛唐都做不到的。当时世界上只有横跨欧亚非大陆的阿拉伯帝国可以在海上与中国抗衡。宋代的造船术帮助南宋在抵抗金元入侵中发挥了巨大的作用。公元1161年，南宋在

11

印度种姓制度不仅仅是一套社会阶层的划分，而是由许多不同的标准建立起来的一套相对次序，比如是否吃素、是否杀牛、以及是否接触死动物等，通常食素的人要比吃肉的人地位要高。这些标准的背后的核心是一套"纯洁与不洁"的的价值观，而在生活中实际上又受到权利关系的影响。古代印度的婆罗门教发展出一套称为"瓦尔那"的体系，即把人大致分为婆罗门、刹帝利、吠舍和首陀罗四个阶层。而刹帝利这个阶层今天其实已经不存在了。印度的种姓制度非常复杂，每个阶层内还有细化的阶层，一共可以多达十几层。不同阶层的人不能通婚，不能共用器具。虽然1947年印度独立后废除了种姓制度，但是它的影响依然存在。

力量悬殊的唐岛海战中，依靠先进的战舰击败 20 倍于自己的敌人（似乎难以置信），方才得以保全。

瓷器和繁荣的经济并没有保全宋朝不被外族灭亡。与历史上很多先进的文明被落后的民族毁灭一样，经济发达文化繁荣的宋代终于也没挡住蒙古人的铁蹄。整个西方，甚至包括日本，对一度统治欧亚大陆的蒙古人评价并不高，不仅低于任何一个建立庞大帝国的民族，而且在所谓的"蛮族"，比如罗马时期的日耳曼人、哥特人、匈人[12]、北方的维京人，以及后来的突厥人中，蒙古人得到的评价也是最低的。这主要是因为蒙古人在欧洲和中东没有留下什么文化遗产，但是在他们入主中原 60 年后，却创造出一种后来影响了世界的瓷器 —— 青花（白）瓷。

12
是否是匈奴人，不得而知。

第四节　青花瓷器

13
有人认为青花瓷器最早出现在唐代，但是那些涂有蓝色的瓷器（甚至只是陶器）和今天的青花瓷器完全是两回事。元代的青花瓷器和今天的没有太大区别。

青花瓷器为什么会出现在元代[13]？为什么没有出现在经济和贸易更发达的宋代，或者是瓷器烧制技术更成熟的明代？这里面有多种原因，而这些原因组合起来就成了历史的必然。其中最主要的两个原因，就是元朝统治者的审美与多种文明的融合。

先讲讲元朝人的审美。在元朝之前，唐代和宋代的中国人喜欢青瓷甚于白瓷，至少在士大夫阶层如此。对于青瓷和白瓷，最有名的评论莫过于《茶经》的作者陆羽了。他在茶经里写道："邢瓷类银，越瓷类玉，邢不如越一也；若邢瓷类雪，越瓷类冰，邢不如越二也；邢瓷白而茶色丹，越瓷青而茶色绿，邢不如越三也。"其实这三句话颇为主观，倒过来讲，也非常通顺合理："越瓷类玉，邢瓷类银，越不如邢一也⋯⋯"因此，并不能说明白瓷就不如青瓷。所以在宋代，虽然定窑的白瓷已经烧制得非常好了，但是它依然成为不了主流。相比洁白如玉的白瓷，宋朝人更喜欢闪着青色光泽的青瓷。

而到了元朝，青瓷和白瓷的地位就颠倒了过来。元朝的统治者和唐宋的统治者不同，蒙古族非常豪放，没有宋朝人（和金朝后期的人）那种细腻的文化情趣，因此，他们对宋代瓷器那种靠细微颜色变化带来的美感不感兴趣。蒙古人崇尚白色，比如他们住的蒙古包都是白色的，很多服饰也是白色的（而白色对于古代的汉族人来讲是丧服的颜色）。到了元代，青瓷的发展便停滞甚至倒退了，很多工艺也从此失传了，一些宋代名窑虽然还在出产瓷器，但是质量却大不如以前了。但是在元代，白瓷却迅速发展，出产白瓷的景德镇也替代出产青瓷的龙泉，成为中国瓷器制造的中心和世界瓷都。

和青瓷相比，白瓷有两点优势。首先，它容易做得完美，只要想办法把高岭土中的铁质尽可能地去除即可，但是青瓷需要控制高岭土的含铁量，多一点少一点都不行，一旦控制不好，烧出来的瓷器颜色就不对了。其次，如同白纸上好画画一样，白色的瓷胎上容易绘制各种图案和上各种颜色。至于白瓷上最早采用的颜色为什么为青蓝色，这里面又有两个原因，而第一个原因则和元朝的历史有关。

在中国历史上，元朝是一个非常特殊的朝代，历史学家对它褒贬不一。主流的西方学者，比如哈佛大学的费正清认为蒙古人的入侵不仅破坏了宋朝（和全世界）的经济发展，而且中断了中国向资本主义过渡的可能性。但是另一方面，蒙古人的足迹遍及欧亚大陆，客观上帮助了东西方文化和文明的融合。比如在元青花中，大量地融入了波斯文明和伊斯兰文明的结晶。

蒙古人征服西亚远在征服南宋之前，和历史上大部分征服者一样，他们对待先被征服民族的态度明显比对待后被征服者的要好。在元代，西亚的穆斯林们（色目人）的地位比中国北方的汉人和南方人（南人）的地位要高很多。有超过一百万的穆斯林涌入元朝经商和从事生产，而蒙古人只会打仗不会理财，往往将管理国家的事情交给西亚的商人，因此，很多西亚人在元朝宫廷里做官，其中最出名的是忽必烈时代的大奸相阿合马。正是由于蒙古人和西亚人的这种合作，元朝受穆斯林文化的影响要远远高于受汉文化的影响。而蓝色恰恰是中东穆斯林喜欢的颜色，因为在干旱的中东地区，水是最宝贵的资源，因此，在伊斯兰文化里，天堂是充满水的世界，是蓝色的。蒙古人和伊斯兰人喜欢的两种颜色——

白色和蓝色，就构成了青花瓷器的基本元素。

不仅青花瓷的颜色受到穆斯林文化的影响，就连它的颜料最早也来自于已经皈依伊斯兰教的波斯。元朝秉承了宋朝开放的国策，大量的波斯商人直接到中国采购瓷器，而元朝为了发展对外贸易，满足销往国家和地区的需要，鼓励来料加工。于是波斯商人带了钴蓝颜料来到中国，因此钴蓝颜料在明朝的记载中又称作"回青"，意思是从回教世界带来的青颜料。这些商人不仅是中国瓷器的消费者和中国文化的转播者，而且直接参与了青花瓷的设计与监制。在元代，景德镇属于浮梁县，而根据当地史料记载，那里很多地方官都是中东人，他们按照伊斯兰教的喜好，提出具有异国风味的造型、装饰和图案的要求，于是景德镇窑工们采用把波斯"蓝"与中国"瓷"融合在一起的方案，烧制成具有多重文化特色的青花瓷器。波斯商人在带回瓷器的同时，也带去了中华的文化。

早期绘有图案的瓷器是青色而非其他颜色，还有一个工艺上的原因，即青花瓷使用的钴蓝颜料在高温下颜色稳定。我们今天看到的瓷器上几乎所有的颜色，都是金属氧化物在高温下形成的，比如氧化铜在一定温度下会呈现出红色。但是，大部分金属氧化物经过高温烧制后（可能还伴随木炭带来的还原效果），颜色不仅和预想的不同，而且每次烧制出来的颜色也不一致，很难控制。比如在瓷瓶上画了梅花，本来希望烧出来是红颜色的，但是可能温度（和空气量）控制不好，烧出来却成了黄绿色，更糟糕的是，一支梅花上各个花朵的颜色可能也不一样，这样的瓷器没有人愿意要。而钴蓝就没有这个问题，它在高温下烧制出的颜色非常稳定，因此，它成了早期绘制陶瓷所用的颜料。到了明朝，瓷器烧制技术进一步提高后，才开始出现五彩的瓷器。

元青花和明清以后的青花瓷器有很大的区别。作为马背上的民族，蒙古人有非常豪放的一面，因此他们制作的青花瓷器均为体积硕大、层次丰富的大件，和宋朝那种"汝瓷无大件"的风格正好相反。在纹饰上，元青花采用密集的纹饰，这和汉族士大夫的审美截然不同。中国传统的汉文化在绘画上讲究留白，以体现一种空灵的美，即使画花卉，也以梅兰竹菊这些淡雅的花卉为主。而蒙古人豪放的性格让他们不受汉文化的约束，因此，体现在青花瓷上就是十分丰富的纹饰题材。蒙古人尤喜牡丹芍药这样大富大贵的艳丽花卉，所以，在元青花中牡丹的图案非常多见。另外，还有葡萄和蔓藤的图案，完全是融合了古埃及、希腊和西方诸多文化的特点，对此我们在介绍古埃及的那一章中已有介绍。当然，元青花中也少不了汉文化的元素，比如松竹梅兰、竹石荷叶、如意云头、龙凤鱼藻、花鸟草虫等。早期作为外销商品的青花瓷器，既体现了中华传统文化的创造性，又是中西亚文化交流融合的结晶。

在瓷器制造历史上，很多发明和新工艺都伴随着元青花而出现，它们具有划时代的意义。首先是透明釉的发明。宋代以前，瓷器上使用的都是不透明的颜色釉，这样，瓷器的边缘常常会因为釉的涂层较薄而呈现不同的颜色。而元青花则是先将钴蓝颜料画在瓷器未上釉的素胎上，然后在绘制好的瓷器上涂上一层透明的釉，再进行烧制。因此，钴蓝的颜色在釉之下，俗称釉下彩。这样一来经过几百年颜色也不会改变。今天高质量的瓷器一律采用釉下彩的上色方式。这项发明比今天的 iPod 或者混合动力汽车对世界的影响力要大得多，因为 iPod 出现了不过十多年就基本上已经消失，混合动力汽车不过是一个过渡性产品，它从诞生到销售恐怕不会超过半个世纪，而中国元朝发明的这种瓷器制造技术经过了 700 年，在世界范围内还被广为使用。中国古代有无数的发明创造，这些发明创造对世界文明进程的影响要远远超过今天很多世界知名发明家的贡献。元青花的出现，标志着瓷器从雕刻时代进入了绘制时代。从那时起，在中国的三百六十行中又多了"瓷器上的画工"这一行。直到现在，在瓷器制作中，瓷胎的

14

元代青花瓷器，主体纹饰为"鬼谷子下山图"，描述了孙膑的师傅鬼谷子在齐国使节苏代的再三请求下，答应下山搭救被燕国陷害的齐国名将孙膑和独孤陈的故事。该物于 2005 年 7 月 12 日伦敦佳士得举行的"中国陶瓷、工艺精品及外销工艺品"拍卖会上，以 1400 万英镑拍出，加佣金后为 1568.8 万英镑，折合人民币约 2.3 亿，创下了当时中国艺术品在世界上的最高拍卖纪录。

图 6.15　创造了青花瓷拍卖记录的鬼谷下山[14]

制造和图案的绘制依然是分开的两个步骤。法国的很多名瓷，比如塞夫勒瓷器，甚至是在高岭土的产地利摩日制作完瓷胎，再拿到巴黎，由巴黎精通绘画的名师绘制瓷器上的图案，而这种分工方式，始于中国。

元青花烧制的时间非常短暂，除了在博物馆里能看到一些，存世的作品已经很难找到了。由于元代青花瓷器大部分用于外销，尤其是销往中东地区，因此，今天能看到最多元青花瓷器的博物馆不在中国，反而是在伊朗的德黑兰博物馆和土耳其托普卡比（Topkapi）博物馆，后者居然藏有 40 多件元代青花的珍品。

在世界贸易上，元代的瓷器比宋代时走得更远。在宋代，中国的瓷器已经销往了整个亚洲，但是它的影响力还到不了更远的欧洲。到了元代，这个情况改变了，这一切要感谢一位威尼斯商人——大名鼎鼎的马可·波罗。14 世纪的欧洲还处在中世纪末期，相当落后。但是，随着十字军的东征，他们了解到了东方的文明（主要是伊斯兰文化）。威尼斯人一方面用船将十字军运到东方去作战，另一方面在东西方之间开展贸易，很快，这个水上城市就成了欧洲的中心。马可·波罗出生在威尼斯的一个富商家庭，他和他的父辈们从穆斯林那里听到了东方神秘大国中国的传说，便一直向往着直接和中国进行贸易。1324 年，经过万里长途跋涉，他们来到了元朝的大都，并在那里见到了当时欧亚大陆的共主忽必烈皇帝。作为来自西方的使者，他们向忽必烈转交了罗马教皇给中国皇帝的信件，马可·波罗也在元朝做了官。他有幸来到中国南宋的旧都杭州，虽然他看到的只是经过战争破坏后残存的一点文明，但是比起中世纪时的欧洲，那里已经是天堂了。在那里，他看到每家每户都用神奇的瓷器盛放食物，觉得简直不可思议。后来他亲自到景德镇探看了瓷器的制作过程——很遗憾马可·波罗并不懂瓷器制造的工艺，他在后来的游记中对瓷器的制作过程有很多错误的描述，这让很多欧洲工匠走了弯路。但是不管怎样，他将一些瓷器带回了欧洲，并且由于后来他的游记成为欧洲人了解东方的必读书，东方神秘的瓷器从此被欧洲人认识和了解。马可·波罗把瓷器比作美丽的贝壳（Porcelain），这个英文单词一直沿用到今天。

元朝末年，群雄混战，非常动荡，经过明初洪武年间轻税赋的休养生息，到了明朝第三个皇帝明成祖朱棣（永乐皇帝）登基时，国力才恢复至自宋代之后的鼎盛时期。青花瓷器在这个时候又有了新的发展，在世界上的影响力也达到了顶峰。在此期间，中国的元素更多地加到了青花瓷器中。首先是颜料的改进。元青花采用的是从波斯进口的钴蓝原料，又称苏麻里青。这种原料的好处我们前面已经提到，但是它也存在一个缺点，就是颜色在烧制的过程中会化开，这样图案的边缘容易模糊不清。中国的工匠们在永乐年间解决了这个问题。他们研制出一种国产的钴蓝配方，改变了里面一些金属成分的比例，这样颜色在烧制过程中不会化开，图案也可以烧制得十分精细。其次，由于中国从宫廷到民间各阶层对青花瓷器的喜爱，这使得在瓷器的绘制方面更多地体现了国画的特点，就是留白和写意。与元代相比，绘制的题材不仅丰富起来，而且更能反映中国的文化和历史。几百年后，当欧洲人开始仿制青花瓷器时，他们使用了中国风的题材。

永乐皇帝是个开拓型的皇帝。在他当政不算太长的 21 年间，他完成了许多的"伟业"，比如迁都北京，修建故宫，修《永乐大典》，6 次远征蒙古，等等。不过，他在位期间，对世界影响最大的事件当属郑和下西洋。郑和的舰队是第一次世界大战前世界上最庞大的舰队，有多达 200 艘的战舰和补给船。如果史书记载准确，郑和的旗舰（又称宝船）长达 150 米，宽 60 米，直到 19 世纪末铁甲船诞生以前，它都保持着世界上最大船只的纪录。郑和的船队，满载着中国的特产，包括大量的瓷器，驶向东南亚、中东和非洲的东海岸。郑和在沿途许多地方修建设立了货栈，将中国的商品，尤其是瓷器直接带到全世界。今天在东非的一些地方，还能找到出土的明代青花瓷器。

到了朱棣的孙子明宣宗朱瞻基（即宣德皇帝）时代，青花瓷器的制作达到了高峰（著名的宣德炉就是那个时代的产物）。在宣德时代，景德镇官窑的瓷器被打上了"大明宣德年制"的印记，这是世界上最早的商标。这又是今天的炎黄子孙值得骄傲的事情，因为我们的祖先发明了最早的商标。有了商标，就容易区分宣德年间的瓷器和其他年代的瓷器。而高品质的宣德青花瓷，也成了后世民窑仿制的对象。到了明朝末年，欧洲人已经发现并且移民到美洲，很多中国的商品以美洲作为中转地，运到欧洲的西班牙[15]。1979 年，人们在加勒比海打捞起一艘明朝末年的西班牙的商船，上面有无数的明代青花瓷器，大概本来是要经过西班牙运往欧洲的。这些瓷器上面都有"大明宣德年制"的标记，但是沉船的时间和宣德年代差出了两百年。难道说宣德皇帝过世两百年后在中国仍然有大量的宣德青花瓷出售吗？显然不是，原因大概是宣德青花的名头太大，而且是最早标记了年号的瓷器，因此整个明代的民窑都在仿制。欧洲人无法购得大量的官窑瓷器，也就接受了这些民窑的仿品。从这里面我们可以看到宣德青花在世界范围的影响力。

由于朱棣的儿子明仁宗在位仅仅一年，因此，人们谈到明初青花瓷时，都会跳过明仁宗的名号，称为永（乐）宣（德）青花。但是到了明朝中后期，因为国力衰退，青花瓷器的制作也就进入了衰退期。

在所有中国瓷器中，青花瓷对世界产生的影响力无疑要排到第一位。早在元代，它就成为阿拉伯人最喜爱的瓷器。但是，从中国进口的瓷器非常昂贵，一个青花瓷碗当时要价 30 两银子，除非贵族和富商，一般的穆斯林是用不起这些瓷器的，因此，他们试图仿制青花瓷器。伊朗的古城克尔曼在 13 世纪（元朝时期）是东西方之间重要的贸易城市，那里的人们从元朝开始就试图仿制青花瓷器。伊朗的商人甚至从中国元朝带去了300 多名工匠，试图仿制景德镇的瓷器，可是，巧妇难为无米之炊 —— 由于没有高岭土，也没有能够达到 1300 度以上的瓷窑，烧制出来的依然是类似青花的陶器，而不是瓷器。

在大洋彼岸的墨西哥，也出现了类似的情况。西班牙殖民贵族用的是从中国购买的青花瓷器，他们甚至用它来装饰自己的豪宅，但是对一般的移民和当地的墨西哥人来讲，中国瓷器无疑是他们用不起的奢侈品。于是，墨西哥人就开始仿制中国的青花瓷，不过，和伊朗的情况类似，由于找不到上好的瓷土，窑温也不够高，他们制作出来的仍是相对厚重的陶器。在从

15

根据教皇给早期殖民国家西班牙和葡萄牙划定的历史范围，美洲划给了西班牙，而印度划给了葡萄牙，西班牙人要和中国人做生意，不能从非洲绕到中国，而需要向西经过美洲中转到达中国。

元朝开始的四百多年里，这种仿制的尝试在世界各地比比皆是。到了 17
世纪，工业化和贸易在世界上都处于领先的荷兰，也试图仿制中国的青花
瓷，很遗憾，他们并不比伊朗人和墨西哥人走得更远。荷兰代尔夫特的工
匠们最终烧制出的依然是一种青花的陶器，虽然它的做工相当精美。今天，
在伊朗和墨西哥，人们依然在使用类似青花瓷的陶器。而荷兰代尔夫特
的青花陶器（荷兰文称 Delfts Blauw）则成了荷兰著名的手工纪念品。[16]

但是，到了 19 世纪，欧洲人最终制造出了自己的青花瓷，而此时在中国，
青花瓷已经开始走下坡路了。在今天欧美的高档百货店里，来自英国、德

16
代尔夫特最著名的
纪念品是源自中国
的青花陶器，荷兰
文称 Delfts Blauw。
蓝陶烧制闻名世
界。皇家代尔夫特
蓝陶工厂地址:
Rotterdamseweg
196

国和日本的青花瓷器
依然占据着很大一片
柜台，反而见不到中
国的青花瓷。而这些
青花瓷中，最受顾客
欢迎、各个著名厂家
都制作的，是一种被
称为青花梧桐图案的
瓷器。青花梧桐基本
的图案如右图所示。

图 6.16　英国韦奇伍德公司制造的青花梧桐瓷器

这完全是中国的题材，整个画面富于层次感，非常典雅舒服。我最早见
到这样的瓷器，是在上个世纪 80 年代，是景德镇我的一个叔叔送给我
的。据他介绍，在 1982 年到 1986 年间，景德镇烧制了一些这种图案的
瓷器作为国礼送给外宾。我原以为青花梧桐的图案是中国人设计的，但
是很奇怪，在中国明清的陶瓷中并无这类风格的图案。后来在国外，我
发现各种青花梧桐图案的瓷器非常多，认真了解后才知道，这个图案最
早是由英国考勒瓷器公司（Caughley Pottery）的设计师特纳（Thomas
Turner）和学徒托马斯·敏顿（Thomas Minton，1765－1836，后来
成为了瓷器设计大师，并且开办了自己的公司）在 1780 年设计的。但
是，最早制造出青花梧桐瓷器的，既不是考勒公司，也不是敏顿自己的

公司，而是斯波德公司（Spode Factory），这家公司要制造一种有东方韵味的青花瓷，就选用了青花梧桐的图案。在英文中，青花梧桐被称为Blue Willow，意思是"青色的柳树"，英国人还为它编了一个传奇故事。这个故事翻译过来，大意是这样的：从前在中国有一个公主（叫Hong Shee, 或者Koong Shee，不知道是谁）在外求学，爱上了一个穷苦的读书人（叫Chang），但是她的父母不同意这份婚姻，要把她嫁给一个公爵，因此，两个人就殉情了，最后化做了一对鸟儿。我觉得这很像梁祝化蝶的故事。估计是特纳或者敏顿在听中国的传奇故事时听岔了，又或许是听惯了西方的王子公主故事，便有了先入为主的印象。

优质的青花梧桐瓷器，无论是新的，还是百年前的半古董，在欧美都有很大的市场。相关制造商有上百家，主要在欧洲、美国和日本，其中以英国的韦奇伍德（Wedgewood）公司的产品最为出名；而英国另一家瓷器厂强生兄弟（Johnson Bros），其产品销量可能是世界上最大的。相比今天景德镇制作的青花瓷器，这些来自欧洲和日本的青花瓷，胎质更加洁白，绘制更为精细，着色均匀，整体做工更加精致，完全占据了高端瓷器市场，在美国梅西（Macy's）和诺德斯特龙（Nordstrom）等高端百货商店里，一个直径30厘米左右的青花瓷盘，售价可达上百美元，比同类的中国青花瓷高出一个数量级。而在二手市场，半古董的青花梧桐瓷器价格更高。为了方便收藏者购买这个题材的古董瓷器，每过一段时间都会出版关于这类瓷器的收藏指南，这些指南除了介绍每一款瓷器的特点和历史，还会给出交易参考价格。

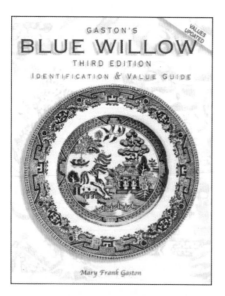

图 6.17 西方瓷器收藏家必备的青花梧桐指南

国际上对青花瓷的研究始于西

方，而且只有 60 多年的历史。中国人对它的热情反而只是最近十几年尤其是最近几年的事情。而一件元青花瓷器在佳士得的拍卖结果，对青花瓷器在中国掀起的收藏热起了非常大的推动作用。2005 年 7 月 12 日，在伦敦佳士得的一场拍卖会中，元青花罐"鬼谷下山"以 1400 万英镑的高价成交，创造了中国瓷器拍卖的最高价。之前中国瓷器拍卖的最高价，也是由一件元青花瓷器创造的（580 万美元，2003 年，纽约）。这些颇具轰动效应的事件，让一些中国公司和个人愿意用"青花"这个概念做为中国文化的名片来推销自己。

这种推销方式颇具合理性。世界上的大部分商品都会有人喜爱，有人不喜爱，瓷器也是如此。即使很精美的宋瓷、明代粉彩、日本的赤绘瓷器，甚至法国最高档的塞夫勒瓷器，不喜欢的也大有人在，因为对这些瓷器的喜爱与文化背景、社会地位和艺术修养等因素关系很大。但是青花瓷是个例外，它在全世界普遍受到欢迎，无论国别，无论民族，无论收入高低。这里面的原因有很多，但至少青花瓷有两点是其他瓷器所不具备的。第一，青花瓷清爽简洁的色彩和丰富的图案适合雅俗共赏；第二，青花瓷不是纯粹的中国产品，而是汇聚了多种文化的结晶 —— 从古埃及到波斯，全世界众多国家和民族都为青花瓷的发展做出了贡献。用今天的话来讲，它从一开始就是国际化的商品。

第五节 风靡世界

从宋代到明末，中国的瓷器在世界上每到一处，就会掀起一股瓷器的热潮，并改变了当地人的生活方式、当地的文化，甚至改变了当地的制造业。世界上还没有第二种商品能在几百年的时间里长期做到这一点。今天，当中国的有钱人热捧一些世界名牌商品，比如美国的苹果手机、法国路易威登和香奈儿的手袋、德国奔驰和宝马的汽车，一掷千金地高价购买时，我们也会感叹什么时候中国的商品能成为全世界认可的名牌，能卖个好价钱。其实，在 18 世纪之前中国的瓷器就是这样的商品。

当蒙古人从整个欧亚大陆退出后，突厥人的一支后裔、奥斯曼人建立了
横跨欧亚非的新帝国——奥斯曼土耳其帝国。1453 年他们灭亡了持续了
上千年的东罗马帝国，控制了欧亚非贸易的要冲——伊斯坦布尔（当时
叫君士坦丁堡），土耳其帝国的国王也成为了当时西亚和东欧最有权势
及财富的人。与以前信奉伊斯兰教的阿拉伯人一样，土耳其人对中国的
青花瓷器也有着特殊的喜好。他们用青花瓷盘作为清真寺和宫殿的装饰
品。国王和贵族们不惜重金，购买了大量的中国瓷器作为日用品。我们
今天或许认为瓷器是再便宜不过的东西，但是在当时中东和巴尔干最强
盛的土耳其帝国里，能使用瓷器便是奢侈。他们的银币曾经是世界上主
要的流通货币，土耳其帝国的商人带着白银来到中国购买瓷器、丝绸和
茶叶，也带动了中国手工业的繁荣。感谢土耳其人的祖先对中国瓷器的
钟爱，在他们昔日的皇宫，今天的伊斯坦布尔博物馆里，珍藏了一万两
千多件中国元、明时期的瓷器，其中主要是青花瓷，包括一些非常珍贵
的元青花。

欧洲人对瓷器的了解要晚于中东和巴尔干人，虽然马可·波罗将瓷器介
绍到了欧洲，但是很多欧洲人对他描述的这种神奇的盛器还是将信将疑。
毕竟大部分国家的人没有见过，而眼见才为实。感谢一些无意间传播了
文明的商人，他们将中国瓷器从中国经过阿拉伯和巴尔干地区运往欧洲
各地，其中有一件元代的青瓷瓶途径匈牙利、意大利、法国和英国，最
后来到了欧洲最西边的爱尔兰，这是有档案记载的最早到达西欧的瓷器。
正是因为这件瓷器，让很多欧洲人相信马可·波罗所言非虚。但是当
时，瓷器在欧洲属于可遇不可求的珍品，虽然在中国已经进入每个家庭
的生活。

我们今天很难想象没有瓷器用什么吃饭。这对中世纪的欧洲人来讲，确
实是个大问题。从罗马帝国到中世纪结束的一千多年里，欧洲人吃饭用
的盛器就没有什么变化。历史学家们借助计算机图像复原技术，复原了
在米兰圣玛利亚感恩教堂里达芬奇著名的壁画《最后的晚餐》里面的细节，
发现画中使用的盘子是锡做的，而喝酒的杯子是玻璃做的。锡盘子有很

多缺点：很软，也不耐磨，容易损坏。玻璃杯子装酒固然好，但是装不了烫的东西。

到了中世纪末期，欧洲尤其是意大利开始接触到来自东方的奢侈品。历史上有名的富商洛伦佐·美第奇[17]有一天收到了一件贵重的礼物，这是一件来自中国的瓷器，是一位埃及苏丹送给美第奇的。美第奇从来没见过这么精美的瓷器，他非常喜爱，后来斥重金收罗了将近400件中国瓷器。美第奇家族被瓷器这种漂亮的釉色和惊艳的工艺所吸引，这个家族最喜欢资助发明、艺术创作和革新，整个文艺复兴是他们家族赞助出来的[18]。于是，美第奇家族在1575年集中了地中海地区最好的陶匠，试图仿制中国的瓷器。他们实验了各种可能烧出白色瓷器的原材料，包括粘土、蛋壳、玻璃，等等。很遗憾，当时还没有现代的化学学科，这些陶工不了解高岭土的成分，也没有办法达到1250度的窑温，因此，美第奇家族的瓷器仿制以失败而告终。但是，他们的努力带来了一个副产品——一种仿青花的陶器餐盘，今天成了佛罗伦萨传统的手工艺品，而且意大利的一些饭馆里还在使用。美第奇家族在大约200年间控制着欧洲的金融业，并和很多王室联姻。他们对瓷器在欧洲贵族中成为一种时尚起了很大的作用。当时的欧洲贵族热衷收藏中国瓷器，就如同今天中国的有钱人热衷收藏玉器一样。但是，那时世界上只有在中国能够买到瓷器，于是欧洲的商人们便不远万里来到了中国。

当时地中海和中东地区已经被奥斯曼土耳其帝国控制，欧洲人只能绕道而行。最先到达中国的欧洲船队是葡萄牙人，他们绕过好望角，先来到印度，然后在16世纪初来到中国。后来他们从明王朝手里租借了澳门，并且建立了货栈。愿意跑到两万公里以外的中国做生意的葡萄牙人不是很多，因此，葡萄牙的贸易公司也雇佣一些印度人来到澳门。这些印度人中，有一些人便在澳门成家生子，一代一代繁衍下来，直到1999年澳门回归中国之前，他们还在澳门做生意。这些人家都藏有不少当年留下来的中国贸易瓷器，有的人家至今还把这些瓷器挂在墙上作为装饰品。这些瓷器见证着中国和欧洲之间的瓷器贸易历史。葡萄牙国王曾经用260

17
美第奇家族是人类历史上最富有，最有影响力的家族。他们历代为佛罗伦萨的银行家和富商，在二百年里控制着欧洲的金融，并且是教皇资产的管理者，意大利的文艺复兴在很大程度上靠他们家族的资助。

18
关于美第奇家族的故事，在后面"一个家族的奇迹——文艺复兴"一章中有详细的介绍。

图 6.18 葡萄牙桑托斯宫的瓷器天顶

件中国瓷器装饰了桑托斯宫的天顶，这表明在当时欧洲最富有的皇室眼里，瓷器是美和财富的象征。

我们今天感叹需要出口一亿双运动鞋才能从美国购买一架波音飞机，而在大航海时代的欧洲人购买中国商品何尝不是如此。1492年，代表西班牙王国出行的意大利水手哥伦布发现了美洲大陆；1545年，西班牙人在玻利维亚发现了银矿，第二年他们在墨西哥的萨卡特卡斯发现了更大的银矿，这个银矿至今仍然是世界三大银矿之一。在随后的150年里，他们从美洲带走了约一万六千吨（约五亿两）白银。这些白银，有三分之一用来购买中国的货物，主要是瓷器和茶叶。对当时的欧洲人来讲，瓷器是财富和地位的象征；而对中国人而言，则让中国赚足了欧洲人发现新大陆后150年里的红利。在中国的海港城市泉州，商人们翘首期盼着从墨西哥驶来的西班牙大帆船队，他们用墨西哥产的白银高价换取中国的瓷器，然后再以大约六倍的价格卖给欧洲人。

葡萄牙人和西班牙人结束了奥斯曼土耳其帝国对东方贸易的垄断。在16世纪，世界的贸易中心转移到了欧洲的伊比利亚半岛[19]。西班牙的银币比索也取代了奥斯曼土耳其的银币，成为世界贸易市场的硬通货。但是，好景不长。1579年，从西班牙独立出来的殖民地荷兰很快成了大航海时代的主宰。1602年，荷兰和葡萄牙开始了争夺海权的荷兰—葡萄牙战争。第二年，荷兰（东印度公司的）战舰在新加坡附近截获了葡萄牙的商船圣塔卡特尼娜号（Santa Catarina）[20]，并且以走私为名没收了船上的货物，包括大量的中国瓷器。荷兰人把这些瓷器拿到阿姆斯特丹和密德堡去拍卖，前来参加瓷器拍卖的，除了本地商人，还包括法国王室和英国王室的外交使节。通过这次拍卖，西欧和北欧的王室开始对中国瓷器产生了兴趣。随着荷兰对葡萄牙在军事上的胜利，荷兰夺取了葡萄牙在印度洋的很多航道的主导权，并且开始在欧亚贸易中崭露头角。

荷兰人在世界上建立了几十座贸易站，其中围绕中国的就有三座，它们是台湾地区的热兰遮城[21]、日本的长崎和越南的河内。荷兰人在中国定制了专门销往欧洲的青花瓷器，这就是曾经垄断欧洲瓷器市场的克拉克瓷器（Kraak）。由于产量很大，现在这种瓷器在世界各地，甚至非洲的博物馆、古玩店和一些人家中都能找到。荷兰东印度公司从这些瓷器中可以获得300%的利润，因此，他们每年从中国大量订购瓷器，欧洲人的档案工作

21
位于今天的台南市。

做得非常好，他们当年的很多订单现在仍能找到。比如在1614年，荷兰商船戈尔德兰号（Gelderland）一次就向中国订购了大约七万件瓷器，总价达到了11545弗洛林[22]，约合今天的一百多万美元。

图 6.19 荷兰 17 世纪绘画中的克拉克瓷器（扬·凯塞尔 Jan van Kessel 绘制，私人收藏）

22
弗洛林虽然是佛罗伦萨的金币，但是当时是荷兰主要流通的货币。

400 年前，瓷器是欧洲了解中国的窗口。经过大航海时代，欧洲已经开放，和亚洲一起登上世界舞台。瓷器在当时是承载着中华文明的高科技产品，在欧洲是文明和财富的象征。瓷器上的中国人物和风景，大大增强了欧洲人对中国的好奇心，也使他们对古老的东方文明产生了一种崇拜之情。从那时起直到今天，在欧洲，还有后来的美国，中产家庭大都有一个带玻璃门的瓷器柜，里面展示着（不是摞着摆放着）各种瓷制的餐具，这种瓷器柜就叫 China。如果一个顾客去欧美的家具店，说要买 China，那不是要买瓷器，而是指买瓷器柜。家里没有瓷器柜，会被认为没有品位。

图 6.20 美国著名的家具品牌托马斯维尔
（Thomasville）制作的瓷器柜

对瓷器的热衷，民间尚且如此，上流社会就更显狂热。在贵族和王室成员的宫殿里，都设有专门的瓷器室，里面摆放着珍贵的中国瓷器，他们甚至在瓷器收藏上互相攀比。17 世纪末，德国普鲁士国王腓特烈一世（Friedrich I，1657—1713）是个瓷器迷。无论从数量还是质量上讲，他的收藏都是首屈一指。他还专为王后在宫殿里修建了一个豪华的瓷器室，以彰显普鲁士强盛的国力。而在同时期，他的对头、德国南部萨克斯公国的国王奥古斯都二世（Augustus II the Strong，1670—1733）也把国家治理得空前繁荣，他对外向德国南部和波兰扩张，对内在首都德雷斯顿大搞建设，处处想压过腓特烈一世。奥古斯都二世在参观了普鲁士夏洛特宫的瓷器室后，决定建造一间更大的瓷器室，并陆续收集了两万多件中国的瓷器。他对瓷器的热爱可以说到了近乎痴狂的程度，他曾经以 600 名近卫骑兵从腓特烈一世手中换来了 150 个大型龙纹瓷缸。当然，更多的瓷器是他直接从中国买来的。

欧洲的宫廷不仅使用和收藏瓷器，而且还或多或少地模仿东方的生活方式，其中最典型的就是饮茶。很多国王都在自己的皇宫里建造了茶室，里面的绘画和雕塑的主题都与瓷器上描绘的中国人的生活相一致，贵族们就在这样的环境中享用中国的茶叶。在 17、18 世纪的欧洲，这种文化现象持续了很长时间。中国瓷器已经不仅仅是一种精致的商品，而且还是一种文化的转播媒介，成为一种文明的象征。

第六节 日本的崛起

中国瓷器在世界上的垄断地位和影响力于17世纪末达到了顶峰，然后便渐渐开始衰退，虽然在18世纪和19世纪里中国瓷器的出口量依然不低。这其中的原因包括中国的改朝换代和日本、欧洲瓷器的后来居上。

1644年，明朝灭亡。长期的战乱使得中国的瓷器业遭受了毁灭性的打击。这也苦了荷兰东印度公司的商人们，因为他们没有了货源。根据当时东印度公司和荷兰总部的通信记载，他们靠存货又艰难地支撑了15年，终于走到了山穷水尽的地步。于是，东印度公司决定寻找新的货源。他们来到了日本的长崎。要是再早50年，日本根本制造不出欧洲所要的瓷器，但是这个时候却不同了，幸运的天平开始向日本人倾斜。

瓷器在很长时间里只有中国出产。到了唐代，青瓷的制造技术首先传到了朝鲜，后来又传到了越南，直到17世纪初期，世界上也只有这三个国家能够制造瓷器，而朝鲜和越南的瓷器只是自用，在世界市场上没有任何份额。虽然瓷器早在唐朝就传到了日本，日本今天茶道所用的器具和宋朝的青瓷还很相似，但是日本并不会制造瓷器，而是要从中国和朝鲜进口。从日本人的收藏来看，他们似乎对早期朝鲜制造的瓷器情有独钟，在日本京都的大德寺，保存着一个迄今为止最贵重的瓷器——朝鲜伊多[23]瓷器茶碗，估价为9500万美元。

日本人多个世纪以来一直未能制作出瓷器，但是他们对瓷器制作技术垂涎已久。到了明朝末年，他们的机会终于来了。1590年，日本军阀（大名）丰臣秀吉打败其他军阀，成为了幕府将军，统一了日本。仅仅两年后，1592年，即明万历20年，丰臣秀吉发动了侵略朝鲜的战争，史称万历朝鲜之役。和历次朝鲜战争一样，无力抵抗侵略的朝鲜向宗主国中国求援。明万历皇帝派李如松等人率军援朝。在这场战争中，日本侵略军被中朝联军打得惨败，而丰臣秀吉也因此一病不起，很快便去世了，他的后裔和部将后来被德川家康打败并灭族。但是，丰臣秀吉发动的侵朝战争也不是一点收获都没有，他们想方设法从朝鲜俘获了大约一千名瓷器制造工匠，并把他们全部带回到日本。与此同时，朝鲜的瓷器制造业毁于一旦。

图 6.21　在日本九州有田地区的朝鲜瓷器工匠纪念碑

这些工匠来到日本后，被迫为日本制造瓷器，从此瓷器制造技术传到了日本。在日本九州的伊万里，有一座纪念这些朝鲜工匠的纪念碑，讲述了瓷器制造技术如何从朝鲜传到日本的过程。

九州的诸侯们要求从朝鲜掠来的工匠开始烧制瓷器。朝鲜的瓷工李参平在日本最早烧制出瓷器，被奉为日本瓷器的始祖（陶祖李参平）。他花了 20 年时间，在九州各地寻找适合制作瓷器的粘土，最后他在有田町发现了高岭土。1616 年，瓷器制造在日本终于拉开了序幕，靠的是中国的瓷器烧制技术和朝鲜的陶工。日本人把瓷器制作的工序分得很细，经过短短 30 年的努力，日本瓷器的质量已经达到了欧洲商人们的要求。

东印度公司向日本有田町订购的第一批瓷器就多达 65000 件。日本早期的瓷器大多是仿制中国的，比如今天还能看到在日本（和一些其他国家）在二手市场上出售江户时代印有"大明成化年制"标记的仿品。可能是因为在那个时期，成化斗彩瓷器深受日本人的喜爱。有田町的瓷器也不例外，它早期大量仿制中国的青花瓷，然后销往欧洲。但是，和他们仿制其他产品的过程一样，很快日本人从仿制进入到创新阶段。根据《日本中世纪和早期近代生活》[24] 一书介绍，有田町的瓷工酒井田柿右卫门在 17 世纪中期便发明了后来非常著名的赤绘瓷器。

赤绘瓷器是一种全新的瓷器，有时要使用 60 多种颜料，但是新颖之处在于它采用了一种特殊的赤色颜料。这种颜料的主要成分是硫酸亚铁，但

24
Deal,William E.（20
07）.Handbook to
Life in Medieval and
Early Modern Japan.
Oxford University
Press,USA.ISBN:
9780195331264.

加工工序非常复杂，完美的赤色颜料需要 10 年左右的时间才能加工出来。赤绘瓷器艳丽的色彩与白瓷洁白的胎质形成鲜明的对比，非常漂亮。这项发明对世界瓷器发展的影响虽然比不上使用钴蓝颜料的青花瓷，但是却改变了欧洲人对瓷器的品味，

图 6.22　酒井田柿右卫门制造的赤绘瓷器

并且反过来影响了中国的瓷器制造。赤绘瓷器从它诞生开始，就受到欧洲人的欢迎，并且很快风靡欧洲，成为日本瓷器的象征。

虽然到了康熙后期和雍正时期，景德镇官窑的制造水平达到了前所未有的高度，但是民窑和外贸瓷的品质却没有任何进步。西方人评价中国清代的瓷器，认为清代瓷器的质量有粗有细，盒类瓷器多变形，不平整，撇口碗的口沿有极小的凸起边，盘塌底严重；同是碗、盘，也有厚薄之分。釉质白中闪青。而青花颜色有浓艳闪紫的，或蓝中泛灰的。绘画普遍比较潦草。这样的结果是，从 17 世纪后期到 19 世纪中期，中国瓷器在欧洲销量虽有所上升，但是与日本瓷器相比，中国瓷器已经不占优势了。除了品质上的差异外，中国瓷器也失去了品牌的优势，很多出口都属于订单加工。而同期日本九州出品的打着"有田烧"标志的各种赤绘瓷器则是欧洲人心目中的名牌，一些商人为了降低成本，甚至向中国定制赤绘瓷器的仿制品，他们把"有田烧"的赤绘瓷器交给中国商人，让他们照样子仿制。到了 18 世纪初，大量中国出品的赤绘瓷器销到了欧洲。这时，中国虽然还没有沦为瓷器制造的二流国家，但是垄断世界瓷器市场的时代已经一去不复返了。

第七节 从炼金术士到月光社成员的尝试

到了 17 世纪末期，欧洲的现代科学开始萌芽，各种发明开始涌现，欧洲人不再满足于从亚洲进口瓷器，而试图自己制造瓷器。这一次，他们的做法和美第奇家族那种盲目的尝试有着本质的区别，并且最终"再发明"了瓷器。

欧洲人喜欢讲"中国人发明了瓷器，后来欧洲人再发明了它"。这种说法听起来很别扭，但是仔细了解一下欧洲人制造瓷器的历史，便会觉得这种说法也颇有道理。欧洲人再发明瓷器的过程富有戏剧性。这一切还要感谢前面提到的那位超级瓷器迷——萨克斯公国的国王奥古斯都二世。由于和瑞典开战，萨克斯的财力几乎枯竭，依靠横征暴敛当然也不是长久之计。奥古斯都二世想到了一个不用征税也能大量生财的"好办法"——炼金。

炼金术在 17 世纪的欧洲颇为流行，连大科学家牛顿也花了毕生大部分精力来研究它，但是从来没有人成功过。不过，欧洲人炼金的方法和中国人炼丹略有不同，他们留下了诸多实验的记录，这些实验记录导致了后来化学科学的诞生。1706 年，奥古斯都二世抓住了两个炼金术士，他命令二人为自己炼制黄金，但是他很快发现这件事是不可能的。当时虽然日本也已加入瓷器市场的竞争，但是欧洲的瓷器售价依然很贵，被称为白色的黄金。于是，奥古斯都二世便命令两个炼金术士开始研制瓷器，这样便无意中成就了炼金术士约翰·弗里德里希·伯特格尔（Johann Friedrich Böttger，1682—1719）的英名。伯特格尔只活到 37 岁，但是他却因成为欧洲瓷器发明人而名垂青史。

奥古斯都二世把伯特格尔软禁在阿尔布莱希茨堡（Albrechtsburg），并在那里为他建立了实验室。伯特格尔尝试用各种材料调制出瓷土，包括大理石、骨粉等颇为怪异的材料。1707 年，他烧制出一种红褐色的陶器，但是没有高岭土就不可能烧出洁白的瓷器，这是困扰欧洲陶工几百年的问题。不过，伯特格尔比较幸运，1708 年，他在德国的麦森地区（Meissen）

发现了高岭土矿，但是他发现的高岭土矿无法直接制造瓷器，因为长石含量较低，粘性不够。伯特格尔进行了很多次实验，终于发现了陶土中各种元素的最佳配比，他在麦森陶土中添加了长石成份。烧制瓷器的另一个难点是获得1300度的高温。到17世纪，欧洲人还没有掌握制造高温瓷窑的技术。经过各种尝试，伯特格尔使用了科学家特奇豪斯（Ehrenfried Walther von Tschirnhaus，1561—1608）发明的一种大型聚光镜，能够达到1400度的高温，终于烧制出了第一批白瓷。这批白瓷保存在德国的德累斯顿瓷器馆内的伯特格尔专厅中，非常精美。

从被带到阿尔布莱希茨堡到制造出欧洲的第一件瓷器，伯特格尔花了4年时间，做了3万次实验，他不仅记录了全部的实验过程和结果，而且把每一次实验之间的细小差异全都记录下来。这些历史文件现保存于德国德累斯顿国家档案馆。为了保密，他的文件都是用密码书写的，只有他和他的助手看得懂。从文艺复兴开始，欧洲人长期进行各种科学实验和材料分析，在没有亚洲工匠的帮助下，终于掌握了瓷器制造的秘诀。与熟练掌握瓷器制造工艺却不明白其化学原理的亚洲工匠不同，这些欧洲人对瓷器烧制的原理有理性认识，并有定量的了解，他们善于通过细微调节瓷土中元素的配比和调整烧制过程，来制造各种精致的瓷器。

伯特格尔的成功给萨克森公国带来了巨大的财富和荣誉，今天德国的麦森依然是世界瓷都之一，并且在国际高端瓷器市场占有很大的份额。奥古斯都二世当然要独享瓷器制造的技术和利益，他把陶工们都关在城堡里。可是到了1716年，也就是伯特格尔发明瓷器后的第五年，三名陶工逃出城堡，来到了奥地利的维也纳，自己开起了瓷窑。奥地利女王玛丽娅·特蕾莎（Maria Theresa of Austria，1717—1780）对瓷器同样痴迷。奥地利人到萨克森来挖角，雇来了不少陶工，把维也纳建成了欧洲第二个瓷器制造中心。女王亲自掌管瓷器工厂。这位喜欢绿色植物的女王把自己的喜好加入到瓷器中，维也纳人制造出一种绘有鲜艳的绿色植物图案的瓷器，称为玛丽娅特蕾西系列。这种瓷器今天还在生产，成为奥地利瓷器的象征。女王在她的宫殿里建起一间巨大的瓷器室，里面不仅摆放着青花瓷仿品，而且沙发座椅的图案也和青花瓷上的一致。

德国人和奥地利人的成功极大地鼓舞了欧洲其他国家的君王，他们相信瓷器这种技术是有可能掌握的。在麦森制造出瓷器的 50 年里，大小瓷器就已遍及欧洲——从北方的哥本哈根，到中部的斯特拉斯堡，再到南部的佛罗伦萨；从西边的伦敦到东方的圣彼得堡。

这些早期瓷窑都属于各国君主，和中国同期的雍正皇帝一样，他们对瓷器艺术热情很高，这极大地帮助提高了欧洲瓷器整体水平。不过，尽管欧洲瓷器市场竞争激烈，但是麦森瓷器依然独占鳌头，它不仅在很长时间里被称为"欧洲第一瓷"，而且在欧洲市场上打败了历史悠久的亚洲瓷器。到了 18 世纪，麦森瓷器的售价已经是中国瓷器的两倍，在欧洲只有日本的赤绘瓷器售价比麦森瓷器高。今天，印有两把交叉利剑标志的麦森瓷器在世界上依然是品质的象征。

在瓷器方面，超越德国麦森瓷器的是将工艺和艺术进行有机结合的法国人。法国的太阳王路易十四也是一个瓷器迷，他用中国的青花瓷砖装饰大特丽侬宫的外墙。这位法国国王也希望取代德国占领欧洲瓷器市场。

他的这个愿望，到了他的曾孙路易十五[25]时实现了，这在很大程度上要感谢路易十五的情妇、当时欧洲第一名媛蓬巴杜侯爵夫人（Madame de Pompadour，1721—1764）。这位名利场上的代表人物一方面生活奢华，另一方面利用她的影响力大力扶植艺术、文艺和哲学。法国思想家孟德斯鸠和狄德罗等人都是她沙龙上的常客。她对洛可可艺术的发展有着至关重要的影响。在蓬巴杜夫人的扶植下，法国瓷器业有了突飞猛进的发展。她把一家不大的瓷器厂迁到了塞夫勒，并且在资金上不遗余力地予以支持。法国工匠们为了弥补起步晚的劣势，在研发新技术和设计新图案上动足了脑筋。在瓷器厂搬到塞夫勒一年后，法国瓷器的质量和式样就堪与德国的麦森瓷器媲美了。塞夫勒的工匠们还发明了一种给瓷器"镀金"的新技术——用大蒜汁和上 24K 纯金的粉末，给瓷器上色，镀金的边饰和内部精细的纹饰成了塞夫勒瓷器的特色，后来逐渐成了欧洲瓷器的标志。蓬

图 6.23　蓬巴杜侯爵夫人曾经帮助过法国瓷器的起步。这幅她的画像由洛可可代表画家弗朗索瓦·布歇（FranÁois Boucher，1703—1770）绘制，收藏于苏格兰博物馆。

巴杜夫人把洛可可的风格带入到瓷器中，使得塞夫勒瓷器外形优美精致，图案的设计和颜色的使用则与洛可可绘画相一致。塞夫勒瓷器厂逐渐成了专为法国宫廷提供瓷器的"官窑"，仿制东方或者德国的瓷器被严厉禁止。法国宫廷从此不再使用中国和日本的瓷器，而专用内容题材与他们的生活更贴近的塞夫勒瓷器。麦森瓷器首先发明了淡紫色的颜料，而塞夫勒更进一步，以金色和淡紫色为主题，形成了欧洲瓷器的风格。塞夫勒还发明了一种独特的颜色——宝石蓝，日后成了法国工艺品的标志颜色。加上先前为了绘制洛可可图案，一种类似于洛可可绘画中常用的粉色也用到了瓷器中。上色技术的进步造就了欧洲瓷器绚丽的色彩。

欧洲人不断研制着新瓷器，一种将玻璃液化后烧制在瓷器表面的技术也被发明出来，这不仅在瓷器表面营造出一种晶莹剔透的效果，也使得瓷器更加经久耐用。这就是所谓的西洋珐琅彩瓷器。18 世纪时，这种瓷器被欧洲人带到了中国，康熙皇帝非常喜欢，下令在大内仿制。这实际上标志着中国在瓷器制造技术上已经落后于欧洲了，这时欧洲人不再痴迷中国的瓷器，虽然还从中国大量进口瓷器，那仅仅是因为欧洲本土制造的瓷器价格较贵。在欧洲人看来，他们自己制作的瓷器做工精巧，图案精美，专供高端阶层，而中国瓷器只是针对中下阶层的大众瓷器。

到了 18 世纪中后期，中国在制造大众瓷器方面的优势也渐渐丧失了。这个过程恰恰和英国一个叫月光社（在后面的章节中还会更详细地介绍）的组织的发展相联系。对大多数中国读者来讲，"月光社"（Lunar Circle）这个名称都非常陌生，但要说起里面的核心成员和通信成员，很多都大名鼎鼎：伊拉斯谟斯·达尔文（Erasmus Darwin，1731—1802，发明家和思想家，进化论最早的提出者，也是《物种起源》作者查尔斯·达尔文的祖父），詹姆斯·瓦特（James Watt，1736—1819，蒸汽机之父），约瑟夫·普利斯特利（Joseph Priestley，1733—1804，化学家，发现了氧气的助燃作用和对呼吸的必要性），马修·博尔顿（Matthew Boulton，1726 —1809，瓦特的合伙人，蒸汽机制造商），本杰明·富兰克林（Benjamin Franklin，1706—1790，电的发现者，美国国父之一）和托马斯·杰弗逊（Thomas Jefferson，1743—1826，美国《独立宣言》起草者，美国国父之一）。这群科学家和发明家经常在英国当时的工业中心伯明翰聚集，在一起做实验和讨论科学问题。因为当时没有路灯，他们便经常选择在月圆的晚上借着月光去聚会，"月光社"因此得名。月光社里有一位地质和矿物学家韦奇伍德（Josiah Wedgewood，1730—1795），他对现代瓷器的发展有至关重要的贡献。

作为地质学家，韦奇伍德在英国发现了高岭土矿，但是他对瓷器制造业的最大贡献，是将他的朋友瓦特发明的蒸汽机引入瓷器制造，这也是在世界上的所有制造业中首次大规模使用蒸汽机。蒸汽机的使用，不仅大大提高了瓷器的制造效率，而且不同批次的瓷器的品质都能得到保障。粘土的研磨和陶胚的制作等非常耗费人力的工序都被机器取代了。工匠们的职责分得很细，每个工种的技能都达到了很高的水平。这样，瓷器制造便第一次做到了质量和数量同时都能提高。而在此之前，增加数量总是以牺牲质量为代价。韦奇伍德的后人继承了家族的瓷器业，并且在 1812 年发明了骨质瓷器——他们将牛骨粉加到高岭土中，这样烧制出来的瓷器更加洁白，由此发明了我们今天所说的骨质瓷器。骨质瓷器比单纯用高岭土烧制的瓷器更结实，抗撞击力更强，因此可以做得更薄，甚至薄到半透明的状态。靠韦奇伍德等人的贡献，英国人只要花一个先令就能买到一件高品质的瓷器了。而在 100 年前，高品质的瓷器还只是王室和贵族的专用品。瓷器的普及改变了欧洲人的饮食习惯，老百姓的分盘用餐便是从那个时候开始的，因为每个家庭都买得起多套瓷器了。从韦奇伍德的时代开始，瓷器首次在世界范围内供大于求。市场竞争日益激烈，一个瓷器厂如果不能不断创新产品的样式、提升产品的品质，产品就没有人要了。

为了适应市场竞争的需要，韦奇伍德瓷器工厂还发明了一种全新的营销手段。他在伦敦的市中心开了一家展销厅，向市民们展示自己的新产品，这是今天的苹果店和各种品牌展销店的前身。在此之前，瓷器生产厂商都是从销售商那里接订单，然后照单加工，而韦奇伍德的做法让生产厂商能直接了解到消费者的需求，瓷器的更新换代变得非常快。

第八节　瓷器在今天

18 世纪对中国和英国来讲，是个分界点。按照西方学者的观点，中国的科技进步到了明朝便停滞了，虽然因为人口众多的因素，在很长的时间里中国的 GDP 还是世界排名第一。而英国因为成功地进行了工业革命，一跃成为世界头号强国。到了 19 世纪维多利亚女王时期，英国成了日不落帝国。1851 年，英国在伦敦举行了第一届世界博览会，当时的目的是向各国展示其工业革命的成就，英国的瓷器是其中重要的展示品。亚洲只有日本积极参加了这次博览会，他们试图在世界市场上占据更大的份额，积累财富，实现富国强兵的目的。事实上，日本早在明治维新前几十年就开始向资本主义过渡，政治变革也开始酝酿。日本的瓷器继古伊万里瓷器[26] 后不断推陈出新，成为在欧洲市场上唯一可以和当地瓷器竞争的亚洲产品。九州的领主们在过去的 200 年里靠出口获得了巨额财富，为后来的明治维新做好了经济上的准备。不仅如此，绘有浮世绘的瓷器包装纸在欧洲也受到了热捧，西方人通过这些绘画了解了日本，渐渐地在欧美人心目中，日本取代了中国和印度，成为东方文明的代表。今天

26
著名日本瓷器。以位于日本九州港口"伊万里"命名的日本"伊万里瓷"，其特色在于釉下蓝上面，再加上铁红和金色的面釉，图案是花卉和几何形状的简单或复杂的组合。

还有很多西方人对日本的浮世绘兴趣浓厚。相反，中国的瓷器失去了宫廷的支持，式样和品质都已然跟不上世界的潮流，开始江河日下。

整个 19 世纪和 20 世纪，瓷器在欧洲和美国不断发展，不同的国家之间鲜有模仿，而是努力在某些方面超越对手。丹麦是北欧的一个小国，在世界范围内能数得上的工业品并不多，但是哥本哈根的白瓷却在世间无出其右。哥本哈根是欧洲早期的瓷器制造中心之一，他们用最纯净的高岭土在 1460 度的高温下烧制出洁白无瑕的瓷器。这种精品瓷器深受欧洲王室的喜爱。法国是今天唯一拥有国家瓷器厂的国度，由它烧制的塞夫勒瓷器成为了法国的名片。这种纯手工制作的瓷器只能在三个地方看到：法国的国宴上，法国的国礼中，以及拍卖会上。18 世纪，法国人在利摩日发现了上等的高岭土，打这以后塞夫勒的瓷器都用利摩日的高岭土制造，原始的瓷胎在利摩日制作完成后，送到塞夫勒上色、绘制和烧制。经过法国工匠和美国商人一百多年的努力，如今利摩日已成为世界瓷都。

法国历来以制造数量少的瓷器精品著称，但不擅长生产大批量的工业品。而美国人则相反，他们善于利用资本来荟萃世界各国之长为自己所用。早在 19 世纪初，美国快速增长的瓷器消费市场被英国品牌所占据，虽然美国其实是世界上高岭土储量第一的国家，但是在很长时间里却没有自己的名牌瓷器。美国人的思维方式很有跳跃性，他们没有走欧洲人超越亚洲人的老路——从头开始去追赶欧洲人，而是直接到法国利摩日建厂，利用那里的优质高岭土和有经验

图 6.24　今天世界上最昂贵的塞夫勒瓷器

的工人制造自有品牌的瓷器。早期从新大陆回到旧大陆的商人，有点像今
天从美国回到中国的海归，他们从美国带去资金在法国建厂。哈维兰家族
就是其中的佼佼者。19 世纪上半叶，美国瓷器商人大卫·哈维兰（David
Haviland）在利摩日开设了哈维兰瓷器厂，生产高品质的瓷器，返销回美
国。1842 年，哈维兰制造的第一船瓷器运抵美国，大受欢迎，后来它的
瓷器也销往欧洲和世界各地。这样的美资瓷器厂在利摩日有很多家，加上
法国让·波叶（Jean Pouyat）和博纳多（Bernardaud）等瓷器公司，利摩
日在短时间里到处都是正在建设的瓷窑，就如同明代的景德镇和大航海时
代的玻璃制造中心威尼斯。于是，从十九世纪中期到现在，利摩日便成为
世界瓷都。

到了 19 世纪末，美国商人莱诺克斯（Walter Scott Lenox，1859－1920）
开始在美国本土制造精品瓷器，并且很快风靡世界。到了 20 世纪初，莱
诺克斯的瓷器就开始被法国塞夫勒国家瓷器博物馆收藏，并且成为美国
总统选用的瓷器。罗斯福、杜鲁门、里根、克林顿和小布什总统都对之
喜爱有加。美国从此也在高档瓷器市场站稳了脚跟。今天，一个高档的
莱诺克斯正餐瓷盘（直径 30 厘米左右），售价依然高达 200 美元。

从 19 世纪开始，随着世界各地都发现并开采高岭土矿，很多国家都有能
力制造陶瓷了，而机械化生产更是令制造成本大为降低，瓷器变得不再
稀有。今天，瓷器不再仅仅是餐具和盛器，而是被广泛地用到了生活的
方方面面，包括建筑材料、洁具、绝缘材料、绝热材料和装饰品。瓷器
虽然有上千年的历史，不过好些特殊的瓷器在今天依然属于高科技产品，
科学家们还在研究它们的特性，并且希望用这些瓷器制造出新的材料。

在我们通常的印象中，陶瓷是最好的绝缘材料之一，我们电线杆和变电站
的高压电线的绝缘瓷芯都是用陶瓷制作的。1946 年，美国麻省理工学院
发现，一种加有特殊金属氧化物的陶瓷可以将机械能转换成电能，当然也
可以把电能转换成机械能，由此他们发明了压电陶瓷。这种材料虽然大家
未必听说过，但是都使用过，在打火机、煤气炉，以及在很多喇叭里都有
用到。到了上个世纪七八十年代，科学家们发现混有特殊金属氧化物的瓷

器在低温下呈现出超导的特性。以往已知的超导体需要在极低的温度下才能显示出超导特性，而这种超导陶瓷则不需要那么低的温度就可以出现超导特性。

绝热是陶瓷的另一个特性。美国的航天飞机在重返大气层时，由于表面与空气摩擦，温度高达 1800 摄氏度。要承受这样的高温，陶瓷是理想的材料。航天飞机的表面附有特殊的（非常轻的）陶瓷散热片，保护航天飞机在进入大气层时不会受到损害。这种陶瓷不是实心的，内部呈海绵状，重量轻而隔热效果好。很难想象一个传统的产品对我们今天的生活还能产生这么大影响。

中国人托上天赐予的优质瓷土和充足的燃料，加上自己的聪明才智，发明了瓷器。作为瓷器的故乡，中国在六七百年里独占世界市场。自宋代以来，瓷器为中国历届王朝积累了大量的财富，功不可没；同时，瓷器也改变了整个世界的生活习惯、生活方式和文化。但是，中国瓷器业在最近的 300年里衰退了，这里面原因有很多，有些看似非常偶然，比如 17 世纪中期，正值中国改朝换代和清初动荡，而恰巧日本人在这个时候制造出了瓷器，于是抢去了中国在世界的市场份额。但是客观地进行分析，可以看到这又是历史的必然。从 17 世纪开始，中国的科技和工业水平就停滞不前了，而日本则结束了多年的战国时代，成为一个统一的国家，同时开始重视贸易，并且对外扩张（虽然日本第一次入侵朝鲜以失败告终）。日本是个岛国，原材料相对贫乏，因此制作任何东西都必须精益求精，否则会被认为是浪费财物。日本的手工业者喜欢把自己的名字写到产品上，师傅生怕徒弟的技艺超不过自己，那将是家族的耻辱，因此总是倾囊相授。（不像中国师傅传徒弟，都跟猫教老虎似的，一辈留一手。留到今天，很多手艺都失传了。）而徒弟也生怕师祖们创下的字号在自己手上搞砸了，也因此做事情尽心尽力。他们制作瓷器，即使在人看不见的地方，也要做得尽善尽美。日本的工匠认为赤绘瓷器洁白的底色比上面的色彩更加重要，虽然前者看不见。为了达到这种纯白色的效果，要控制好窑温和氧气量。在 19 世纪，这种表里如一的瓷器，每个瓷盘可以赚取五倍的利润，而大的瓷缸则可赚到八倍。日本人做东西，先是仿制，然后超越、创新，做瓷器也是一样。因为上述原因，日本的瓷器制造技术在短短的几十年里就超越了中国。所以说，即使没有丰臣秀吉发动侵朝战争，日本也早晚会获得瓷器制造技术，而中国几百年都没有进步，是无法阻止其他国家超越自己的。

欧洲人在瓷器制造上超越亚洲人，则是整体科技进步和工业化的成果。欧洲人较早地掌握了现代的科学研究方法，擅长定量分析和比较实验，因此完全弄清楚了瓷器的成份和烧制的原理。在研制过程中，他们保留了全部的原始数据和实验报告，这样，每取得一点进步，后人都可以直接受益。德国的伯特格尔把上万次实验的点点滴滴都记录下来了，这种做事情的方式被英国的韦奇伍德继承了，他研制出碧玉细炻器，做了5000多次实验，都有记录。这种科学研究的方法是欧洲人取得长足进步的基础。相比之下，中国工匠更多的是具有对制瓷工艺的感性认识，他们靠"师傅带徒弟"的方法将经验代代相传，而徒弟是否能超越师傅，则完全靠悟性。中间即使一些发明和改进，却因为没有详细的过程记载，或许是出于保密故意不记载，很多发明和改进都无法传世，比如宋代五大名窑的制作工艺大多失传了。这样，后世常常不得不重复前人的失败，使得瓷器制造技术进步缓慢。这其实不是中国瓷器制造特有的问题，而是中国古代很多手工业普遍存在的现象。

中国的官窑烧制，在清朝中期达到顶峰，但是这些技术成果只供宫廷享受，并不为民窑所用，也没有帮到中国的外贸，统治者只对个人爱好有兴趣，对现代商业关注甚少。从清朝末年开始，因为国力衰退和不断的战争，中国基本上退出了世界瓷器市场，除了制造一些非常廉价的陶瓷制品。到了中国改革开放之后，中国瓷器在世界上的地位才有所恢复，一些中国制造的瓷器的品质已经达到了莱诺克斯和英国强生兄弟（Johnson Bros）等著名厂家低端瓷器的要求，这些公司为了降低成本，将一些中低端的产品转到中国制造。借助这些国际知名品牌，Made in China（中国制造）的瓷器又回到了国际市场。但是，今天，欧洲人依然占据着世界高端瓷器市场90%的份额，其余份额则由美国和日本瓜分。

结束语

瓷器，不仅仅是一种盛器，一种商品。它曾经在世界文化交流中起着重要的作用，现在依然如此。西方世界通过它了解到了东方的文明，并与东方展开了大规模贸易。瓷器贸易带来的巨大利润，又刺激了西方化学和材料学的发展，因为过去瓷器利润丰厚，瓷器制造业也成为历史上第一个采用蒸汽机进行大规模生产的行业，这宣告了人类工业革命的开始。从促进文明发展的各个角度来讲，世界上都很难找到第二种商品能和瓷器相比。

附录　宋代的官、哥、钧、定窑瓷器

宋瓷的鉴赏是一个有趣的话题。除了前面介绍的汝窑瓷器，宋代五大名窑中还有官、哥、钧、定这四种。

排名第二的是官窑。"官窑"这个词本身就有多重含义，一方面它泛指为宫廷制作瓷器的作坊，比如我们常听到的"景德镇官窑"之说。另外，它还特指北宋五大窑之一的官窑，又称汴京官窑。由于官窑的窑址至今还没有找到，因此，很多人认为它可能并不存在，或者就是汝窑。但是主流意见认为它确确实实存在过，而且就在汴梁城内。南宋顾文荐的《负暄杂录》中有这样的记载："宋宣、政间（宣和、政和之间）京师自置窑烧造，名曰官窑"，而南宋叶寘在其《垣斋笔衡》中也有类似的记载："政和京师自置窑烧造，名曰'官窑'"。官窑胎体显厚，且呈黑色，釉为淡青色，釉面有大开片裂纹[27]，也有"紫口铁足"的特征。而宋代另一名窑"哥窑"瓷器也有大开片和"紫口铁足"的特征[28]，因此它们很容易被搞混。人们常常说"官哥不分家"就是这个道理。甚至有人认为哥窑是元代对宋官窑的仿品，因为对哥窑最早的记载出现在元代末年[29]。当然，哥窑瓷器还有另一大特征，就是所谓的"金丝铁线"形状的开片[30]非常明显，相比之下官窑的这种特征不明显。下图是大英博物馆陈列的官窑瓷器和旧金山亚洲博物馆陈列的哥窑瓷器，二者放在一起，还是可以区分的。

27
瓷器出窑时，由于内外温度不同，因为热胀冷缩的原因，导致瓷器外表釉会产生细致的裂纹，称为开片。

28
紫口是指瓷器口部露出胎的颜色，铁足是指瓷器的底部因为釉薄而露出铁锈般的颜色。

29
元末孔奇在《静斋至正直记》中记载，"乙未冬，在杭州时，市哥哥洞窑者一香鼎，质细虽新，其色莹如旧造，识者犹疑之。会荆溪（宜兴）王德翁亦云，近日哥哥窑绝类古官窑，不可不细辨也。"

图 6.25 官窑瓷器（左）和哥窑瓷器（右）的对比

在宋瓷中名气很大的是钧瓷，尤其是在晚清民初，流传着"家有万贯，不如钧瓷一片"之说。笔者了解宋瓷也是从钧瓷开始的。但是在历史上，收藏家对它的评价不如汝、官、哥三窑高。钧瓷得名于产地，故又称为钧州瓷。与汝、官、哥瓷器单一色彩所不同的是，钧瓷的色彩十分丰富。钧瓷最突出的成就在于它采用了铜的氧化物铜红釉，改变了以往单一色釉瓷的局面，在世界瓷器工艺史上具有极其重要的意义。我们今天看到的瓷器上的各种颜色，大多是不同的金属氧化物在高温烧制时表现出的颜色（除了法国名瓷塞夫勒的金色是由 24K 纯金绘制）。而钧瓷在出窑时，骤然冷却，温度不均而发生了窑变，因此表现出了不同的颜色（绝非用了不同的颜料）。钧瓷的颜色五彩缤纷，既古朴典雅，又艳丽绝伦，有的瓷器釉色红里透紫，有的紫里藏青，也有青中寓白，或者白里泛红的。古人用"绿如春水初生日，红似朝霞欲上时"和"高山云雾霞一朵，烟光空中星满天；峡谷飞瀑兔丝缕，夕阳紫翠忽成岚"等诗句来形容钧瓷釉色的微妙。钧瓷的颜色是在出窑时窑变产生的，它的颜色很难控制，因此上品钧瓷非常罕见。清代的雍正皇帝是个瓷器迷，他特令大臣年希尧在大内仿制钧瓷，年希尧经过多次试验仿制成功后，拿给雍正皇帝去看，雍正帝看后颇不满意，说，钧瓷釉厚重，你们这个釉薄（暗指质量不行），让他重新仿制，年希尧又花了很多功夫，直到雍正 11 年，终于仿制成高

30
所谓开片是瓷器上的裂痕。因为釉的膨胀系数和瓷胎不同，因此在瓷器出窑时釉会炸裂。哥窑瓷器在制作时，将出窑的瓷器放入碳汁或者墨汁，大的裂缝吸收了碳素或者墨汁便呈黑色线条，称为铁线，细小的开片无法渗入墨汁，但是久而久之氧气渗入后和胎质中的铁发生反应，呈黄色细纹称为金丝。官窑瓷器并不做侵入墨汁的处理。开片的颜色乃是长期渐渐形成的。

质量的钧瓷仿品。这是后话了。钧窑瓷器的胎质相比汝窑瓷器，厚重坚实但不乏细腻，扣之有声，清脆而圆润。

我们前面讲到，在瓷器发展的早期，人们不知道如何去除高岭土中的铁杂质，因此无法烧制出纯白的瓷器。而到了五代和北宋时期，定窑瓷器已经达到了洁白如玉的水平。定窑在早期属于民窑，它烧制的瓷器样式迎合了市民阶层的审美。和汝官哥钧四种瓷器不同，定窑瓷器表面常常有雕花和纹饰。多年前我们一个旅行团到台北故宫博物院参观，在一个展览室中有宋代五大民窑的作品，大部分人最喜爱的都是那些晶莹剔透、雕花的定窑作品，而不是需要细细品味才能得其神韵的汝窑和官窑瓷器。宋代百姓的审美大致亦如是。从五代到北宋，再到金，定窑的胎质和釉色水平不断提高，但是雕花和纹饰水平却不断下降。在五代时，雕花为阳刻，也就是说，花是突出在瓷器表面，而后来改为阴刻，即雕花是凹陷下去的，再到后来干脆改成了浅浅的纹饰。其中的原因我没有考证过，但是据著名收藏家马未都先生的讲法，越到后来越追求数量，而非质量。相比汝官哥钧四种名瓷，定窑出品的瓷器数量较多。

参考文献

1　Mary Frank Gaston. 青花梧桐（*Blue Willow – Identification & Value Guide*）.Collector Books，1990.

2　Mary Frank Gaston. 利摩日瓷器收藏者百科全书（*Collector's Encyclopedia of Limoges Porcelain*）.Collector Books，2000.

3　Robert E. Rontgen. 麦森瓷器（*The Book of Meissen*）.Schiffer Pub Ltd，1996.

4　Jenny Uglow. 五个好奇心改变世界的人（*The Lunar Men: Five Friends Whose Curiosity Changed the World*）.Farrar, Straus and Giroux，2002.

5　Robert Finlay. 世界史上的瓷器文化（*The Pilgrim Art: Cultures of Porcelain in World History*），University of California Press，2010.

6　马未都. 马未都说陶瓷 .CCTV 百家讲坛 .

第七章　一个家族的奇迹

文艺复兴

全世界恐怕没有哪个家族（王室除外）比美第奇家族（House of Medici）更富有传奇色彩了。这个家族曾经是世界上最富有、最有影响力的家族，他们控制着整个欧洲的金融，并且左右着教皇的任命。他们还通过和欧洲王室联姻，将影响力延伸到欧洲大部分地区和中东的部分地区。中国人讲富不过三代，但是美第奇家族的兴旺长达 200 年左右。今天虽然我们已经找不到他们的直系继承人，因为早在近 300 年前（1737 年）这个家族就随着他们最后一位成员的去世而终结了，但是我们依然可以看到他们的影子，那就是文艺复兴和欧洲的近代化。

第一节　佛罗伦萨的往昔

中世纪时，欧洲名城罗马便早已没有了往日的辉煌。以现在的眼光来看，它当时不仅破落不堪，而且充斥着贫穷和犯罪，但在中世纪人们的精神世界里，罗马依然占据着重要的地位，因为那里支配着人们（包括国王们）的思想。欧洲上至君主，下至平民都希望得到罗马教廷的庇护，各国的王室之间或者民间发生争议时，也常常请出罗马教廷来调停，洗雪冤情。人们依然从欧洲各地络绎不绝地赶往罗马，来到罗马教廷的所在地拉特兰宫（Palazzo Laterano）。大部分人都会路经托斯卡纳地区阿尔诺河畔的一个小镇，在镇上一边休整，一面找律师办理去罗马教廷公干必需的

图 7.1 罗马帝国衰亡后的罗马城（收藏于法国卢浮宫）

手续，并找银行家兑汇罗马认可的货币。久而久之，这个小镇就发展成中世纪意大利文明的一个标志性城市——佛罗伦萨。

佛罗伦萨所在的托斯卡纳地区气候温和，适宜农业生产，交通便利。到了中世纪后期，这里的纺织业开始兴起，最初是生产欧洲特有的呢绒。十字军东征后，佛罗伦萨人又从穆斯林那里学到了中国的抽丝和纺织技术，开始生产丝绸。中世纪的欧洲人不仅生活质量低下，而且早期的教会要求百姓（当然也包括他们自己）过苦行僧式的简朴生活，他们对丝绸这样的奢侈品很反感。但是到了 11 世纪，情况发生了变化，那些十字军的骑士，已经从文化上接受了东方享乐型的生活方式。贵族的妻女们更喜欢闪亮柔软的丝绸，而不是她们过去穿的亚麻和棉布。而教廷也逐渐认识到了丝绸的价值，并且用丝绸来装饰用冷冰冰的大理石或花岗岩建成的教堂。欧洲对丝绸和高质量呢绒的需求，促使佛罗伦萨（还有米兰和威尼斯）的商人们大量投资纺织业，他们在意大利北部养蚕，并且招募当地的青年女子成为纺织工人。靠着丝绸生意，佛罗伦萨成了当时欧洲最富有的城市之一。用今天的话来说，佛罗伦萨人通过做丝绸生意，掘得了资本主义的第一桶金。

手工业和商业的发展，有时会带来金融业的兴起。佛罗伦萨地处交通要道，每天都有外地来的人到这里兑汇罗马所用的钱币。于是，一些有投机意识的商人便开始以兑换货币来牟利。这种生意可以说是有百利而无一弊，既不需要什么高难的手艺，也不用承担什么风险，而且利润还丰厚，更重要的是，发财的是本地人，被掠夺的则是外地的贵族或者香客，因此，当地的贵族和官员们对此极为支持。就这样，佛罗伦萨人财富的积累在不断地加速，经过几个世纪，到了中世纪末期，佛罗伦萨就成为整个西方世界的金融中心，如同 18、19 世纪的伦敦，以及 20 世纪的纽约。

有了大量的金钱撑腰，这些商人就不再是走街串巷的小贩，而是富甲一方、出入皆宝马香车的社会名流了。他们的社会地位不断提高，开始关注政治，并且不断提出自己的政治主张。他们组建了行会，开始在社会生活中发挥重要的作用。教会虽然反对商人们这种重利盘剥的行为，并且认为暴力会激起上帝的愤怒，但又无可奈何，对此只能睁一只眼闭一只眼。

中世纪末期（12、13 世纪），绝大部分欧洲地区受教权和王权的双重压制，沉闷得让人喘不过气来，而意大利城市的空气则是清新的。中世纪末的佛罗伦萨，主导城市的力量不再是教会，而是这些商人团体，他们不仅是政治和金融上的直接领头人，而且是那些市民与手工业者的代表和庇护者。虽然在整个欧洲，基督教的势力和王权依然非常强大并且毫不相让，但是佛罗伦萨在商人团体的领导下，出现了繁荣和有序的景象。

经济的发展带动了思想的解放。从 13 世纪末到 14 世纪初，佛罗伦萨出了一位了不起的人物——但丁（Dante Alighieri，1265—1321）。他是旧时代的最后一位诗人，也是新时代的第一位诗人。他的传世之作《神曲》为今天的大众所知。这部用长诗形式写成的巨作，场面极其广阔，它反映出意大利从中世纪向近代过渡的转折时期里，现实生活及各个领域发生的变革，这个作品沐浴着新时代的曙光，洋溢着人文主义的光芒。今天，走在佛罗伦萨的阿尔诺河畔，想象着当年但丁在廊桥边遇到他永恒的爱人贝雅特丽齐（Beatrice di Folco Portinar，1266—1290）的场景，似乎没有比那样的邂逅更为浪漫的了。

图 7.2 但丁遇见贝雅特丽齐（亨利·赫利戴 1884 年作品，收藏于利物浦沃尔克艺术博物馆）

通常，新时代的到来都不是一帆风顺的，商人之间也有很多对立的派别，他们之间的争权夺利把城市搞得乌烟瘴气。但丁《神曲》地狱篇中的一些描述和莎士比亚名剧《罗密欧与朱丽叶》的背景，都反映出这个历史阶段意大利城市里的内斗。在佛罗伦萨，奎尔普派（Guelphs）和吉勃林派（Ghibellines）[1] 就你死我活地争斗了多年。直到有一天，市民们忍无可忍，决定由同业公会来接管城市的行政大权，市政厅中有每个行业选派的代表。市民们再（间接地）选出一位公爵，成为佛罗伦萨的最高统治者，这其实是近代民主的开端。

当然，没有权力制约的民主也会有很大的问题。虽然佛罗伦萨的市政人员都是民选的，可他们一旦当选，照样见利忘义，欺压百姓。（这就如同笔者对中国出租司机做的调查，绝大多数表示一旦权力在手，他们也会当贪官。）倘若这样下去，佛罗伦萨就将沦为一个平庸的城市，更不可能成为文艺复兴的中心。这时，一个家族的异军突起，在推动佛罗伦萨的进一步发展上起到了不可替代的作用。他们努力维系着各种力量的平衡，善待平民，让佛罗伦萨面貌一新。这就是本章的主角——美第奇家族（House of Medici）。

1
意大利中世纪末的两个派别，分别支持教皇和神圣罗马帝国的皇帝。

美第奇是一个非常古老的家族，从"美第奇"这个名字来看，他们的祖上应该是江湖郎中，但却是靠手工业发家的。不过，虽然他们发迹了，但是在开始的几个世纪里，这个家族的成员从不脱离手工业传统。后来，这个家族的势力急剧膨胀，甚至有实力决定教皇的人选了，但是他们依然保持着（至少是名义上）平民的身份。吉奥瓦尼·美第奇（Giovanni di Bicci de' Medici，1360—1429）曾经教育他的儿子科西莫·美第奇（Cosimo di Giovanni de' Medici，1389—1464）："骑在驴子上的人最安全。"因为在当时平民百姓只有驴子可骑，而贵族和富人则骑着高头大马。直到16世纪中叶，这个家族的男主人科西莫一世·美第奇（Cosimo I de' Medici，1519—1574）才当选为托斯卡纳公爵（Grand Duke of Tuscany），有了正式的贵族身份。之后他们家族的女眷也跟着身价倍增，不断有人嫁到其他国家的王族中，成为王后，包括两位法国的摄政王后[2]。此外，美第奇家族还出过多位教皇（一共四位[3]）。

在过去的六七个世纪里，佛罗伦萨的命运与这个家族紧紧联系在一起。在美第奇家族鼎盛时期，佛罗伦萨不仅跟罗马或威尼斯分庭抗礼，而且还对抗着法国和神圣罗马帝国（即今天的德国和奥地利）。但是在这个家族的命运终结之后，不仅是佛罗伦萨，而且是整个托斯卡纳地区，就又变回了落后的农村，再难看到往日的辉煌。

第二节 最珍贵的财富

把美第奇家族缔造成金融帝国的是吉奥瓦尼·美第奇。在他之前，美第奇家族经过很多代人的努力，积累了财富，成为佛罗伦萨地区颇具影响力的家族。吉奥瓦尼因为兄弟姐妹等亲戚众多，继承的遗产并不算多，但是他将美第奇家族善于理财的传统发扬光大了。在他37岁那一年，他正式注册了美第奇银行。美第奇银行不仅仅是为了赚钱，它更是一个组织。它有些像今天高盛和摩根斯坦利这样的投资银行，而不是大家储蓄然后对外提供信贷的商业银行。吉奥瓦尼看重忠诚，强调保持长期客户关系。找到忠诚的伙伴是吉奥瓦尼一生行事的准则。他是所有客户的保护者，

2

这两位法国王后是凯瑟琳·美第奇（Catherine de' Medici，1547—1559年摄政）和玛丽娅·美第奇（Marie de' Medici，1600—1610年摄政）。

3

他们是利奥十世（Pope Leo X，1513—1521在位）、克莱蒙特七世（Pope Clement VII，1523—1534年在位）、庇护四世（Pope Pius IV，1559—1565年在位）和利奥十一世（Pope Leo XI，1605在位）。

维系着这些客户之间的关系，这些关系向外延伸，便形成了巨大的关系网，控制着佛罗伦萨乃至整个意大利的政治和商业。因此，他挑选客户非常仔细，并非任何有利可图的生意他都做。

曾经有一位潦倒的教士找到吉奥瓦尼，他叫巴达萨尔·科萨（Baldassarre Cossa），此人有当教皇的雄心，但是无钱无势。吉奥瓦尼看中了他的忠诚，觉得这个人可以信赖，于是他资助巴达萨尔·科萨，帮他铺平了通往教皇的道路。1410 年，这个当年落魄的教士终于当上了基督教世界的最高统治者——教皇约翰二十三世。当上教皇后，约翰二十三世投桃报李，将教廷的钱交给美第奇银行打点。

美第奇家族到了吉奥瓦尼这一代，无论是在金融上还是在政治上都已经很有影响力了，但吉奥瓦尼仍保持平民身份。他从不张扬，以免树敌过多。他的一生可谓是风平浪静。吉奥瓦尼在晚年把家族的事业完全交给了儿子科西莫·吉奥瓦尼·美第奇（Cosimo di Giovanni de' Medici, 1389—1464），只是偶尔给他一些人生的建议。

科西莫是美第奇家族走上政治前台的第一人。他从小生长在佛罗伦萨，在据他家几步之遥的地方有一个宏大的建筑，这是一座大教堂，有上百年历史，但一直没有完工。当时佛罗伦萨恐怕没有一个老人说得清这座教堂是从什么时候开始修建的，因为在这些老人的父辈甚至祖辈记事时起，它就已经在那里了。佛罗伦萨人是虔诚的天主教徒，他们要为上帝建一座雄伟空前的教堂，它长达 150 多米，完成时高达 110 多米。当时的大教堂都是尖顶的哥特式建筑，这座教堂本来也不应该例外，实际上它的钟楼就是哥特式的。修建这座教堂，恐怕多少有点超出当时佛罗伦萨人的财力和工程水平，进展十分缓慢，加上他们对细节一丝不苟，结果用了 80 多年才修建好四围的墙壁。可是这时他们才发现，这么大的教堂，无论如何是无法建造一个尖顶的，恐怕还没等修好，顶就要塌下来。没有人知道该怎么办。因此，虽然教堂大理石的地板铺得十分漂亮，四壁亦如此，但是每逢下雨这里就成了一个大水塘。科西莫从小看到的就是这番景象，等他长大后，他希望能把这个大教堂的顶给装上，让这座有史以来最大的教堂成为荣耀他们家族的纪念碑，可这又谈何容易。

科西莫在25岁那年继承了父亲的事业和财富，但是他一生获得的最大财富并不

图7.3 科西莫·美第奇（雅格布·蓬托尔 Jacopo Pontormo 绘，收藏于乌菲兹博物馆）

来源于此，而是另有机缘。他的经历，说起来颇像金庸小说里主人公的传奇：一个偶然的机会，得到了前人留下的宝藏（包括秘籍之类），然后成就了前无古人的伟业。在14世纪末15世纪初，虽然欧洲的黑死病[4]已经过去，但是瘟疫依然不断，教堂常被当作停尸所，而堆满尸体的教堂也就成了无人光顾的废墟。一天，年轻的科西莫来到一个堆满尸体的教堂，跨过这些尸身，来到一个人迹罕至的黑暗角落，在那里他发现了古希腊罗马时代的一些经卷和手稿。这些手稿的年代非常久远，比他生活的年代早10个世纪左右，手稿中有很多机械和工程方面的图纸，以及各种文字描述。这些都是他和他的父辈从未见过的。要知道在中世纪，欧洲只有一本流行的书籍——《圣经》。

科西莫不断收集类似手稿，我们现在不能确定科西莫是否看得懂这些手稿。开始他只是好奇古人都记载了些什么，但是他终于意识到这些手稿中记载了很多古希腊罗马人懂得，而当时的欧洲人却不懂的知识和技术，他凭直觉认识到这些知识将来会非常有用。知识是科西莫一生获得的最大财富，而这些知识很快便在大教堂的建设中派上了用场。

如前所述，佛罗伦萨人一直想把敞了几十年的大教堂的顶给封上，但是

4
现在认为是一种鼠疫，据估计夺走了7500万到1.5亿欧洲人的生命。

没有人能够做到，各种已知的方案都行不通。这时，一个名叫菲利波·布鲁内莱斯基（Filippo Brunelleschi，1377—1446）的人带着他的设计方案来到市政厅，声称他可以解决这个工程难题。布鲁内莱斯基考察过很多古迹，提出可以给教堂盖一个圆顶。这个建议对市政官员们来讲有点异想天开，因为大家都认为这么大而没有支撑的房顶会塌下来，没有人能看懂他的设计，于是官员们把这个"疯子"连同他的设计方案扔出了市政厅。但是，佛罗伦萨有一个人懂得赏识他的才能，他就是科西莫，因为他知道"古人"曾经实现过布鲁内莱斯基的设计。

科西莫开始资助布鲁内莱斯基，他让后者用立柱和圆拱为自己的家祠（也就是后来的圣洛伦佐教堂）修建承重的回廊。布鲁内莱斯基不负他望，果然按照设计完成了回廊的建造，这是自古罗马后上千年来第一次在建筑上只用立柱而不用墙来承重。有了这次的成功，科西莫和布鲁内莱斯基对修建大教堂的圆顶就有了信心。

1418 年，佛罗伦萨市政府对大教堂圆顶的工程招标，科西莫支持的布鲁内莱斯基和佛罗伦萨另一位杰出的工程师洛伦佐·吉贝尔蒂（Lorenzo Ghiberti，1378—1455）[5] 都想得到这个工程。吉贝尔蒂为了中标，将价钱压得和布鲁内莱斯基一样低，于是佛罗伦萨市政府就将工程给了他们两人。这时候，布鲁内莱斯基开始装病，表示无法负责这个工程了，便将全部的工程让给了吉贝尔蒂。到了 1423 年，吉贝尔蒂终于承认他无法给这个巨大的教堂装上一个中间没有任何支撑的圆顶，只好再拱手交出项目。于是，布鲁内莱斯基就成为了唯一的竞标人，现在他需要说服市政官员圆形屋顶的方案可行。与不懂工程的官员们沟通并不容易，布鲁内莱斯基最后拿出个鸡蛋，让这些官员立起来。这些官员讲，鸡蛋怎么可能立起来？布鲁内莱斯基将鸡蛋的一头砸碎，就立了起来。官员们自然不干了，说：你可没有讲可以允许砸碎鸡蛋。布鲁内莱斯基解释道，教堂并没有谁规定一定只能建尖顶，而建成圆顶，就像把鸡蛋竖起来这么容易。官员们最终被说服了，将工程交给了布鲁内莱斯基。而完成这个工程恰恰是科西莫实现他政治抱负的第一步。

5
吉贝尔蒂在佛罗伦萨留有很多的建筑作品，包括洗礼堂著名的黄金大门。

科西莫和布鲁内莱斯基接手这个工程后，心里并不轻松，他们要确保这个从来没有人尝试过的圆顶工程能顺利完成。科西莫收集的手稿派上了大用场，布鲁内莱斯基从古希腊和罗马人的智慧中得到了启发，完成了教堂天顶的细节设计。为了证实他们的设计可行，科西莫和布鲁内莱斯基跑到几百公里外的罗马，实地考察了古罗马修建的万神殿（Pantheon），这座建于公元 2 世纪的大理石建筑，长 84 米，高度近 60 米，有一个直径 40 多米的拱形圆顶。当时古罗马人在圆顶的下面搭了脚手架，然后将大理石用水泥砌好。一千多年后，水泥大部分脱落了，但是圆顶上的大理石互相卡在一起，没有脱落。古罗马人的建筑技术在中世纪都失传了，人类往前走了一千年，反倒不会运用一千年前就已经掌握的技术了。科西莫和布鲁内莱斯基重新发现了这些技术，他们当时或许还没意识到这在世界历史上有多么重要，但是想必一定非常兴奋。

布鲁内莱斯基改进了古罗马人的建筑技术，他设计了内外两层拱顶的结构，这个结构被后来很多圆顶建筑采用，包括英国著名的圣保罗大教堂。和罗马人不同，布鲁内莱斯基建造圆顶用的不是大理石而是砖。烧制大量的砖和水泥是个不小的工程，这由科西莫负责，而布鲁内莱斯基则在现场指挥建造圆顶。为了能把这些砖运到几十米高的工地上，布鲁内莱斯基发明了一种齿轮机械，它能把地面上的圆周运动变成上下的运动，只要用驴马推动一个大圆盘在地上转动，然后齿轮带动一个升降机，就能将砖头和其他材料运到几十米高的工地上。为了方便工人吃饭（因为几十米高的建筑物爬上爬下不方便），布鲁内莱斯基用升降机将午饭送到圆顶工地上。为了让工人满意，他每餐都给工人们提供葡萄酒，但是为了防止他们喝多了犯晕乎，干活时摔下来，他在酒里加入了三倍的水，这是当时给孕妇喝的葡萄酒的浓度。总之，布鲁内莱斯基想尽一切办法，希望能尽快完成这个宏伟的工程。

尽管科西莫和布鲁内莱斯基如此尽心尽力，但是大教堂圆顶的建造还是一波三折。虽然布鲁内莱斯基有美第奇家族的支持，但是美第奇家族在佛罗伦萨并非没有敌人，当时有两个敌对的大家族，包括奥比奇和斯特

6
奥 比 奇（Rinaldo
degli Albizzi）：佛
罗伦萨的贵族，美
第奇家族的对头，
后被流放。

斯 特 罗 斯（Palla
Strozzi）：佛罗伦
萨的银行家，家族
的财富曾经和美第
奇家相当，后来被
流放。

罗斯[6]家族。吉奥瓦尼在世时对一切来自敌对家族的冲突，都采取息事宁人的做法，以求相安无事。吉奥瓦尼去世后，科西莫个性张扬的一面完全显现了出来，彻底得罪了这两个同样有权有势的家族。奥比奇和斯特罗斯勾结市政官员，以莫须有的罪名将科西莫逮捕并监禁起来。当时佛罗伦萨还是民主共和国，无论是官员还是贵族富商都无法决定科西莫是否有罪，而要靠市民（代表）投票。因此，奥比奇等人能做的事情就是阻止同情美第奇家族的人参加投票，这样一来，科西莫就被定为有罪了，而且还有可能会掉脑袋。但是，科西莫在佛罗伦萨的影响力已经根深叶茂，在敌人的阵营里也有朋友。最终，科西莫被改判 20 年流放，这样他就获得了自由，虽然他暂时不能回到佛罗伦萨。科西莫前脚被赶出佛罗伦萨，布鲁内莱斯基后脚便被投进了监狱，大教堂的圆顶工程也就此停工了。科西莫离开佛罗伦萨后，先后到了帕多瓦和威尼斯，他走到哪里，财富就跟随他到哪里。那些有钱人纷纷拿着钱找上他，佛罗伦萨的财富也不断地外流。缺少资金的佛罗伦萨陷入了危机，于是，在一些富人的劝说下，佛罗伦萨市政府不得不再把科西莫请回来。这回轮到奥比奇和斯特罗斯家族被流放了，不过他们的运气没有科西莫好，直到终老也没有能回到佛罗伦萨。

大教堂的圆顶工程又重新开工了，科西莫负责物流，前后有超过 400 万块红砖和其他大量建筑材料被运到施工现场，工人们按照布鲁内莱斯基的要求一层层往上砌砖，教堂圆顶的敞口在一点点缩小。布鲁内莱斯基每天都泡在工地上，而科西莫也经常去现场。我的这些描写文字叙述得很快，但是在当时这些事情却做了很多年。

教堂的圆屋顶建到一半时，已经按照当初设计的那样向里倾斜了，虽然从力学的角度讲，这种设计没有问题，不会倒塌下来，但是当时的建筑工人从未见过向里倾斜的墙，没有人敢再往上面垒哪怕是一块砖了，仿佛再加一块砖整个屋顶就要塌下来。没办法，布鲁内莱斯基只好自己上了，他爬上脚手架，下面的工人都在为他祈祷，布鲁内莱斯基小心翼翼地放上一块砖，这块砖比下面的又伸出来一些，他把它砌好，砖头稳稳地呆

图 7.4　佛罗伦萨圣母百花大教堂

在那里。科西莫一直在下面看着，他也不知道这个设计是否正确，现在事实证明罗马人留下的设计是正确的。科西莫和布鲁内莱斯基用了"复兴"这个词来形容这个建筑，因为它是在复兴古希腊罗马时代的文明。整个教堂的屋顶修了 16 年。到了 1436 年，这座修建了 140 年的教堂终于完工了。佛罗伦萨的市民潮水般涌向市政广场，向站在广场旁边的乌菲兹宫（今天的乌菲兹博物馆，Uffizi Museum）顶楼的科西莫祝贺。这座教堂不仅是当时最大的教堂，也是文艺复兴时期第一个标志性建筑，教皇欧根尼四世亲自主持了落成典礼。这座教堂以圣母的名字命名，现在中文把它译作圣母百花大教堂（Basilica di Santa Maria del Fiore）。但是，在佛罗伦萨，它有一个更通俗的名字——Duomo，意思是圆屋顶。几十年后，米开朗基罗为梵蒂冈的圣彼得教堂设计了类似的天顶。圣母百花大教堂的落成，首先标志着文艺复兴的开始，虽然文化和艺术的复兴还需要很长的时间；其次它向欧洲证明，美第奇家族是佛罗伦萨的主人。

和美第奇家族的祖先们不同的是，科西莫对古希腊和罗马留下的科学文化产生了巨大的兴趣。他出巨资供养学者、建筑师和艺术家。除了充当

7
All those things have given me the greatest satisfaction and contentment because they are not only for the honor of God but are likewise for my own remembrance. For fifty years, I have done nothing else but earn money and spend money; and it became clear that spending money gives me greater pleasure than earning it.

8
佛罗伦萨金币floran。根据《文艺复兴时期的佛罗伦萨》一书描述，当时一个家庭的房租（一栋房子中的一层楼）每年是3弗洛林，一个城市贵族一年的收入是1000弗洛林，一所拥有24名教授的大学整个一年的预算为3000弗洛林。

9
Political questions are settled in [Cosimo's] house. The man he chooses holds office...He it is who decides peace and war...He is king in all but name.

布鲁内莱斯基的保护人，他还支持和保护着建筑师米开罗佐（Michelozzo Michelozzi，1396—1472），此人设计和建造了佛罗伦萨的市政广场，即今天美轮美奂充满艺术气息的美第奇广场。他资助和保护的艺术家还包括文艺复兴前期的代表人物弗拉·安杰利科（Fra Angelico，1395—1455）、菲利波·里皮（Fra Filippo Lippi，1406—1469）和雕塑家多纳泰罗（Donatello，1386—1466）。当然，这里面成就最高的还是布鲁内莱斯基，他不仅是西方近代建筑学的鼻祖，而且发明了在二维平面上表现三维立体的透视画法，今天的西洋绘画和绘制建筑草图都采用透视画法。科西莫用于资助艺术、建筑和科学的资金，相当于同期佛罗伦萨税收的六倍。他为什么要这么做呢？他曾经解释道："做这些事情不仅荣耀上帝，而且给我带来美好的回忆，因此我感到巨大的满足和充实。在过去的50年里，我所做的就是挣钱和花钱，当然花钱（赞助）比挣钱更快乐。"[7] 当然，科西莫这种做法的背后还包含着富人对社会的责任感。他知道财富和荣耀终有一天会随着他的生命一起结束，但是他建造的大教堂将永世屹立在佛罗伦萨。

科西莫不仅出资复兴文化和艺术，他还四处收集古代的手稿和文献，渐渐地美第奇家族的图书馆成了全欧洲最大的藏书库。甚至有历史学家认为，当时的欧洲，除了教会，只有美第奇家族有《圣经》之外的书籍。所有这些优良传统后来都被他的子孙们发扬光大了。

当然，科西莫在复兴古希腊和古罗马科学、文化和艺术的同时，也进一步扩大家族的业务。美第奇家族的生意版图不断扩展，往西一直到达英国，往南一直到达地中海对岸的突尼斯和开罗。据估计他积攒了15万弗洛林[8]，利用这些财富，科西莫左右着佛罗伦萨的政治和经济，他并未在市政府里担任要职，但是佛罗伦萨的大事都由他说了算。用当时佛罗伦萨大主教、后来的教皇庇护二世的话讲"政治问题在（科西莫）家里解决。这个人决定谁担任公职，决定和平与战争……他是无冕之王。"[9]

作为佛罗伦萨的实际领袖，科西莫需要巩固美第奇家族的势力——他对内平衡了意大利主要城市共和国（包括佛罗伦萨、威尼斯和米兰）之间的权力，对外大大削弱了外国（主要是法国和神圣罗马帝国——即德国的前身，和罗马帝国没有关系）势力。他甚至将教皇的枢密院从费拉拉（Ferrera）搬到了佛罗伦萨。他的影响力之大，以至于拜占庭帝国（东罗马帝国）的皇帝约翰八世（John VIII Palaiologos）和其他要员也先后到佛罗伦萨来拜访他。这一切，带来了佛罗伦萨空前的繁荣。

1464 年，这位 74 岁的老人走完了他的一生，市民们给了他一个非常荣耀的称号——"祖国之父"（Father of Fatherland）。科西莫开创了一个新时代，期间科学、文化和艺术在佛罗伦萨和意大利开始复兴，同时人文主义的曙光开始出现。科西莫·美第奇可能是这个家族中最长寿的一员，他死后，偌大的家业就传给了他的儿子（不幸者）皮埃利·美第奇[10]（Piero di Cosimo de' Medici，1416—1469）。皮埃利身体不好，经常躺在病床上，五年后也去世了。这样，科西莫的事业就由豪华者洛伦佐[11]（Lorenzo de' Medici, the Magnificent，1449—1492）接班了。

10
皮埃利一直患有痛风病，被人们称为"不幸者"。

11
中文一般把洛伦佐这个称呼 magnificent 翻译成豪华者，但是实际上是伟大的人物的意思，也有书籍翻译成"伟大的"。

第三节　昼夜晨昏

在多次欧洲旅行中，让我最遗憾的就是错过了一个非常不起眼的教堂——圣洛伦佐教堂（Basilica di San Lorenzo）。这个教堂从外面看上去真的很破旧，简直没法与佛罗伦萨美轮美奂的建筑和艺术相比，而且门票似乎也不便宜，加上我的时间不多，走到了门口，却没进去。但是两天后

图 7.5　米开朗基罗的名作昼、夜、晨、昏就放在这座很不起眼的教堂内

我就后悔了，因为那里有世界第一艺术大师米开朗基罗（1475—1564）最重要的两组雕塑——"昼与夜"（day and night）和"晨与昏"（dust and dawn）。另外，圣洛伦佐教堂里的拱廊精美豪华，那是布鲁内莱斯基的杰作，我甚至一直都有要专门飞到佛罗伦萨看一看的冲动。

实际上这是两位美第奇家族成员墓前的两组雕塑。在欧洲，最有名的人都是葬在教堂里面的（比如威斯敏斯特教堂里的牛顿墓）。其中"晨与昏"是米开朗基罗为他的赞助人、伟大的洛伦佐精心雕刻的。而圣洛伦佐教堂，其实是美第奇家族的"家祠"。

图7.6 洛伦佐·美第奇墓前的"晨与昏"（米开朗基罗作品，佛罗伦萨圣洛伦佐教堂内）

与其祖父科西莫相比，洛伦佐更长于政治，但短于理财。科西莫当年虽然富甲天下，而且在罗马有政治上的强援，但是却拿敌对的家族没什么办法，还受过牢狱之灾，因此，科西莫和皮埃利都很注重对洛伦佐的政治培养。年轻时，洛伦佐就被派到罗马搞外交，并且家族还为洛伦佐选定了一个拥有军队的贵族的女儿做妻子，这是美第奇家族第一次与佛罗伦萨以外的家族通婚。这桩婚事让美第奇家族拥有了安全感。洛伦佐继承家业后，很快就显示出他的政治远见。他把家族成员都安排到政治上很重要的位置。他让自己的儿子乔瓦尼（Giovanni di Lorenzo de' Medici，1475—1521）早年就进入教堂任职，并最终当上了教皇；把自己的女儿马达莱娜（Maddalena de' Medici，1473—1528）嫁给了教皇英诺森八世的儿子。这些安排最终让他的家族在欧洲更有影响力。

长期以来，在佛罗伦萨只有有钱人的声音才能被听到，洛伦佐决定改变这一切。他向穷人敞开大门，尽可能地帮助每一位穷人，解决他们的困难。每天有很多穷人在洛伦佐家门口排队，带上他们所能提供的礼物，比如自制的面包，两只自己打的野兔，然后一个个被带到洛伦佐的客厅，在那里，他听这些穷人讲述自己的困难或者遇到的麻烦，然后出面帮他们解决。这样，他和市民们成为了朋友，而不是高高在上的独裁者。在美第奇家族家祠的一幅天顶绘画中，画家描绘了美第奇家族朋友之多之广的情形。画面中央是美第奇家族的三代人，周围是各种各样的朋友，遍布各个阶层，从海外的苏丹、国王到意大利的贵族，还有佛罗伦萨的市民。

但是，和祖父科西莫一样，洛伦佐也受到了敌对的帕奇（Pucci）家族的怨恨。但是，那些人已经不能像当年对付科西莫那样将他囚禁起来，只好搞阴谋——在复活节搞暗杀。这次行动得到了当时的教皇西克斯图斯四世（Sixtus IV）和比萨大主教的支持。洛伦佐受了伤，但是逃过一劫，而他的兄弟朱利亚诺（Giuliano de' Medici，1453—1478）却被刺死。事后，洛伦佐开始秋后算账，派人刺杀了比萨大主教并诛灭了帕奇家族。这样，他和教皇的矛盾也公开化了。教皇想通过没收美第奇家族的财产和开除佛罗伦萨的教籍等手段逼迫洛伦佐就范，但是已经崛起的佛罗伦萨足以和罗马抗衡了，因此，这些办法对美第奇家族没有用。最后教皇只好诉诸武力，联合那不勒斯共和国进攻佛罗伦萨。在危机关头，洛伦佐显示出超人的胆略和外交手段，他单枪匹马来到那不勒斯说服了敌人放弃进攻，从而化解了这次危机。这次胜利让他的声望和权力在佛罗伦萨及意大利各城邦中达到了顶点，就连当时的一代霸主、奥斯曼土耳其帝国的皇帝穆罕默德二世[12]对他也敬重有加，并且两人成为很好的贸易伙伴。洛伦佐将美第奇家族带进第二个全盛时期。

洛伦佐比他祖父科西莫更热衷于收集各种古代的书籍和手稿，以扩充美第奇家族的图书馆。在对科学和艺术的支持上，洛伦佐更是超过了祖父。历史上，大部分搞艺术的人常常很贫穷，比如梵高、塞尚等人生前穷困潦倒，而大部分有钱人并不十分精通艺术，他们收购艺术品的主要目的

12
也被称为征服者默罕默德，奥斯曼土耳其帝国皇帝，灭亡了东罗马帝国。

是投资，而非喜爱。洛伦佐则不同，他的艺术修养非常高，自己还是诗人，晚年写过不少诗，有些历史学家研究洛伦佐的通信后发现他还懂得绘画。洛伦佐发现、培养和资助了一大批艺术巨匠，包括波提切利（Sandro Botticelli，1445—1510）、达·芬奇（1452—1519）和米开朗基罗（Michelangelo di Lodovico Buonarroti Simoni，1475—1564）等人。更重要的是，他对欧洲人文主义的诞生和发展产生了重要的影响。要了解这一点，我们先来看看欧洲文艺复兴前后艺术的特点，然后再看看洛伦佐时代艺术的发展，便会一目了然。

很多人问我如何鉴别和判断欧洲绘画的年代。其实对 18 世纪以前的绘画，只要了解它们的题材和表现方式就不难判断。我把 13 世纪到 18 世纪的绘画概括成"天上——天上人间——人间天上——人间"四个阶段。在文艺复兴之前的几个世纪里，几乎所有的绘画题材都是宗教题材，即使在文艺复兴的初期，这种题材仍占多数。不过，文艺复兴前和文艺复兴时期的宗教题材，在绘画的表现形式上有非常大的差别。文艺复兴前，人性非常受压抑，神在人们的心里是至高无上的，人是神的奴隶。这种心态表现在绘画中时，你会看到所有神的表情都十分严肃，甚至略显呆滞。我们在前面介绍古埃及艺术时曾经提到，好的艺术家要把不同形象的神态描绘好，而中世纪的画家却将上帝、耶稣或者圣母画得目光呆滞，从艺术水平来讲，远不如古埃及的画家。这样的画放在教堂里，也无法让教徒产生神圣的感觉。当时为了区别神和人，画家的做法是在神的头上都画上一圈圣光。比较

图 7.7 中世纪意大利画家杜乔（Duccio di Buoninsegna，1260—1319）的圣母子（圣母、耶稣和天使的头上都用金粉画了一圈圣光，收藏于意大利锡耶纳大剧院教堂）

细致的画法是把这一圈圣光画成金色的光芒，比较简单的画法则是用一个细细的金圈代表圣光（后期作品的特点）。总之，这个时期的绘画，无论从题材还是到手法，都是宗教性的，我把这个时期描绘为"天上"。

到了文艺复兴初期，虽然绘画在题材上有所突破，可这种压抑的心情在绘画中依然到处可见，人是难得一笑的。这个时期最有代表性的绘画作品，就是波提切利的名画《维纳斯的诞生》，这幅画取材于古希腊传说中的美神维纳斯诞生在贝壳里的故事。很显然，绘画题材和《圣经》已经没有了关系，波提切利在画中表现了女性曼妙的身体，使它成为历史上诸多表现维纳斯的绘画中最著名的一幅。但是，从维纳斯的表情上，我们能够看到一丝忧郁，这是早期文艺复兴绘画的普遍特点，也是那个时代人们心灵的写照。在波提切利同时期创作的另外一幅画作《三美神》中，依然可见这种忧郁的表情。

图 7.8　维纳斯的诞生（波提切利的名画，收藏于佛罗伦萨乌菲兹博物馆）

但是，到了米开朗基罗时代，绘画作品中这种忧郁的特点已经看不到了，因为人们的生活开始走出中世纪的黑暗，艺术家们要表现的是人文主义思想，而不是宗教。虽然很多画家还是采用圣经题材，其实只是借助圣经中的人物表现人间的生活，这时的神已经凡人化了。米开朗基罗的《圣家族》就很好地表现了这种特点。在这幅画中，不仅中世纪时加到神头顶上的那个神圣的光环不见了，而且这些神都变成了人的形象。无论是耶稣的养父约瑟，还是圣母玛利亚，都是人间慈父慈母的形象，而耶稣则是我们生活中常见到的那种可爱的"大胖小子"。不看这幅画的标题，我们会以为这是一个普通家庭的全家福。文艺复兴时期的另一位大师拉斐尔（Raffaello Sanzio da Urbino，1483—1520，与达·芬奇、米开朗基罗并称文艺复兴三杰）的圣母子图也具有同样的特点。这个时代的画家，其实是通过宗教绘画反映出人文主义的气息，因此，这个时期我称之为"天上人间"。

图 7.9　米开朗基罗的绘画作品《圣家族》（乌菲兹博物馆）

到了文艺复兴中后期，画家开始抛开宗教和神话题材，直接反映人间美好的生活，这在包括威尼斯画派代表人物提香和丁多雷托，尤其是众多尼德兰画家的作品中大量可见。透过这些绘画，我们能感受到走出中世纪，历经文艺复兴时期和后来大航海时代，生活富裕起来的欧洲人，在享受着人间幸福生活的一面。因此，这个时期便是"人间天上"了。

在文艺复兴后期，绘画题材愈加丰富，表现的内容和我们的生活愈加接近，绘画作品不仅表现人间美好的一面，也大胆鞭挞人性丑恶的一面。西班牙画家戈雅（Goya）的许多作品就体现了这种早期的现实主义特点。因此，这一时期的绘画进入了纯粹的"人间"阶段。

艺术从"天上"到"天上人间"的过程，是在洛伦佐时代完成的，这是文艺复兴最重要的时期，也是欧洲人文主义形成和发展的重要时期。洛伦佐在其中扮演了启蒙者的角色。在 15 和 16 世纪，教会依然试图控制人们的灵魂，虽然这种控制力已经较中世纪时小了很多。而洛伦佐的所作所为，在客观上让人们开始享受现世的快乐。他举办的舞会和娱乐活动常常通宵达旦，他自己也喜爱东方的时尚，欧洲的人性解放从那个时候开始了，而在这种氛围里，全新的艺术逐步诞生。

洛伦佐的做事方式不仅与常人不同，甚至和很多帝王也大不相同。一般人的思维方式常常是这样的：比如一个有钱人在政治上受到别人的欺压，首先

图 7.10　银行家和他的妻子（这幅由马西斯绘制于 1514 年的作品，反映了当时荷兰市民美好的生活，作品现收藏在卢浮宫）

图 7.11　豪华者洛伦佐·美第奇（铜像，收藏于华盛顿国家艺术馆）

想到的可能是和掌权者搞好关系，提高自己的政治地位。一个统治者如果对所管辖的城市的经济或文化不满意，他可能会借鉴其他城市的历史经验而改变自己，比如日本的明治维新和中国近代的改良都是如此。洛伦佐则完全不一样，他如果对现存的社会格局不满意，就会自己创造出一套新的政治格局。在文艺复兴时期的欧洲，最有权势的政治人物莫过于教皇，洛伦佐并不会去讨好教皇，而是自己立一个教皇。对于佛罗伦萨的管理也是类似。在艺术上，虽然我们可以找到很多酷爱艺术的帝王，他们也曾经为文化繁荣创造了良好的环境，比如中国北宋、清代的一些皇帝，以及欧洲15到16世纪的一些教皇，但是他们大多停留在继承传统，让现有的艺术稍作发扬光大。而洛伦佐则不同，他努力创造出一种全新的、超越以往任何时代的艺术和文化，他和他所赞助的艺术家们，尝试着各种新的艺术形式和创造方法，我们从佛罗伦萨市政广场的众多雕塑中，从达·芬奇各种题材的绘画中很容易感受到这一点。对于艺术品的收藏，无论是中国的皇帝、阿拉伯的苏丹，还是文艺复兴以后欧洲大大小小的君主们，他们愿意花钱收购古代的名作或者去挖掘古希腊和古罗

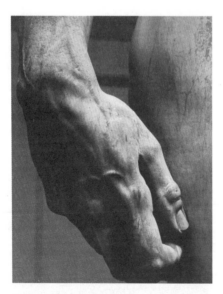

图7.12　大卫像可以称得上是人类迄今为止最完美的大理石雕塑，每一个细节米开朗基罗雕刻得都一丝不苟（局部）

马的文物，然后用它们堆满自己的博物馆和宫殿。可是，洛伦佐不是这样。他不是一个满足于花钱买现成艺术品的收藏家，他喜欢创造。为了创造艺术，他就去培养艺术家。几乎所有喜爱艺术而又有足够财富的人，都梦想得到十全十美的艺术品，大部分人的做法都是倾其所有去购买，当然十全十美的艺术品通常不是光用钱就能搞定的，有时需要机缘。洛伦佐的做法却很简单——创造出十全十美的作品！我们从米开朗基罗的大

卫像、西斯廷教堂的天顶画和圣彼得教堂的圣母子雕塑，就能体会到什么是十全十美。因此，在洛伦佐的推动下，文艺复兴开始进入高潮。

在 15、16 世纪，欧洲还没有出现艺术市场，因此，画家只能靠贵族和宫廷供养。洛伦佐就是众多艺术家的保护人，他发现的第一个重量级艺术家是波提切利。洛伦佐很早就发现了波提切利的才华，在经济上支持他，在政治上保护他，并为他的创作提供了最好的条件。在美第奇家，波提切利有机会看到古希腊和古罗马的雕塑收藏，这对他艺术风格的形成产生了重要的影响，他的绘画再现了古代的人体美。为了感谢美第奇家族对他的保护，波提切利在著名绘画作品《三博士来朝》中，采用了美第奇家族人物的形象。这幅画描绘了《圣经》中东方三博士朝拜耶稣的故事。在过去的宗教画中，凡人的形象是不允许入画的，波提切利这么做既有感激美第奇家族的意思，也反映了当时人性开始得到解放。但是在波提切利的另两幅代表作中，又反映出这种解放还处于萌芽状态。1482 年，波提切利为美第奇家族创作了著名的《春》，这幅作品被誉为西方知名度最高的作品之一。画面的情节取源于卢克莱修（Lucretius）歌颂维纳斯的长诗。画中的背景是一片优美雅静的树林，中间是维纳斯，她以悠闲幽雅的姿态等候着春天的来临。她右边的三位"优美"女神相互携手翩翩起舞，沐浴在阳光里。如同波提切利的代表作《维纳斯的诞生》一样，这幅画中的维纳斯也带着一丝忧郁。这反映出当时人们刚刚走出中世纪，还带有旧时的忧伤。波提切利的这三幅画作都珍藏在佛罗伦萨的乌菲兹博物馆中。

1488 年，洛伦佐开设了（西方）世界上第一所艺术学校，系统地教授雕塑技艺。他将那些珍贵的古希腊和古罗马雕塑拿出来给学生们做样板，有很多希望从事艺术创作的少年在学校里学习。在这个艺术学校里，他发现了一位天才小学员，这位只有 13 岁的少年当时就已经显示出超人的艺术天赋。为了让他得到最好的教育，洛伦佐说服了少年的父母，把他接到自己的宫殿里居住。终于有一天，洛伦佐再次留下了这位少年，他就是后来的艺术巨匠米开朗基罗（Michelangelo Buonarroti，1475—1564）。

洛伦佐把米开朗基罗当作自己的亲生儿子一样看待。在美第奇家，米开朗基罗和前辈大师波提切利等人每天生活在一起，切磋艺术，进步很快。不仅如此，美第奇家还是当时欧洲唯一能够看到大量除《圣经》之外的经卷和各种图书的地方[13]，米开朗基罗每天孜孜不倦地阅读着古希腊和古罗马的各种著作，从科学到文艺。人文主义因此深深地刻在了他才十几岁的头脑里，日后在他几乎所有的作品中，都闪耀着人文主义的光芒。

米开朗基罗很多作品的题材虽然是宗教的，但是在他的作品中已经看不到神的气息，而是展现了人间的美好。他最著名的雕塑作品"大卫"，取材于《圣经》中的犹太人祖先大卫王的故事，但是我们从这个大理石雕塑作品中，看到的是英俊健康的男性之美，这和《圣经》的宗教题材其实已经没有关系了。他的另一件雕塑代表作是圣彼得大教堂中的"圣母子"，圣母玛利亚怀抱着被抬下十字架的耶稣，完全是人间慈母的形象。这一特点也体现在他伟大的绘画作品——西斯廷教堂天顶画《创世纪》上。

图7.13　梵蒂冈西斯廷教堂的壁画《创世纪》（天顶）和《最后的审判》（前方墙壁）

米开朗基罗的绘画代表作是梵蒂冈西斯廷教堂里的《最后的审判》和《创世纪》。其中，《创世纪》可能是人类迄今为止艺术水平最高的绘画（不是之一）。这幅面积达500多平方米的巨作，场面宏大，辉煌壮丽，人物刻画震撼人心，表现出米开朗基罗超乎寻常的创造力和完美的创作技巧。画面包括九个主题，分别是"神分光暗"、"创造日月"、"神分水陆"、"创造亚当"、"创造夏娃"、"逐出伊甸园"、"诺亚献祭"、"大洪水"、"诺亚醉酒"，以及四个圣经故事，它们各自可成为一幅独立的巨作，放在一起却又和谐而统一。其中的人物多达300多人，每个人形态各异，神态都栩栩如生。画面中的所有人物都是我们生活中的形象，和早期的圣像没有一丝一毫相似之处，充分体现了人文主义精神。整幅巨画均出自米开朗基罗一人之手，他抱着对上帝的崇敬心情，花了整整4年半时间才完成这幅杰作。完成这幅巨画后，37岁的他已经累得像个老人一样了。文艺复兴三杰之一的拉斐尔看了这幅巨大的天顶画之后，不禁感叹："米开朗基罗是用上帝一样杰出的天赋创造这个艺术世界的巨画"。非常遗憾的是，洛伦佐本人没有看到米开朗基罗后来的这些作品。

图 7.14 "创造亚当"是《创世纪》中最富想象力、最出色的作品。他在这幅画中表现了上帝塑造亚当以后又赋予他生命的场面。人类的始祖亚当，被米开朗基罗描绘为体格健美的青年，其身体比例和线条让人联想到古希腊的雕像。上帝和亚当的手指被誉为"绘画中最完美的手"、"神与人触电式的交流"，这个局部无数次地在各种作品中被复制

除了波提切利和米开朗基罗，洛伦佐资助的另一名巨匠是文艺复兴时的全能天才列奥纳多·达·芬奇（Leonardo da Vinci，1452—1519）。达·芬奇是个私生子，因此，他的名字里没有姓氏，虽然他是和父亲生活在一起。列奥纳多·达·芬奇这几个字的意思是"从芬奇[14]来的列奥纳多"

14
佛罗伦萨郊区的一个小镇。

（Leonardo from Vinci）。在文艺复兴时期，人们的国家概念非常淡薄，没有人说"我是意大利人"或"我是法国人"，大家都说"我是佛罗伦萨人"、"我是莱比锡人"等。因此，人们就称这个没有姓氏的孩子为达·芬奇。14 岁那年，达·芬奇的父亲把他送到佛罗伦萨学习绘画，因

图 7.15 达·芬奇的作品《圣母子》，画中圣母的表情，从容中带着一丝甜美，这幅头像被用在俄罗斯东宫门票上（原作收藏于东宫埃尔米塔日博物馆）

为在美第奇家族的推动下，佛罗伦萨当时是欧洲的艺术中心。达·芬奇师从于韦罗基奥，也就是波提切利的老师。在佛罗伦萨，人文主义者常常在美第奇家举办沙龙，讨论学术问题。达·芬奇在这里结识了一大批知名的作家、艺术家和科学家，开始接受人文主义的熏陶。在 20 岁时达·芬奇已有很高的艺术造诣，他用画笔和雕刻刀去表现大自然和现实生活中的真、善、美，热情歌颂人生的幸福和大自然的美妙——达·芬奇画笔下的妇女都非常甜美。

与米开朗基罗等艺术家不同，达·芬奇一生兴趣非常广泛，从某种程度上讲，绘画只是他的业余爱好，而他对科学和机械的兴趣甚至更大。在佛罗伦萨，达·芬奇接受了洛伦佐 7 年的资助，这使得他的绘画水平达到了炉火纯青的程度。作为科学家的达·芬奇尝试着用不同的材料配置绘画用的颜料。继尼德兰著名画家凡·爱克兄弟发明油画以来，达·芬奇自己也琢磨出了这种用来作画的油彩，油画比过去的蛋彩画（他著名的作品《最后的晚餐》其实是蛋彩画）能保持得更长久，而且方便涂改（用新的一层压住下面一层的颜色）。借助油彩，达·芬奇创作出了色彩更丰富、层次更分明、细节更完美的油画，这是一次绘画史上的革命。1481 年，达·芬奇想离开佛罗伦萨了，他是一个呆不住的人，洛伦佐把他介绍给

自己的朋友米兰公爵。在米兰公爵的资助下,达·芬奇得以安心作画,在那里他绘制了著名的《最后的晚餐》。但是,由于缺少洛伦佐这样慷慨的赞助者,米兰在文艺复兴时期一直没有能成为文化中心。

如果说文艺复兴在科西莫时代还只是复兴古希腊和古罗马的科学与艺术,那么到了洛伦佐时代,则是完全的创新了。这种创新不仅前无古人,而且影响深远。从很多方面来看,洛伦佐都称得上是文艺复兴的教父。洛伦佐不仅把佛罗伦萨建设成了欧洲文化艺术的中心,而且还将它变成了整个文明的象征。洛伦佐不吝将自己的藏书请人抄写多份,传播到欧洲各地。在洛伦佐时代,大批年轻人来到佛罗伦萨学习希腊文,这样他们就可以看懂古代的书籍和手稿。和洛伦佐同时代,欧洲还有其他一些有影响力的大家族,但是这些家族除了曾经富有过,对今天的世界并未留下多大的影响。而美第奇家族完全不同,他们开创了一个新时代。

1492年4月的一个晚上,年仅43岁的豪华者洛伦佐去世了。他和他的兄弟朱利亚诺同葬在属于他们家族的圣洛伦佐教堂里。多年后,应教皇利奥十世(洛伦佐的养子和侄子)的请求,米开朗基罗亲自为洛伦佐(和朱利亚诺)设计并雕琢了墓碑的塑像,那就是著名的"昼与夜"(朱利亚诺)和"晨与昏"(洛伦佐)。人的生命或许就像那4座雕像一样,有自己的昼夜晨昏。洛伦佐去世后的半年,哥伦布发现了新大陆,大航海时代由此开始。同时,伴随洛伦佐的去世,文艺复兴的中心由佛罗伦萨转移至罗马和威尼斯,并在那里又持续了一个多世纪。在接下来的一个世纪里,美第奇家族的传奇还在继续,佛罗伦萨依然繁荣,但是它的重要性已经不如从前了。

第四节 复兴走向全欧洲

在洛伦佐的晚年,由于过度投资,坏账剧增,家族财务状况大不如前。在他去世之后,他的后代仅仅维持了两年对佛罗伦萨的统治,就被政敌推翻了。很遗憾的是,上台的这些人不仅守旧,而且既不懂艺术,也不懂知识的重要性，他们在复仇的同时也毁掉了大量名画、雕塑和书籍。连波提切利也出于恐惧而不得不烧掉了自己的很多作品。在这些新的统治者中有一位非常知名，他就是大名鼎鼎的马基雅维利（Niccolò di Bernardo de Machiavelli，1469—1527）。

洛伦佐去世后，很多艺术家（包括米开朗基罗）不得不离开佛罗伦萨，其中许多人来到了文艺复兴之风日盛的罗马，此时这座古代名城正在复苏，这在很大程度上要感谢一位颇有作为的教皇——尤里乌斯二世（Julius II，1443—1513）。这位教皇不仅在政治上颇有建树，而且对艺术也有着不可磨灭的贡献。他在不断对外征战的同时，致力于美化罗马，让它恢复昔日的繁荣。为此，他请来了米开朗基罗、拉斐尔等当时最优秀的艺术家，让他们为罗马教廷绘画并充当他们的保护人。在那个时代，标志性建筑大多是教堂，因此，尤里乌斯二世决定为罗马的第一位红衣主教圣徒彼得（耶稣的大弟子）建造一座空前雄伟的大教堂，作为自己献给上帝的礼物，同时也是留给罗马的遗产。于是，两百年前在佛罗伦萨建造大教堂的漫长过程又在罗马重演了。

一般人可能会用"慈祥"或"威严"等字眼来形容教皇，不大会将教皇与艺术品位联系在一起。不过文艺复兴时期的教皇大多懂得艺术，包括当时的尤里乌斯二世和接下来的利奥十世（洛伦佐·美第奇的养子）在内的很多 15、16 世纪的教皇，都有非常高的艺术修养。在这些教皇心目中，圣彼得教堂不仅要宏伟，而且要有美感，因此建造过程就变得特别缓慢，一代又一代的建筑师都去世了，可是教堂还没有建成。这些建筑师中，最著名的有三位，他们是拉斐尔、米开朗基罗和贝尼尼（Giovanni Lorenzo Bernini，1598—1680）。16 世纪初，拉斐尔和米开朗基罗不仅先后是大教堂的建筑师，而且承担了教堂很多壁画的绘制以及雕塑和浮雕的雕刻工作。教堂的圆顶是米开朗基罗设计的，他采用了当年布鲁内莱斯基设计佛罗伦萨圣母百花大教堂的方案，使用内外两层圆拱，但遗憾的是他没有看到圆拱顶建成就去世了。大教堂最后一位杰出的建筑师是贝尼尼，他不仅设计了教堂的圣座（据说圣徒彼得的遗骸就葬在下面），还设计了教堂前的广场和柱廊。他是所有建筑师中最幸运的，因为他看到了大教堂的落成，而这时距离教堂的开工已过去了 120 多年。这座雄伟而华丽的大教堂本身就是艺术的精品，从建筑师到工匠都怀着对上帝虔诚而敬畏的心，一丝不苟，力求完美，它也因此成了文艺复兴的代表作。近 500 年过去了，它依然耸立在梵蒂冈的中心，也是世界上最大最美的教堂。

图 7.16　圣彼得大教堂和前面的广场

尤里乌斯的继任者是从美第奇家族走出来的利奥十世。他自小耳濡目染，爱好文化和艺术，尤其爱好音乐、诗文和戏剧，在还没有当上教皇时，他就已经是很多学者的保护人了，据说他非常好施舍，身边常带着一个红色的丝绒袋，里面装满了钱币，随时准备分赠给向他有所求的人。他学着他的养父（其实是叔父）洛伦佐的样子，收集大量书籍充实梵蒂冈的图书馆。这位被称为"生活的艺术家"的教皇还经常在教廷里举行音乐会。因为有他这样一位充满人文主义思想的教皇，罗马便逐渐成为继佛罗伦萨之后文艺复兴的中心。

相比之下，没有了美第奇家族坐镇的佛罗伦萨就显得无趣了。不过美第奇家族在佛罗伦萨的影响力是根深蒂固的，加上教皇尤里乌斯二世是他们的朋友，1512 年美第奇家族在教皇支持下杀回了佛罗伦萨，重新掌权，而马基雅维利被投入监狱，之后被放逐，并且在他凄惨的余生里写成了对世界产生了巨大影响的《君主论》（*The Prince*），因此，在历史上马基雅维利是以作家而不是政治家闻名于世的。

美第奇家族在夺回佛罗伦萨统治权的第二年，即 1513 年，出了家族的第一位教皇利奥十世。美第奇家族似乎又要兴旺起来了，米开朗基罗也回到了佛罗伦萨；但是由于缺少像洛伦佐那样的好族长，家族的影响力已经大不如前，1527 年到 1530 年之间这个家族又被驱逐了三年，直到伟大的科西莫一世（Cosimo I Medici, 1519—1574）长大并且接管了家族。注意，这个科西莫不是当年建造佛罗伦萨大教堂的那个科西莫。美第奇家族的男性使用的名字总共没有几个，祖孙多代经常重名。

佛罗伦萨终于结束了长期的混乱和无序，整个城市也迎来了新一轮的艺术繁荣。虽然达·芬奇离开意大利去了法国，并在那里留下了他的绝世名画《蒙娜丽莎》，但是米开朗基罗还在，而科西莫一世又培养出新一代的艺术家：瓦萨里（Giorgio Vasari, 1511—1574），切利尼（Benvenuto Cellini, 1500—1571）和蓬托尔莫（Jacopo Pontormo, 1494—1557）。其中，作为米开朗琪罗的学生，瓦萨里修复了战乱中被砸坏一只手的大卫雕像，更重要的是他写了一本《艺苑名人录》（*Lives of the Most Excellent Painters, Sculptors, and Architects*），这是第一本系统论述美术理论的教科书。书中第一次正式提出了文艺复兴的概念。切利尼最著名的作品是青铜像《珀耳修斯手持美杜莎的头》，这尊被誉为是文艺复兴时期最优秀的青铜雕塑，讲述的是一个古希腊传说故事：珀耳修斯是希腊神话中的英雄，他一出生，母子俩即被装进木箱投入大海，后来被一个岛国的国王所救。国王欲娶其母，便设计谋杀珀耳修斯，他让珀耳修斯去取可以让人变成石头的女妖怪美杜莎的头。后来珀耳修斯得众神之助，杀死了女妖，获得成功。回程路上，他救了公主安德洛墨达，并与她结为夫妇。回岛后，他出示女怪头，让国王变成石头，救出了母亲。在这个青铜雕塑中，珀耳修斯的头有正反两张脸，反面的脸是切利尼自己的。

靠着这些新一辈的艺术家，文艺复兴得以传承和发展。

与他同名的祖先一样，科西莫一世不仅将佛罗伦萨共和国的版图扩大了很多，还为这个城市留下了一座非凡的市政厅，这就是今天全世界最重要的美术馆之一：乌菲兹美术馆（Uffizi Gallery），不仅收藏有佛罗伦萨的波提切利、达·芬奇、米开朗琪罗和拉斐尔等人的杰作，还收藏了文艺复兴时期威尼斯画派提香、丁多雷托和罗马画家卡拉瓦乔等人的众多杰出作品。其中，最著名的还是波提切利的三幅代表作：《维纳斯的诞生》、《春》和《三博士来朝》。在市政厅前面的广场上，荟萃了文艺复兴时期最优秀的雕塑，包括米开朗基罗的大卫像[15]和切利尼的《珀耳修斯与美杜莎》。当然，科西莫一世的青铜雕像也在其中。

到了 15 世纪中期，威尼斯继佛罗伦萨之后，成为文艺复兴的另一个中心。和佛罗伦萨由几个家族控制政治的情形不同，威尼斯（当时叫威尼斯共和国）是由城市贵族组成的议会管理，对艺术的支持主要靠政府和教会等社会力量。威尼斯能成为世界艺术中心之一，主要靠吸收佛罗伦萨艺术的精华。到了 16 世纪，威尼斯出了几位世界级的大画家 —— 乔尔乔内（Giorgio Barbarelli da Castelfranco，1477—1510）、提香（Tiziano Vecellio，1490—1576）和丁多雷托（Tintoretto，1518—1594）。威尼斯画派有着自己独特的创作风格，他们在色彩的使用上非常大胆，深邃的天蓝色不仅使画作更为生动明快，而且成为威尼斯画派的象征。同时，人物背景的风景比例非常大，比如从乔尔乔内最著名的作品《沉睡的维纳斯》中就能看到这个特点。另外，虽然很多绘画的主题还是宗教和神话题材，但是从画面上看更像是人间的生活画。

提香在世界绘画史上是著名的寿星，他在 90 岁高龄还能做画，要不是赶上了一场瘟疫，人们估计他能活满百岁。在绘画史上，提香是个承前启后的人物，他一方面深受拉斐尔和米开朗基罗的影响，但同时在漫长的创作生涯里，发展出了自己的风格。和佛罗伦萨画家相比，提香更重视色彩的运用。提香的作品构思大胆，气势雄伟，色彩丰富、鲜艳，对后

15
后来大卫像被人打坏了脚趾，真品便放到了佛罗伦萨美术学院博物馆内，现在在市政广场的是复制品。

来西班牙大画家鲁本斯有很大的影响。美第奇家族大量收藏了威尼斯画派的作品，今天在碧提宫中依然能够见到。

图 7.17　沉睡的维纳斯（乔尔乔内绘制，收藏于德雷斯顿博物馆）

到了 16 世纪末，文艺复兴的春风传遍了欧洲。在接下来的一个世纪里，从南欧的西班牙到北欧的尼德兰（即今天的荷兰），可谓艺术家辈出——鲁本斯、凡梅尔、伦勃朗等众多艺术史上响当当的名字，都和意大利的艺术有着千丝万缕的联系。

第五节　科学的曙光

随着文艺的发展，科学也开始萌芽了。就在长寿老人米开朗基罗（他活了 81 岁）去世的那年（1564 年），一位科学巨匠在比萨（当时佛罗伦萨共和国的一部分）出生了。他就是近代物理学和天文学的奠基人之一——伽利略（1564—1642）。

伽利略出生于医学世家，小时候就被父亲送到比萨大学学医。在学校时，他注意到吊灯摇摆的周期和摆动的幅度无关。回家后，他架起了两个长度相同的单摆，让其中一个摆动幅度大些，另一个小一些，结果发现它们的摆动周期确实相同。他观察到的钟摆原理，导致了后来钟表的诞生。不过，在校期间，伽利略一开始刻意不学数学课，因为当时做数学家挣钱没有医生多，而搞科学研究一定要有赞助人。后来伽利略旁听了几何课，对数学产生了浓厚的兴趣，随后他改学数学和自然哲学，并从此开始了他的科学家生涯。

伽利略是位全才型的科学家，他发现了物理上重要的现象——物体运动的惯性，虽然他没有能总结出惯性定律（牛顿第一定律）；同时他也是提出加速度这个概念的第一人（不过关于加速度的定律也是牛顿总结的）。他发明了空气温度计和天文望远镜，并用天文望远镜发现了很多天文现象和新的天体，包括太阳黑子、木星的 4 颗卫星和土星的亮环。

在伽利略的年代，并没有什么自然科学基金供这些科学家专心搞研究。历史上的科学家，要么自己是贵族，比如古希腊的毕达哥拉斯；要么是宫廷和贵族的教师，由他们的保护人供养。而伽利略很幸运，因为他生活的时代有一位热衷于支持科学研究的贵族，科西莫二世（Cosimo II de' Medici，1590－1621）。他把伽利略请到家里，做自己和几个孩子的老师。每当伽利略有了新发现，就会在美第奇家的中庭来宣布，这也是当时美第奇家的一件趣事。为了报答美第奇家族对自己的保护和资助，伽利略用美第奇家人的名字命名他在 1610 年发现的 4 颗木星的卫星。不过，现在人们把这些卫星统称为伽利略卫星，而不是美第奇卫星。这 4 颗卫星的发现，表明存在不围绕地球旋转的星体，从而推翻了古希腊人建立起的宇宙观——即所有天体都围绕着地球运转，这实际上彻底动摇了地心说的根基，也成为日心说的佐证。伽利略找到的另一个日心说的佐证是，发现了金星的盈亏周期。在没有天文望远镜的时代，人们无法通过肉眼看到金星的盈亏现象，唯一能够找到有盈亏现象的星体是月

图 7.18　天文望远镜看到的木星和它的 4 颗卫星

亮，而它恰好围绕地球旋转，这便成了托勒密地心说的佐证。但是，当伽利略观察到金星的盈亏时，就再也无法用地心说来解释了，而用日心说则可以很好地解释这种现象。

伽利略的很多天文发现最初在欧洲人看来是难以接受的，但是先后都被证实了，比如他发现的木星卫星很快就被德国天文学家克里斯托弗·克拉维斯（Christopher Clavius，1538—1612）所证实。凭借这些发现，伽利略在科学界获得了极高的声誉，1611 年，他访问罗马时受到了英雄般的欢迎。由于有美第奇家族财力的支持，伽利略的研究工作进展非常快，也就是在 1611 年，他已经总结出相当精确的木星卫星运行的周期，就连当时的另一个天文学家开普勒也认为伽利略不可能进展那么快。

在那一段时间里，伽利略的科学研究相当"高产"。他在 1612 年还观测到了海王星，但是他并没有意识到这是一颗行星，误以为是新发现的恒星。他不断记录着海王星相对于其他天体的运行轨迹，但是最后终于跟丢了目标，也就错过了发现海王星的机缘。不过也就是在这个时期，欧洲的学术空气变得非常糟糕。

从 16 世纪开始，欧洲的基督教分裂为传统天主教和北方的新教（路德教派和加尔文教派），罗马教廷的权威因此受到了严重的挑战。天主教在日趋衰落的同时也日趋反动，罗马教廷把不遵从它指令的教派统统称为异教，而新教对所谓异端的学说也一样不宽容。米开朗基罗时代那些懂得艺术、行事温和的教皇（比如允许进行尸体解剖的希克斯图斯四世）到 17 世纪初已经不见了，这时的罗马教廷不仅迫害异教徒，而且禁止异端言论，因此研究科学有可能就会掉脑袋。伽利略比较幸运，因为有美第奇家族的庇护，得以专心研究物理学和天文学，就在这一期间伽利略完善了哥白尼的日心说。

在伽利略以前，日心说和地心说基本上是模型之争，日心说并没有直接的佐证，更何况哥白尼的日心说模型还不如托勒密的地心说模型准确，因此，在很长一段时间里大家对日心说都是将信将疑，教会也基本对此保持中立。面对反对意见，哥白尼使用了一些新的假想来证明还处在假说阶段的日心说，今天看来他的大多解释基本上都是错误的[16]。而伽利略借助自己发明的望远镜观测到前人看不到的宇宙世界，为日心说提供了大量的佐证。除了发现木星的 4 个卫星，他通过望远镜，还第一次发现银河系并不是模模糊糊的一片（这是过去的认识），而是由一个个的恒星构成的，而太阳可能是众多恒星中的一个。正是依靠伽利略提供的佐证，理性的人们才信服日心说，但这已经是 17 世纪初的事情了，距离哥白尼去世已经有半个多世纪了。

在 16 世纪末，哥白尼的日心说在欧洲已经颇为流行，虽然大家对此依然将信将疑。说到日心说的传播，要感谢伽利略的一位朋友乔凡尼·布鲁诺。布鲁诺宣扬日心说，同时反对宗教哲学，这引起罗马教廷的嫉恨，同时也为新教所不容（这一点非常奇怪）。最后宗教裁判所以宣扬"异端"的名义将布鲁诺在罗马鲜花广场处以火刑。不过，必须指出的是，布鲁诺遭受火刑，并不是因为他支持日心说，而是因为其泛神论的宗教思想与基督教（一神论）的教义相违背。为了抵制布鲁诺的思想的影响力（主要是宗教思想），与他的言论有关的所有观点都受到了教会的禁止，因此，布鲁诺实际上给伽利略带来了很大的麻烦。

到 1616 年，教会对日心说的攻击达到了顶峰，伽利略到罗马劝说天主教廷不要禁止传播他的思想。但是最后教会裁定太阳恒定，地球自转是错误的，认为这与《圣经》相悖，暂停宣传哥白尼的《天体运行论》，直到它被修正。不过，教廷并没有禁止伽利略将日心说当成数学工具，但要求他不能作为天文学的结论。因此，在随后的几年里，伽利略没有发表关于天文学的论著。1623 年，伽利略的朋友马佛奥·巴贝日尼当选教皇乌尔班八世，他才得以继续就这一问题著书立说。新教皇是伽利略的朋友，对他十分尊敬，反对 1616 年对伽利略的指控。1632 年，伽利略出版了他的重要论著《关于托勒密和哥白尼两大世界体系的对话》一书，需要指出的是，这本书得到了教皇和罗马宗教法庭的准许，但还是给伽利略带来了巨大的麻烦。

16

当时人们对日心说有下面几个疑问，而哥白尼的回答完全不正确。1. 如果地球在转动，空气就会落在后面，而形成一股持久的东风。哥白尼答复：空气含有土微粒，和土地是同一性质，因此逼得空气要跟着地球转动。而事实是，空气转动时没有阻力是因为空气和不断转动的地球是连接着的。

2. 反对理由：一块石子向上抛去，就会被地球的转动抛在后面，而落在抛掷点的西面。哥白尼答复：由于受到本身重量压力的物体主要属于泥土性质，所以各个部分毫无疑问和它们的整体保持同样的性质。事实是，在石子向上前具有向西的角速度，依照惯性在空中也会有，而地球也一样有这样的角速度，所以看起来就像没有角速度一样，仅仅会产生难以觉察的科里奥利力。

3. 反对理由：如果地球转动，它就会因离心力的作用变得土崩瓦解。哥白尼答复：如果地球不转动，那么恒星的那些更庞大的球就必须以极大的速度转动，这一来恒星就很容易被离心力拉得粉碎。事实是，和万有引力相比离心力太小，所以不会瓦解。

乌尔班八世虽然贵为教皇，但他并没有中国皇帝那种一言九鼎的权威，他在教廷和枢密院里听到的反对声音越来越大，这时他只能先求自保，将自己与伽利略的友谊放在第二位。他私下找到伽利略，请他在书中就日心说给出正反两方面辩驳，并小心不要刻意宣传日心说。教皇同时要求将他的意见也放在伽利略的书中，后来伽利略也满足了这个要求。然而不知是不经意还是故意的，在《关于托勒密和哥白尼两大世界体系的对话》（下面简称《对话》）里，为托勒密地心说辩护的辛普利西奥（Simplicio，意大利语是"头脑简单"的意思），常常自相矛盾，丑态百出。辛普利西奥这个角色使得《关于托勒密和哥白尼两大世界体系的对话》一书成为攻击地心说、为哥白尼理论辩护的著作。更糟糕的是，伽利略将乌尔班八世的话放到了辛普利西奥的嘴里，虽然绝大多数史学家认为伽利略并非出于恶意，而是疏忽，但是这下子他把教皇也得罪了，而教皇是他最大、最重要的支持者。

1632年9月，伽利略被传唤到罗马接受审讯。他和教廷争论的焦点在于伽利略是否信守诺言，有没有宣传哥白尼的学说。伽利略坚称他没有，但是教廷在这件事情上非常不讲理，它威胁伽利略如果不坦白交代，就对他用刑。但伽利略坚持否认，不过教廷还是判了他有罪，除了将他终身软禁在家中，还禁止出版《对话》一书和他今后可能写的书。《对话》这本书是献给美第奇家族的，当时的家族长是费尔南多二世（Ferdinando II de' Medici，1610—1670），作为伽利略的保护人，他出面为伽利略说情。但遗憾的是，当教皇威胁费尔南多二世如果插手伽利略的案子就给他的家族好看时，费尔南多二世全然没有当年他的祖先洛伦佐利用佛罗伦萨对抗罗马并且取得胜利的气概，而是选择了沉默。

不过伽利略在教会依然有不少朋友，经大主教阿斯卡尼奥·皮科洛米尼说情，伽利略于1634年回到他在佛罗伦萨郊区的家，在那里他度过了自己的余生。在此期间，伽利略总结了过去40年中所做的一切工作，完成了他最经典的著作之一《论两种新科学》（即今天的运动学和材料力学，此书得到爱因斯坦的盛赞）。但是失去了美第奇家族的财务支持后，伽利略晚景凄凉。

1642 年，近代物理学的第一位大师伽利略离开了人世。伽利略是牛顿之前最伟大的科学家，英国著名科学家史蒂芬·霍金在评价伽利略时说，"自然科学的诞生要归功于伽利略。"除了对科学本身的贡献，伽利略的另一大贡献就是确定了科学研究的方法之一：实验和观测。传说在 1590 年，伽利略在比萨斜塔上做了"两个重量不同的铁球同时落地"的著名试验，推翻了亚里士多德"物体下落速度和质量成正比"的说法，这个故事后来进了小学课本，但后来这个故事被严谨的考证否定了。不过这个故事从侧面反映了伽利略的工作方法 —— 做实验。在此之前，很多自然科学的结论都是学者根据常识做出的推理，这在亚里士多德和托勒密的著作中经常可以看到。伽利略采用的这一自然科学新方法，有力地促进了近代科学的发展。

几乎与伽利略同时，北欧涌现了第谷和开普勒等科学家。开普勒的行星运动三定律彻底解释了日心说。不久，法国著名的思想家和数学家笛卡尔也为世人所知。笛卡尔对近代科学研究的方法论贡献非常之大，他提出了"大胆怀疑，小心求证"的科学研究方法，至今仍是科学研究的基本方法，虽然笛卡尔当初只是为了证明上帝的存在。

伽利略去世后，费尔南多二世心生愧疚，打算为他举行一场隆重的纪念活动，但是却被天主教会禁止了。在 17 世纪，天主教廷愈发保守，而美第奇家族对艺术和科学的大力资助也即将完结，这标志着文艺复兴的结束。但是科学的曙光在欧洲已经出现。就在伽利略去世一年后，一位科学巨匠在英国诞生了，他开创了整个科学时代。这位巨匠的故事我们后面会专门讲。

第六节　宝贵的遗产

我们前面讲到的都是美第奇家族的男性成员，比如第一代托斯卡纳公爵科西莫·美第奇和豪华者洛伦佐·美第奇，他们在金融和政治上统治着欧洲；还有出自美第奇家族的教皇们，在精神上统治着民众。这些人在几百年里推动着历史的发展。而事实上他们家族的女性，同样起到了很大的作用，影响深远。

美第奇家族的女性中间出了许许多多的王后和贵族的妻子，她们把意大利文艺复兴的文化带到了当时还处于蒙昧状态的欧洲各国。其中最值得一提的是两位法国王后凯瑟琳和玛丽。1533 年，法国国储亨利二世（后来的国王）迎娶凯瑟琳·美第奇（Caterina Maria Romola di Lorenzo de' Medici, 1519—1589），当时法国还处于"粗鄙"的状态。于是，凯瑟琳决定把美第奇家族的优雅生活方式带入法国：她教会了法国人社交礼仪，教会他们使用刀叉，烹饪美食和讲究时尚，并且写了本相当于贵族生活指南的书《生活的绝妙论说》，这本书成为西欧宫廷礼仪的参考书。1559 年，亨利二世去世，凯瑟琳成为太后，她的三个儿子先后当上了法国国王，她作为摄政太后，左右法国政权长达 20 年。凯瑟琳的女儿玛格丽特后来也成为法国王后，并且是大仲马的小说《玛戈王后》中的主角。

1600 年，法国国王亨利四世再次迎娶美第奇家的女儿——玛丽娅·美第奇（Marie De Medici, 1575—1642）。她后来做了太后，而且非常喜欢弄权，可惜的是她的运气没有凯瑟琳好，她遇上了法国历史上最有权势和政治手腕的红衣主教兼宰相黎塞留（Armand Jean du Plessis de Richelieu, 1585—1642），最终被流放。不过她对法国文化和艺术的影响非同小可，她按照她娘家的建筑修建了法国的卢森堡宫（今天法国参议院的所在地）。为了装饰宫殿，她资助了一大批艺术家，其中最著名的是西班牙大画家鲁本斯。当然，如果她能够重生，最值得她骄傲的恐怕是有一个将法国带到文艺复兴顶峰的孙子——著名的太阳王路易十四。路易十四和中国的康熙皇帝处在同一个时代，而且在王位上的时间（72 年）甚至比康熙还长（61 年）。和康熙一样，路易十四是法国历史上文治武功都最为出色的君主，他确立了法国在后来两百年里成为欧洲文化中心的地位，并且制定了被后世认为是典范的欧洲宫廷礼仪。而这些或多或少都受到美第奇家族文艺复兴的影响。

美第奇家族的最后一位男继承人吉安·加斯托内·美第奇是位同性恋，没有子嗣，因此，美第奇家族的最后一位法定继承人自然也是女性——他的姐姐安娜·玛丽娅·美第奇（Anna Maria Luisa de' Medici, 1667—1743）。安娜嫁给了一位德国的贵族，但是很快守寡，便回到了故乡佛罗伦萨，生活在家族留下的碧提宫中。她十分慷慨，把大量的个人财富都投入到宗教和慈善活

图 7.19 玛丽娅·美第奇的婚礼（西班牙著名画家鲁本斯绘制，现收藏于卢浮宫）

动之中。到了 1743 年，美第奇家族的最后一位合法继承人安娜·玛丽娅离世，这个神奇家族的神话就此终结 17。临终前，安娜·玛丽娅留下遗嘱，将所有藏品都捐赠给托斯卡纳政府，由政府向公众展出，但是这些艺术品不得离开佛罗伦萨。从那时起，美第奇家族的财产就作为佛罗伦萨的遗产，保留至今。

这是一笔宝贵的遗产，它的价值到今天还无法估计。美第奇家族兴盛的时候，可谓富可敌国，权倾朝野，但也有终结的一天。一个王朝也好，一个家族或一个人也好，终究要给世界留下点什么。美第奇家族的那些现金（几十万弗洛林而已）留到今天，也不过是十吨黄金而已，相对今天世界的财富不值一提。但是，他们把这些钱投到了文化、艺术和科学上，这些艺术品的价值是无法用金钱衡量的。如果一定要衡量，那么从他们

17
美第奇家族并非没有后代，只是没有法定的继承人。波旁王朝就有他们的血统，今天西班牙的王室依然是波普家族的人。

18
Pitti Palace，这是
凡尔赛宫之前欧洲
最大的宫殿，原是
美第奇家族的住
宅，现在改成了博
物馆。

图 7.20 美第奇家族居住的碧提宫，曾经是欧洲最大的宫殿之一，今天这里是馆藏丰富的博物馆

收藏的绘画中随便拿十几幅画（在碧提宫[18]和乌菲兹博物馆有上千幅），今天的拍卖价格就超过当年他们所拥有的黄金，更不用说达·芬奇和米开朗基罗的那些名画和雕塑了。然而，正如科西莫·美第奇发现最宝贵的财富是知识一样，他们留下的最宝贵的遗产是文化、艺术和科学。

这个家族似乎是专为文艺复兴而存在的，他们的兴起直接导致了文艺复兴。而在文艺复兴终结后，他们似乎也不再有存在的必要，一个王朝式的家族就此终结。今天在欧美，说起美第奇家族是人人皆知，就如同中国人讲的"旧时王谢"一样。但是中国读者对美第奇家族的了解甚少，甚至远不如对欧洲另一个富有的家族罗斯柴尔德（Rothschild）家族的了解多。当我和一些朋友谈到当年的美第奇家族时，常有人问他们是否和罗斯柴尔德家族一样。在历史上，罗斯柴尔德家族远不能和美第奇家族比，因为他们除了钱（和几个酒庄），什么遗产都没有留下，而且到今天，他们连钱也剩不下多少了。而美第奇家族则不同，他们开创了文艺复兴时代。虽然从历史唯物主义的观点来看，没有美第奇家族，文化、艺术和科学早晚也要从中世纪开始复兴，但是文艺复兴就不是我们现在所见到的样子了，也不会是在佛罗伦萨。世界应该感谢美第奇家族，没有他们，就没有波提切利、米开朗基罗和伽利略；达·芬奇或许会有，《蒙娜丽莎》或许会有，但是绝不会有他的《最后的晚餐》。总之，没有美第奇家族，文艺复兴会来得比较晚，整个欧洲的文明进程会比现在来得缓慢。我们今天来看欧洲的这段历史，不能不说是这个家族创造的奇迹加速了欧洲发展的进程。

附录一　美第奇家族族谱（主要成员）

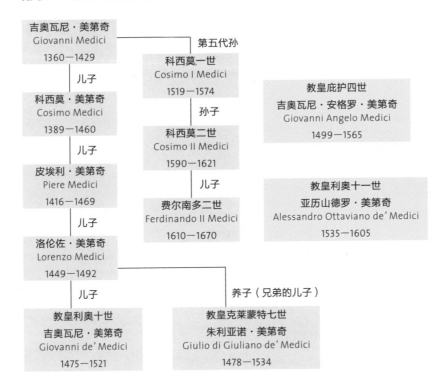

吉奥瓦尼·美第奇 Giovanni Medici 1360—1429	第五代孙	
↓ 儿子	科西莫一世 Cosimo I Medici 1519—1574	教皇庇护四世 吉奥瓦尼·安格罗·美第奇 Giovanni Angelo Medici 1499—1565
科西莫·美第奇 Cosimo Medici 1389—1460	↓ 孙子	
↓ 儿子	科西莫二世 Cosimo II Medici 1590—1621	教皇利奥十一世 亚历山德罗·美第奇 Alessandro Ottaviano de' Medici 1535—1605
皮埃利·美第奇 Piere Medici 1416—1469	↓ 儿子	
↓ 儿子	费尔南多二世 Ferdinando II Medici 1610—1670	
洛伦佐·美第奇 Lorenzo Medici 1449—1492		
↓ 儿子	养子（兄弟的儿子）	
教皇利奥十世 吉奥瓦尼·美第奇 Giovanni de' Medici 1475—1521	教皇克莱蒙特七世 朱利亚诺·美第奇 Giulio di Giuliano de' Medici 1478—1534	

附录二　文艺复兴年代表

1265—1321，　但丁生平

1269—1436，　佛罗伦萨圣母百花大教堂建造

1377—1446，　布鲁内莱斯基生平

1445—1510，　波提切利生平

1452—1519，　达·芬奇生平

1475—1564，　米开朗基罗生平

1483—1520，　拉斐尔生平

1486，　　　　波提切利完成《维纳斯诞生》

1498，　　　　达·芬奇完成《最后的晚餐》

1504，　　　　米开朗基罗完成《大卫》

1506—1626，　梵蒂冈圣彼得大教堂建设

1512，　　　　米开朗基罗完成西斯廷天顶画《创世纪》

1519，　　　达·芬奇完成《蒙娜丽莎》

1564—1642，伽利略生平

1610，　　　伽利略发现木星的四个卫星

1632，　　　伽利略出版《关于托勒密和哥白尼两大世界体系的对话》一书

1743，　　　美第奇家族最后一位继承人安娜·玛丽娅·美第奇去世，美第奇家族结束

参考文献

1　Christopher Hibbert. 美第奇家族（*The House Of Medici Its Rise And Fall*）.Harper Collins Publishers，2000.

2　PBS TV Series: Medici Godfather of Renaissance.

3　罗曼·罗兰. 米开朗琪罗传. 傅雷，译. 三联书店，1999.

4　Gene A Brucker. 文艺复兴时期的佛罗伦萨（*Renaissance Florence*）.University of California Press，1983.

第八章　香料的诱惑

大航海和地理大发现

我们今天常常用"地球村"来形容我们的世界，全球的经济是一体的，文化相互渗透，交通便利，人们很快就能从一个大洲来到另一个大洲，甚至一些人(包括我自己有一段时间)同时生活在远隔重洋的两个大洲上。但是 500 年前，大部分人不仅一辈子没有离开过自己所生活的城市或乡村，而且对远隔重洋的大陆可能闻所未闻。那时，世界上主要文明能触及的范围只有亚洲、欧洲和非洲北部环地中海地区。对于占地球面积一大半的广袤的美洲、大洋洲和撒哈拉以南的非洲，以及南极洲，人们一无所知。

在 15 世纪以前，人类在地理上的新发现大部分是靠行走和近海的航行。人类常常需要花上几百年，甚至上千年，才能从一个地区迁徙到另一个地区，比如中国的中原人迁徙到岭南，高加索地区的雅利安人迁徙到印度。但是到了 15 世纪下半叶，欧洲人通过大航海，在仅仅一个世纪的时间里，就发现了世界的另一半陆地，并且在随后的几个世纪里殖民到了全世界除南极洲以外的地区。大航海带来了地理的大发现，带来了全球贸易和资本主义的发展。

大航海最初的动机很简单，并不是为了发现新的大陆，也不是为了发展资本主义，而是为了获得一样东西 —— 东方的调味品 —— 香料。香料在今天每个家庭的厨柜里或多或少可以找到一些，没有什么神奇之处，但是，它在近代欧洲发展史上却扮演了不可替代的角色。要了解其中的原因，我们得先回到中世纪以前的欧洲。

第一节 东方的诱惑

大航海最初的动机是为了寻找东方的香料。

香料原本产自亚洲，最早传入欧洲是在古罗马时期。在此之前，地中海地区人们的饮食原本很简单，主食和蔬菜的种类也非常少。今天欧洲最常见的农产品——土豆、玉米和西红柿——直到发现新大陆后才在欧洲落户。古希腊和古罗马人每餐只有一块面包，沾点橄榄油和用葡萄酿制的甜醋，佐以葡萄酒和水果。君王和显贵们虽然食物丰盛，但是食物的滋味也好不到哪里去，盐和柠檬汁是他们能找到的仅有的调味品。这样的一日两餐（当时的食物产量还无法满足一日三餐）月复一月，年复一年。直到中世纪晚期（甚至今天），欧洲内陆和北方的食物依然是淡而无味。

后来，罗马人在旅行和远征中首先品尝到了东方调味品神奇的味道，并把它们带回到欧洲。令欧洲人惊异的是，无论是在烤肉还是最简单的拌生菜（色拉）上放点印度的佐料——一点胡椒和咖喱，或者姜和桂皮，嘴里立刻就会产生一种愉快的刺激。从那时起，西方的厨房和饭馆便已离不开、也不愿意舍弃这些被统称为香料（Spices）的调味品。在鲜明的酸、甜、苦、辣、咸的搭配中，人们对美食的追求推动着烹调艺术开始在城市乡村兴起。但是，很快欧洲便进入了中世纪。

今天，在中国甚至在西方的历史教科书里，中世纪所占的比重都非常之低，虽然它是一个非常长的时期，从（西）罗马帝国灭亡一直到文艺复兴前后大约有一千年的时间。在那一千年里，世界的中心无疑在东方，历史书上关于这段时期的重点内容常常是有关拜占庭帝国、阿拉伯帝国、印度、中国以及蒙古的。在谈到欧洲时，似乎只要用"中世纪"这三个字就可以完全概括了，至于中世纪发生了什么，似乎并不重要。有人问著名投资大师巴菲特："世界上最长的衰退期是多长？"他回答道"一千年，在中世纪。"

看来中世纪的名声实在不算好，这或许是人们不愿意提及中世纪的原因。

与古罗马时期相比，中世纪的生产力和人们的生活水平不仅没有提高，可能还有所倒退。中世纪的欧洲人相比罗马人生活更加简陋，常常连谷物的供应也无法得到满足。但是，他们对香料的需求却一点也没有减少，这可能是因为平淡无味的生活和粗糙的饮食使他们更喜欢、也更需要辛辣而刺激的味道。对当时的欧洲人来讲，只有放了胡椒、辛辣刺鼻的菜肴才算是上乘之选，他们甚至在啤酒里也放姜，至今依然如此。中世纪时，原本繁华的城市已经破败得不像样了，商业十分衰落。各地区的农民按照农庄组织起来，和几十年前中国农村的公社一样，没有经常开门营业的商店和市场。每个月只有几天的时间大家可以把各自农庄生产的东西拿来交换。平时很难吃到肉，因为只有到了冬天，家家户户才可能杀一些大牲畜来吃，然后把吃不完的肉腌起来，这就更不能缺少香料。要是没有香料，教皇的饮食也比农夫好不到哪里去。今天，美国的一些商人依然从意大利和西班牙进口这种按传统方法制作的腌肉，这种腌肉有点像中国的火腿，不过要生吃才有滋味。

欧洲人在中世纪对香料的依赖还不仅仅是为了调味，也是为了体验东方的生活情调，尤其是在十字军东征之后。十字军东征，从军事的角度上讲是彻头彻尾的失败，并且对人类的文明来说也是一场浩劫。但是，这些东征的骑士，如果有幸活着归来，则会把他们对东方文明的见识 —— 对东方富庶而优雅的生活方式的体验 —— 带回欧洲。在东方，无论是阿拉伯人，还是居住在君士坦丁堡的欧洲人，他们都住着宽敞的房子，食物用品应有尽有，他们穿着从中国运来的丝绸制作的衣服，享用着各种美食。可以这么说，失败的十字军骑士们将东方文明带回欧洲，而且到了文艺复兴时期，人们不再只是像中世纪那样仅仅考虑死后的归宿，而是开始享受现世的生活。贵族家庭，尤其是这些家庭中的贵妇和小姐的虚荣，也让她们越来越需要阿拉伯的芳香物质：芬芳的龙涎香和玫瑰油，馥郁的檀香，甚至是刺激感官的麝香，都成了她们日常生活的必需品。意大利的纺织工人和染色工人为她们生产中国丝绸和印度花布，阿拉伯商人为她们弄来了东方的珍

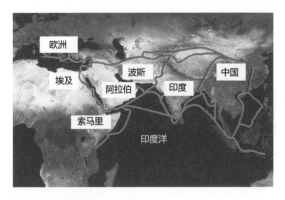

图 8.1 陆地和海上丝绸之路

珠和印度的钻石。就连过去崇尚朴素的天主教教会也对来自东方的物品有了很大的需求。成千上万个教堂里，大大小小的教士在圣坛前点着一排排掺入东方香料的蜡烛，终日烟雾缭绕。

今天，欧洲和美国的香蜡烛市场依然不小，百货店都会设有专柜。而当时制造这些蜡烛的香料，没有一颗一粒产自欧洲本土，都得通过无比漫长的海路或陆路自东南亚和印度，途径阿拉伯运来。

与此同时，欧洲的医生们也尝试着用各种东方的植物制作药材。如有机会到西班牙马德里的皇宫参观一下他们当年的皇家药房，你会以为自己进了一个中药铺：在大大小小的瓶瓶罐罐中，装着各种入药的植物和矿石，只不过用来熬药的器皿不是中国的药罐，而是蒸馏瓶。在这些药材中，来自东方的胡椒、月桂，甚至樟脑，都能找到。经验告诉当时欧洲的医生们，任何镇痛剂、任何药物，不管有没有真正的疗效，只要盛放它们的小瓷瓶上写着"阿拉伯的"或"印度的"这些有魔力的字样，病人就会觉得它有效。一切东方的东西，由于它们的遥远、稀少、奇异，也许还加上昂贵，便对欧洲人产生了无法抗拒的、迷人的诱惑力。这就如同今天的亚洲人特别喜欢法国和意大利的手袋，或者德国的汽车一样。"中国的"、"阿拉伯的"、"波斯的"、"印度的"或者什么"斯坦的"，在中世纪成了"豪华"、"精致"、"典雅"、"时尚"、"贵重"的同义词。当然，在来自东方的货物中，没有比香料更畅销的商品了。这些东方花朵散发的芳香，好像用某种看不见的魔法迷住了欧洲人的灵魂。

这些来自东方的商品不仅昂贵，而且价格还不断上涨。如今，我们几乎无法想象当年这些香料价格暴涨的情形。今天的一小瓶黑胡椒，在中国超市售价不会超过 20 元，在西餐馆里，每个餐桌都会放一瓶给大家免费使用。但是在中世纪末，黑胡椒可是按照颗粒计算的，贵如黄金白银。由于胡椒价格坚挺而且只涨不跌，当时欧洲的许多城市和国家把它像贵重金属一样当作支付手段和征税的方式。商人们用胡椒购买土地，市民们则把它当作嫁妆。胡椒甚至是姜、肉桂和樟脑，要用珠宝首饰店的天平来称量。香料的价格如此荒唐，一方面是因为运输路途艰险，无论是靠骆驼队运输走陆路，还是在海上颠簸上万公里走海路，都极为不易，何况商人们还经常遭到强盗和海盗的打劫；另一方面则是阿拉伯商人（和后来的威尼斯人）的垄断造成的，尤其是在 1453 年奥斯曼土耳其帝国攻陷了君士坦丁堡之后，建立了横跨欧、亚、非大陆的帝国，完全垄断了东西方之间的贸易。在香料进入欧洲以前，奥斯曼土耳其帝国的苏丹先要向商人课以沉重的转运税。只有缴过税，商人才能获准把香料从在印度洋上行驶的一条船上转到中东的陆地上，再从君士坦丁堡或者亚历山大港装上驶往欧洲的帆船。在欧洲的地中海，香料的运输又被威尼斯人垄断。

阿拉伯人、威尼斯人和土耳其人在香料贸易上所获得的巨大利润，不可避免地让欧洲的其他商人们眼红。早在中世纪时，西方各国要求摆脱阿拉伯人对香料的控制的愿望就非常强烈。很多史学家认为，十字军远征决不像罗马教会描绘的那样，只是想从异教徒手里夺回"上帝灵柩"，远征同时也是为了打破阿拉伯人对红海通道的封锁，但是这一尝试没有成功。到了奥斯曼土耳其帝国崛起之后，欧洲人和东方进行贸易的困境不仅没有改善，反而更加受制于人，于是西欧国家就很自然地要去探寻另外一条通往印度的航线。这便促使后来欧洲的航海家们到处寻找不用向阿拉伯人交税就能通往印度的航线：哥伦布和麦哲伦向西航行，迪亚士和达·伽玛向南航行，约翰·卡伯特向北航行。君主们和投机商们就如同现在的风险投资家一样，他们支持这些航海家的探险，目的只是为了追求香料（和其他东方商品）交易的巨额利益。

第二节　先驱者

在各国介绍世界大航海时代的书籍中，总会提到两个其实并没有直接参与欧洲人大航海和地理大发现的航海家 —— 中国的郑和与葡萄牙的恩里克亲王。

郑和，这是大家再熟悉不过的人物了，他曾经从中国东南沿海出发，七下西洋，远航万里，先后到达波斯湾和非洲的东岸。郑和第一次航海（1405年）比哥伦布发现新大陆之旅（1492 年），早了近一个世纪，而且郑和的任何一次航行，船队规模和舰船大小都远远超过哥伦布历次航行的总和。郑和的船队有 200 艘以上，多达 27000 多名官兵；他的旗舰，也称作宝船，长四十四丈四尺，阔一十八丈，能容纳上千名军士[1]。照这个记载折算成今天的尺寸，它大约长 146 米，宽 46 米[2]，它的排水量至少在 2000 吨以上。而哥伦布的舰队只有三条船，不足百人，旗舰据估计排水量也不足百吨。从各方面来讲，哥伦布的舰队与郑和的舰队都差出两个数量级。郑和一生航行的距离也比哥伦布要长。因此，全世界的历史学家都很敬重郑和，不过与此同时，没有人明白当时中国明朝为何会不惜工本去做一件几乎没有结果的事情。

郑和航海给大家留下许多谜团，最主要的谜团是他航海的目的是什么，没有人知道。这让后来的历史学家和剧作家都有事情可做了。或许正是目的不明确，所以郑和七次航海在经济上的收益并不明显，他一度控制了连接太平洋和印度洋的马六甲海峡，但后来随着明朝放弃了航海的行动而变得毫无意义。不过郑和航海至少证明

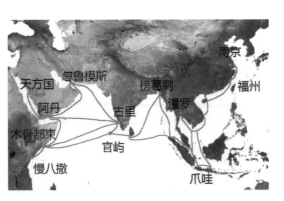

图 8.2　伟大的航海家郑和七下西洋所到之处。

了人类大规模航海的可能性。很多历史学家做过假设：假如明朝在一开始缩小航海的规模，但是坚持下去，是否会成为后来地理大发现的主角，是否可以垄断几个世纪里利润最大的东西方海上贸易，是否最早迈入近代国家的行列？遗憾的是，历史没有假设。或许明代的皇帝已经满足从后来间接的贸易中挣钱（我们后面还会讲到），而不愿意去冒险，又或许作为一个以农耕为主的陆权国家，航海很难得到士大夫阶层的支持，而明朝的皇帝又大多很懒惰。总之，郑和之后再无郑和，给中国留下了无限的遗憾。

第二位航海家也很有意思，就是葡萄牙的恩里克亲王（又译亨利王子，Infante D. Henrique，Duke of Viseu，1394—1460）。之所以说他有意思，是因为作为欧洲近代第一位航海家，他并没有真正航海过。当然，像我们今天这样驾着单桅帆船在青岛海湾转一圈，不能算在航海之列。

欧洲近代的航海始于当时最贫穷、最偏僻的葡萄牙，有其必然原因。葡萄牙位于欧洲大陆最西南端的伊比利亚半岛，即使在地中海航行畅通无阻，货物从遥远的东方运抵葡萄牙，也会变成全欧洲最昂贵的。因此，这个欧洲当时的贫穷小国，最有动力去寻找新的航线。

恩里克几乎与郑和同时代，只比郑和小23岁。作为王子，他从小学习战略和战术，博览群书，向往历险和战斗的生活。在他看来，探索未知的地域，并传播基督教教义，是一个基督徒的职责。当时，正值葡萄牙和西班牙将阿拉伯人（摩尔人）的势力赶出伊比利亚半岛的时期。后来在北非的休达与摩尔人作战时，恩里克从战俘和商人那里了解到，在非洲有一条古老而繁忙的商路，穿过撒哈拉大沙漠，经过20天就可以到达树林繁茂、土地肥沃的"绿色国家"，即今天的几内亚、马里南部和尼日尔南部等地，那里出产非洲胡椒、黄金和象牙。当时，北非还被阿拉伯人占据着，从陆路到达那里是不可能的，因此恩里克设想走海路。他的提议得到了当时国王的支持。

图 8.3 葡萄牙最南端的圣维森特角，当年恩里克的航海学校就在这里

恩里克在葡萄牙最南部的圣维森特角（Cape St. Vincent，又译成文森角）创办了一所航海学院，培养本国水手，提高他们的航海技艺。为了航海，他网罗各国的地理学家、数学家和天文学家，广泛收集地理、气象、信风、海流、造船、航海等种种文献资料，加以分析、整理，然后绘制地图，制定航海方案。为了保存和使用这些资料，他建立了一个航海图书馆，收藏有大量地图。他还资助了很多与航海有关的研究，包括制造各种航海所需要的仪器，并且改进从中国传入的指南针和欧洲古代测量纬度的星盘，等等。当然，在航海中最重要的是船只。过去欧洲人主要在相对风平浪静的地中海里航行，使用的船都是单桅横帆的帆船。这种帆船适合顺风航行，因为它兜风面积大，但是不容易转弯，遇到大风大浪很难控制，而且逆风时几乎无法航行。在大西洋里远航，这种船根本不适用，于是恩里克把最大精力放在了造新船上。最后，葡萄牙人研制出一种适合在大西洋上航行的多桅三角风帆船，这种帆船可以在逆风中行驶，只需要调整帆和舵的角度，而且很容易转弯。

1418 年前后，恩里克派出了他的第一支探险队，向南去寻找几内亚。当时新的三角帆船还没有制造出来，恩里克的船队使用的还是横帆帆船，结果原本打算南行的船队，被东风一吹就漂到了西方，好在这群人很幸运，他们被吹到了马德拉群岛（Madeira）。船员们从未听说过这个地方，向恩里克报告了他们的发现，恩里克马上宣布这个岛屿归属葡萄牙。后来证明，马德拉群岛早就被发现过，不过当时并没有哪个国家和葡萄牙争夺该岛屿的主权。于是这个群岛从此就属于葡萄牙了，1420 年这里就成了葡萄牙探险队的落脚点和物资供应站。随后的几年，恩里克亲王又数次派出探险队向两个方向进行探索。一个方向是离开海岸向大西洋西南深处航行，以发现更多的岛屿；另一个方向是沿非洲海岸南下，寻找几内亚。往西南航行的船队进展顺利，1427 年，舰队发现了亚速尔群岛（Azores）。1432 年，葡萄牙派出 16 条船、数百人、一名牧师，带着几十头牲畜殖民亚速尔群岛。亚速尔群岛的发现和殖民对后来葡萄牙（乃至欧洲）的探险和殖民事业有重要影响，因为它与葡萄牙的距离几乎相当于葡萄牙跨越大西洋到美洲距离的四分之一，欧洲各国早期横跨大西洋的航行都以这里为歇脚的中转站。后面我们还会提到亚速尔群岛这个名字。

不过沿非洲海岸南下却是困难重重，原因是水手们沿着非洲西海岸向南航行一段路程后，就不敢继续向南 —— 据说地球的南边是地狱般黑暗的绿色海洋，到了那里基督教徒都会变成黑人。在中世纪的阿拉伯地图上，在赤道以南的方位画着一只从水里伸出来的魔鬼的手。恩里克派出去的水手们总是偷偷地回到欧洲，一会儿借口遇到恐怖的土著人，一会儿又说那片海域的盐层厚得连犁都犁不开。直到 1434 年，经过了十几次尝试后，恩里克亲王的远征队终于到了西撒哈拉，第二年他们在西撒哈拉的海滩上发现了人和骆驼的足迹，证明了撒哈拉以南地区是有人生活的。

从第一次远航发现马德拉群岛算起，恩里克船队的探险已经进行了 16 个年头了。在当时的葡萄牙人看来，恩里克有点为了探险而探险的意思，并未给王国带来多少收益，批评声四起。1441 年，他的一支探险队创造了向南航行的新纪录：抵达毛里塔尼亚的努瓦迪布角。而另一支探险队则带回来 10 个穆斯林俘虏做奴隶。这标志着欧洲人开始卷入奴隶贸易。恩里克发现这可以作为平息批评的办法，于是在以后的探险中，他们便以掠夺奴隶为目的，这就是欧洲罪恶的 400 年奴隶贸易的开始。此后，恩里克组织的航海就是探险、殖民与奴隶贸易并重了。

可能是看到了航海带来的潜在利益，葡萄牙王室开始颁发特许状给私人探险者，许诺一旦发现了新的海外领土，只要宣告其主权归葡萄牙所有即可，发现者则成为这片领土的总督，并拥有征税等特权。这对私人来说，意味着只要付出很少的资金，敢于冒险就能发大财；对王室而言，不用什么代价就会有收益。于是，在葡萄牙掀起了一股私人探险的热潮，他们当中，大多是唯利是图的探险家，带上由无产者和以前的囚徒组成的水手们，涌到非洲西部的海岸，到已发现的地区掠夺财富，这些人对发现新土地其实没有什么帮助。不过，探险终于有了收益，民众的舆论从批评和埋怨变成了公开的赞扬。到 15 世纪末期，对于发现新土地的民间航海家（冒险家），葡萄牙国王甚至授予贵族或者骑士的称号。

1
恩里克的亲戚，他是第一个航行到今天几内亚比绍地区的航海家，1444 年他发现非洲的布朗角。

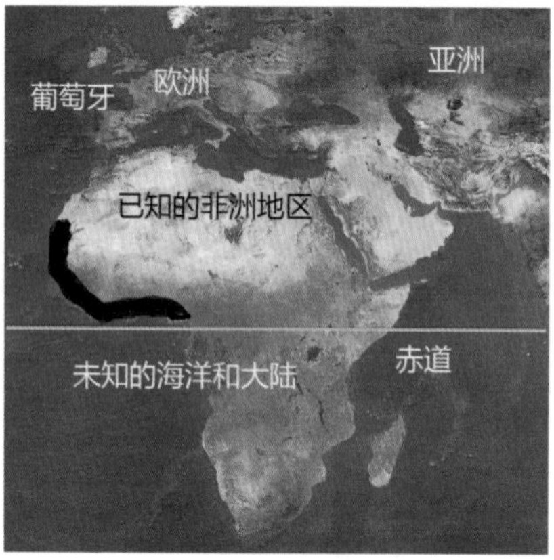

1444 年，恩里克亲王的船长特里斯唐（Nuno Tristão，? — 1446）[3] 到达了布朗角的塞内加尔河口附近，这里的海岸变得青翠，植被繁茂。这样，经过了十几年的航海探索，葡萄牙终于到达了撒哈拉以南的绿色国家。1449 年以后，恩里克亲王组织的航海人员就不再以地理发现为任务，而是要尽力寻找黄金，可是航海人员并没有找到黄金，但发现了一些繁荣的黑人王国。

图 8.4　恩里克的船队所到的非洲沿岸（黑色部分）

1460 年，恩里克亲王病逝，这标志着葡萄牙海上探险一个里程碑式时代的结束。恩里克亲王一生只在自己熟悉的海域上有过几次短距离航行，从来没有远洋过，但是历史学家和后来的航海家都认为他无愧于"航海家"的称号，是他组织和资助了最初持久而系统的探险，也是他将探险与殖民结合起来，使探险变得有利可图。在 40 年有组织的航海活动中，葡萄牙成了欧洲的航海中心，他们建立起了世界一流的船队，拥有第一流的造船技术，培养了一大批世界上第一流的探险家或航海家。如果没有恩里克，这一切是不可能出现的。

在恩里克去世后，葡萄牙的船队沿着非洲西海岸不断往南开拓，终于在1471年至1472年到达了赤道附近。他们发现南半球并不是想象中魔鬼的地域。他们接下来的尝试就是要绕过非洲大陆，找到通往印度的海上航线。当时欧洲人将东南亚国家统称为印度，其实包括中国、日本、东南半岛、印度尼西亚和印度，因此，在很多航海家的日记中如果提到"到印度去"的计划，往往泛指到东方去，既可能真的是指印度，也可能是指中国、印度尼西亚生产香料的群岛，甚至是日本。

第三节 新大陆

地理大发现是大航海的结果，而不是最初的目的，寻找香料和其他东方的物品才是探险家们的初衷。在往南寻找通往印度的航线上，一路都是葡萄牙人建立的殖民点和中转站，这样一来，基本上把西班牙人往东的路堵死了。西班牙一方面和葡萄牙交涉，获得了个别西非海岸的中转站，另一方面也要另谋他法。就在这时候，一名热那亚的意大利水手找到了西班牙国王，声称他能找到通往印度的新航线。他就是克里斯托弗·哥伦布（Christopher Columbus，1451—1506）。

哥伦布生于1451年，比文艺复兴的教父洛伦佐·美第奇小两岁，比文艺复兴时的全能巨匠达芬奇大一岁。他的父亲是个纺织工，也有人说是小作坊的主人，但是他对纺织业毫无兴趣。哥伦布年轻时读过马可·波罗的《马可·波罗游记》（又称《寰宇记》）。在那本书里，东方世界被描绘成遍地黄金的天堂。在欧洲，比黄金还贵重的香料胡椒，在中国的杭州根本算不上什么稀罕物，因为马可·波罗说了，杭州人每天都要用掉几十担胡椒。因此，哥伦布梦想着航海到达亚洲。

哥伦布自称10岁时就出过海，虽然不知道有无夸大其词的成分，但是，他很早就出过海却是事实。大约是在15到23岁这几年间，他在地中海做过几次短程的航行。1476年，也就是哥伦布25岁那年，一件偶然的事件改变了他的一生。那一年，他作为热那亚的一名水手参加了到北欧的护航，结果他的船被法国军舰击沉了，在海上漂了 10 公里后，他非常幸运地在葡萄牙南部最大的海港拉古什附近上了岸，接着辗转来到了里斯本，并巧遇他失散的弟弟，兄弟二人后来在里斯本开了一间绘制地图和海图的作坊。当时，葡萄牙是世界航海的中心，而里斯本是葡萄牙的首都，在这里能接触到很多远航的船长。每当这些船长或水手回来时，兄弟二人就请这些人吃饭，打探各种情报，以不断地完善他们的海图。但是，哥伦布收集海图的主要目的并不是为了卖海图挣钱，而是为了去印度。

是什么让哥伦布动了远航去印度的念头？或许是为了东方巨大的财富，或许是为了名垂青史，更或许只是为了像所有以前发现新的岛屿和陆地的航海家那样，得到贵族的头衔，然后封妻荫子。这些当时都没有记载，如今也无人知晓。不过这些原因比起结果来并不重要，结果是哥伦布动了去印度的念头，而且这次他不同于孩提时做梦，而是实实在在地去落实这件事了。

图 8.5　哥伦布脑海里的世界，欧洲的西边就是亚洲

当时，虽然葡萄牙的船队沿着非洲西海岸不断往南探索，但是还没有人能够绕过非洲到达印度。按照研究哥伦布的专家塞缪尔·莫里森（Samuel Morison，1887—1976）的说法，哥伦布应该是在和某些船长聊天时，谈

到如果往西走，而不是先向南绕过非洲再往东，就可以更快地到达印度和中国。在长期的航海中，哥伦布和 1800 年前古希

图 8.6　在海上总是先见到桅杆，再见到船

腊的毕达哥拉斯都观察到同一个现象，就是在航海时，总是先看到远方船的桅杆，然后才能看到整个船身，因此他相信毕达哥拉斯的解释，即地球是圆的。

长话短说。哥伦布如果想往西航行到达印度，那么必须做两件事，第一是证明往西行是可行的，而且比往南绕过非洲大陆更好。哥伦布花了很大的努力证明从欧洲往西行可以很快就到达印度。当时上流社会大多承认地球是圆的，因此一直往西行最终能到印度这一点，很多人并不怀疑，问题是要往西航行多远才能到，当时的帆船在没有中途补给的情况下走大半个地球是完全不可能的。而哥伦布的一个错误给了他自己十足的信心，也促使他最终说服了赞助人，那就是他把地球的周长搞错了。今天我们知道地球经度一度（赤道上）大约相当于 60 海里，而托勒密的书中说只有 50 海里，哥伦布认为托勒密说的还大了，他认为一度实际上只有 45 海里，这等于将地球的周长缩小了四分之一，他再根据马可·波罗记载的往东走过的时间和路程推算，从欧洲西南部的加纳利群岛到日本只要航行 2400 海里，这不过是东西穿越地中海的距离。而事实是从那里到日本的直线距离也超过了 10000 海里。不过，哥伦布还是让当时的人相信了他的计算。

第二件事是寻求赞助。当时的航海家寻求航海（探险）的赞助和现在创业者寻求风险投资的方法及过程一模一样。船长们先要准备一份商业计划书，来说明他航海的可行性和可能带来的利益，当然航海者的经验（简历）也是其中重要的一部分。然后他便像说客一样争取打动那些愿意投资的贵族或者富人。当时最有实力的赞助者莫过于葡萄牙王室，因此，

哥伦布最先找的也是葡萄牙王室。不过葡萄牙王室对此颇为怀疑，因为在哥伦布之前就有葡萄牙人从亚速尔群岛往西航行，但是什么都没有发现，而且在高纬度地区往西会遇到强烈的迎头风。再加上当时葡萄牙垄断着沿非洲海岸的航线，因此他们根本不理睬哥伦布的计划。哥伦布没有办法，只好求助于西班牙国王。虽然一开始西班牙王室对此并不热衷，但是经过六年的努力，哥伦布还是从他们那里得到了资助，这在很大程度上是因为沿着非洲海岸往南的航线已经都被葡萄牙把持了，西班牙要想找到通往香料之国印度的新航线，只能西行。西班牙国王还和哥伦布签订了一项非常慷慨的协定，协定上保证哥伦布为新发现领土的总督，并且可以获得十分之一的航海收益。这个协定当真得到履行，哥伦布的后人应该是人类历史上最富有的人。

4
除了哥伦布，另外两位船长是马丁·阿隆索·平松（Martín Alonso Pinzón，1441—1493）和比森特·亚涅斯·平松（Vicente Yáñez Pinzón，1462—1514）兄弟，哥伦布首航的一部分资金也是借自平松家族。

经过半年的准备，1492 年 8 月 3 日，哥伦布率领由三艘不大的帆船（圣玛利亚号、平塔号和圣克拉拉号）和 90 名水手组成的舰队从西班牙南部的帕洛斯港出发，开始了人类历史上最重要的一次航海行动。哥伦布的船长们 [4] 都是有多年航海经验的老手，但是水手就什么样的人都有了，其中不乏过去的囚徒，这些人参加航海的目的就是减刑和发财。哥伦布的首航开始很顺利，老天爷也很帮忙。不过航行了两千多海里后，还是不见陆地的踪影，那些为利而来的水手开始对这位"海洋统帅"产生了怀疑。哥伦布一方面在航行的里程数上作假，一方面向水手们讲述将来能得到的各种好处，直到说得口干舌燥。最后，哥伦布向大家保证，如果三天内还是看不到大陆的踪影，就开始返航。说起来，哥伦布的运气确实好，就在第三天，平塔号的一位水手就看见了陆地，船长平松按照约定放炮通知整个舰队。他们到达了今天北美东部巴哈马群岛的一个小岛。在岛上和其他附近的岛屿，他们遇到了印第安人。哥伦布以为他到了印度，因此给他们起名印度人（Indian），后来我们知道印第安人根本不是什么印度人，为了区别，只好把哥伦布发现的北美洲加勒比海上的岛屿称为西印度群岛，以区别真正的印度。Indian 这个词也就有了两个不同的中文翻译，印度人和印第安人，而在英语中这两个词的写法是相同的。为了在说话时不至于混淆，只好把它读音中的重音稍作修改，代表印度时，发音重音在前，而代表印第安时，每一个音节都是重音。

哥伦布从印第安人那里得知从这些岛往西还有一片大陆，因此，他就认为他所到的这些岛屿应该是马可·波罗所说的中国东面的"吉盘古"，就是日本。如此算起来，往西的大陆就是中国。当时，欧洲人对中国了解甚少，大部分对中国的认识只是来自于马可·波罗的游记。虽然那会儿明朝已经建立了一百多年了，但是西班牙人仍以为当时的中国还是由蒙古人统治，因此哥伦布带了西班牙国王给蒙古"大汗"的信。哥伦布希望当地人带他去见"大汗"，但是他所见到的印第安部落的最高首领们不过是一些赤裸着的酋长，比一般的印第安人无非是头上多了几根羽毛，脖子上挂了一些金块和兽牙制作的项链，和欧洲人相信的"大汗"形象完全对不上号。而且根据马可·波罗游记的记载，中土到处是穿着丝绸的饱学之士，他们举止谈吐文雅，与这些印第安人也完全不同。然而，当时的欧洲人并不知道美洲的存在，因此哥伦布只是怀疑自己运气不好，飘到了日本的一块蛮夷之地。

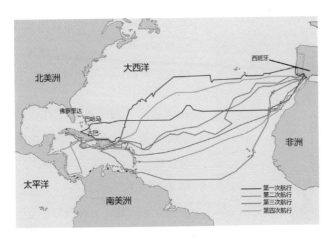

图 8.7　哥伦布四次航行走过的路线

哥伦布既没有找到香料，又没有找到黄金，不过他还是为到达"日本"感到兴奋不已。在巴哈马群岛诸岛上转了一圈后，哥伦布决定返航，临行前他从岛上采集了点有香味的植物——他以为是香料肉桂，又强拉上了几个印第安人，证明他到了日本。他返航的经历比到达美洲还不顺利，先是一条船损坏了，于是不得不留下一半的船员在美洲的海岛上，这些人最后无一生还；快到欧洲时，他又遇到新的麻烦，剩下的两条船也走散了，他的船被吹到了葡萄牙海岸。

哥伦布为欧洲带来了自罗马帝国灭亡后，最震撼的消息——往西行可以到达印度（东方）。最早得到哥伦布航海成功消息的并不是西班牙国王，而是当初拒绝了哥伦布请求的葡萄牙国王若昂二世，后者后来对自己当年回绝哥伦布而悔恨不已，因为他的决定，使得新大陆最终被西班牙人拥有。

不过在离开西班牙将近8个月后，哥伦布终于还是回到了出发地帕洛斯港。哥伦布在回到当时西班牙首都巴塞罗那前就写信将这个好消息告诉了国王。国王和女王（当时西班牙靠婚姻统一，由国王费迪南和女王伊丽莎白共同统治）很快给他回信，称呼他为"堂·克里斯托巴尔·哥伦布，海洋统帅、在印度所发现的海岛的副国王和总督"，并且希望他继续努力把这项事业扩大，具体来说就是准备第二次航海。"堂"在西班牙语中是对贵族的专门称呼。哥伦布收到回信后激动万分，马上提出了殖民、商业扩展和传教等计划。

图 8.8　巴塞罗那的哥伦布像，他手指的方向是美洲

几天之后，国王和女王在巴塞罗那为哥伦布举行了盛大的凯旋仪式。哥伦布带着"肉桂"、印第安人和当地的鹦鹉来到国王和女王面前，当时西班牙全国上下都相信哥伦布到达了亚洲。

在随后的十几年里，哥伦布有三次航行到美洲，但是并没有给西班牙带来任何香料或者大量的黄金。渐渐地，西班牙人觉得自己被哥伦布愚弄了，说他是骗子。过去书上说，哥伦布到死都以为他到达了亚洲。不过据对他的日记和书信进行的新的研究表明，他可能已经意识到他到达了一个未知的大陆。今天，无论是在北美洲，还是在南美洲，有很多地方都叫哥伦布或者哥伦比亚，以纪念这位航海家。10 月 12 日是整个美洲的节日——哥伦布日，以纪念哥伦布发现新大陆的这一天。

不过新大陆却不是以哥伦布的名字命名的，而是以另一位意大利航海家的名字命名的，他就是来自佛罗伦萨的亚美利哥（Amerigo Vespucci，1454—1512）。和大航海时代的大航海家哥伦布、达·伽马和麦哲伦等人都不同的是，亚美利哥不是狂热的冒险家，而是我们今天所谓的"公司的高管"。亚美利哥生活的年代（15 世纪末到 16 世纪初）和地点我们应该很熟悉，因为我们在前一章中多次提及，那正是美第奇家族最兴盛时的佛罗伦萨。亚美利哥最早是"豪华者"洛伦佐·美第奇开的商行的一个伙计，后来为美第奇家族所器重，被派到西班牙监督美第奇银行在那里的生意。在西班牙他接触到了去往新大陆的航海，据说他在 1497 年到 1504 年间曾经四次到过美洲，但是现在历史学家倾向于认为第一次和第四次航行并不存在。亚美利哥曾经给朋友和美第奇家族写过两封信：《新大陆》和《第四次航行》，信中指出哥伦布发现的地方并不是印度，而是另一块未知的大洲。正是由于他的信件被出版并广为流传，因此德国地理学

图 8.9　在佛罗伦萨乌菲兹博物馆前的亚美利哥像

5

*Universalis Cosm-
ographia*

家马丁·瓦尔德泽米勒（Martin Waldseemüller，1470—1522）在 1507 年
出版的《世界地理概论》[5]中，将这块大陆标为"亚美利加"，是亚美利
哥名字的拉丁文写法。不过今天，新大陆是由亚美利哥首次提出的说法依
然有许多争议，主要针对他那两封最重要的信件——有人认为这两封信是
亚美利哥杜撰的，或者是亚美利哥同时代的人伪造的。尽管对他究竟有几
次探险存在争议，但他对南美洲的探险本身确实存在，而且正是由于他的
信件，欧洲人才第一次知道存在一个美洲新大陆。

不过，真正证明新大陆并非印度的是西班牙冒险家巴尔沃亚（Vasco
Núñez de Balboa，1475—1519），这位犯人为了得到西班牙国王的宽恕，
带着一支探险队在美洲寻找传说中的黄金国。1513 年，他穿越巴拿马地
峡，登上著名的达利安山峰，向西极目远望，看到的竟是一片未知的大
洋——太平洋。从此，欧洲人真正相信了哥伦布发现的是一个全新的大洲，
不过此时哥伦布本人已经长眠 7 年了。

第四节　地球是圆的

在大航海刚刚开始的几十年里，葡萄牙人垄断着从欧洲出发的各条航线，
但是随着哥伦布发现了通往美洲的航线，这两个伊比利亚半岛上不大的国
家就争执了起来。对于罗马教廷来讲，葡萄牙和西班牙是它最听话的孩子。
当美第奇家族已经可以不买罗马的帐时，当北方的马丁·路德和德意志封
建主们与教廷公然对抗并且创建新教时，当英国国王亨利八世自封为国教
的主教时，只有西班牙和葡萄牙这两个国家不仅在维护罗马教廷的权威，
而且还不遗余力地打击"异教徒"，并且建立起历史上臭名昭著的宗教裁
判所。因此，教皇亚历山大六世不得不出面调停，以免他最能控制的这两
个国家之间窝里斗。他决定把世界上尚未发现的土地干脆全部赏赐给西班
牙和葡萄牙算了。这次划分并非像后来帝国之间对"势力范围"的划分，
而是实实在在的土地划分。当然，读者可能会问，教皇并不拥有这些土地，
他是否有资格和权力这么做？不管你是否认为教皇有这个权力，他自认为
他是有的，因为他是上帝全权的代理人，虽然当时连同样信仰上帝的路德

和加尔文都已经不这样认为了。教皇把地球当作西瓜，用他的训谕而不是刀子，把那些不知道的民族、国家、岛屿和海洋都赐给了这两个国家。分界线是位于佛得角群岛以西 100 里格（古代衡量海上距离的单位，1 里格为 3 海里）的那条子午线（经线），以西的地方归西班牙，以东归葡萄牙。

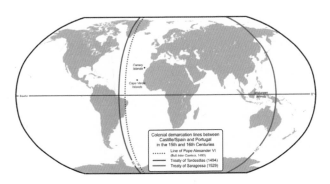

图 8.10 教皇子午线，中间地区为葡萄牙所有，左右两边的地区为西班牙所有（虚线为教皇最初画的线，紫色实线为托尔德西里亚斯条约所画的线，绿色实线为后来萨拉戈萨条约所画的地球另一边的分界线）

起初，葡萄牙和西班牙都表示同意，并且对教皇感激不已。但不久葡萄牙就发现自己吃亏了，并请求把分界线再往西移一些。于是两国经过讨价还价，于 1494 年在一个叫托尔德西里亚斯（Tratado de Tordesillas）的小镇签署了协议。协议规定两国将共同垄断欧洲之外的世界，以西经 46° 37' 的经线为分界线，这条分割线，也因此被称为教皇子午线。当然大家不必对照地图去找这条分界线在哪里，只要记住一个结论就可以了。从此，西班牙人获得了除巴西以外的全部美洲，而葡萄牙获得了整个非洲和印度。而就是因为这条分界线往西移了一段距离，使得葡萄牙后来获得了当时尚未发现的巴西。这样就能理解为什么美国以南的美洲，除了说葡萄牙语的巴西，全部是说西班牙语的国家，因此，这些国家也统称为拉丁美洲，因为葡萄牙语和西班牙语同属拉丁语系。在条约签署后，西班牙从此往西航行，经营美洲，葡萄牙人沿着非洲往南再试图往东航行，寻找印度。

相比西班牙人，葡萄牙人的财运要好很多。就在哥伦布首航美洲的四年前（1488 年），葡萄牙人迪亚士（Bartolomeu Dias，1451—1500）到达了非洲最南端的好望角，那里是连接大西洋和印度洋的海岬。当时海面狂风大作，整个舰队都几乎覆没。好在大浪把幸存的船只吹到了一个岬角上，部分船员才得以返航。迪亚士将此地命名为"风暴角"，他意识到只要转过这个海角继续航行，就能到达印度。

1497 年 7 月 8 日，葡萄牙历史上最伟大的探险家达·伽马率领船队从里斯本出发，往南绕过好望角驶向印度。这位幸运的航海家和哥伦布一样，出发前少算了这条航线的距离，他认为绕过好望角到达印度的距离是 3400 海里左右，结果航行了预想的距离后，他才刚刚到达好望角。不过，在绕过好望角后，他和他的船员们都知道他们离印度越来越近了。第二年 5 月，他们终于从印度西南部的卡里卡特（Calicutt）港登岸，这是欧洲人第一次从海路到达印度。达·伽马希望获得当地的胡椒和香料，但是由于阿拉伯商人的阻挠，他和当地统治者扎莫林（Zamorin of Calicut）[6] 的贸易谈判并不顺利，并且因为无力支付印度人的关税，而不得不留下一些水手做抵押。不过，达·伽马最终还是获得了香料，并且在第三年返回了葡萄牙。达·伽马这次航海历经两年时间，航行距离超过两万海里，大约相当于围着地球的赤道转了一周，很多水手因为长期在海上吃不到蔬菜，并且饮用了受污染的水，得坏血病而死。但是，这次航行对于世界贸易的意义非常重大，达·伽马终于找到了欧洲人期盼了 80 年的新航线。同时，他这次带回的香料使得葡萄牙和他本人都获得了巨大的利润。

在达·伽马完成他历史性的航行一年后，葡萄牙再次派遣佩德罗·阿尔瓦雷斯·卡布拉尔（Pedro Álvares Cabral，1467—1552）率领 13 条武装商船前往印度，卡布拉尔在途中意外地发现了南美洲的巴西。当他到达印度时，发现达·伽马留下的葡萄牙水手们已被谋杀，随后他的舰队也遭受到阿拉伯人和印度人的攻击。卡布拉尔最后靠武力打败了阿拉伯人和印度人，当然在打败那里的印度人之后，生意自然也做不成了。于是，卡布拉尔转到印度的另一个邦，并且和那里的统治者搞好了关系，从而获得了大量的香料。这次航行，葡萄牙人又获得了巨大的利润，从此为它成为早期的海上帝国奠定了财富基础。

6
12—18 世纪，印度卡里卡特最高统治者的称谓。

虽然葡萄牙人开辟了通往东方的航线，但是那里依然是阿拉伯人的势力范围。为了巩固这条黄金航线，1502 年，葡萄牙王国再次派达·伽马率领一支由 20 艘军舰组成的庞大舰队前往印度。他们到达东非海岸时，打败了当地的阿拉伯人，接着又打劫来往的阿拉伯商船，并俘获了一些船只。当他第二次到达印度卡里卡特时，他的舰队船只已增至 29 艘，这支强大的舰队很快便征服了印度当地的很多王国，并且购买甚至是掠夺了大量的财物。葡萄牙人还强行在印度购买了许多土地，并且以贸易作为和平的条件。于是，卡布拉尔在印度有了"武力调停人"的恶名。在接下来的近 20 年里，他为葡萄牙不断地扩大在东非和西印度的实力，并且通过香料贸易获得了巨额财富。史学家认为，达·伽马是继恩里克亲王之后，开拓葡萄牙海上贸易最成功的航海家。除了开通了从欧洲到亚洲的航线，他还通过政治和军事手段确立了葡萄牙在大航海初期的世界海上霸主地位。不过相比哥伦布和麦哲伦，后世为他写的传记却很少。这一方面是因为他在地理大发现上没有太大的贡献，虽然他是这三位伟大航海家中挣钱最多的；另一方面，他靠武力强推贸易的做法也为人所不齿。

相比葡萄牙，西班牙的运气就没有那么好了，虽然教皇将几乎整个美洲都划给了它，但是直到 1533 年[7]之前，西班牙人的探险都没有带来什么经济利益。在亚美利哥之后，人们都知道了美洲和亚洲的差别，但是由于受到托尔德西里亚斯协定的约束，西班牙人不能走葡萄牙人发现的航线到达亚洲，因此他们试图在美洲大陆之间找到一个海峡转过去，从西面通往亚洲，不过这种尝试从来没有成功过。我们从地图上可以看到，美洲大陆是从北极一直延伸到南极，中间并没有缝隙。但是，当时的殖民者并不知道美洲有多大，也没人知道美洲以西是什么地方，这些谜团直到另一位伟大的航海家 —— 葡萄牙人费迪南德·麦哲伦的一次伟大航行后才被解开。

麦哲伦虽然是葡萄牙人，但是他一生很多的时间都是在为西班牙服务，这倒不是他不愿意为自己的祖国服务，而是"报国无门"。麦哲伦 25 岁时就前往东南亚、印度和非洲进行探险和殖民活动，到了 30 岁时，他已

7
西班牙冒险家皮萨罗在南美洲灭亡了印加帝国并且掠夺了那里无数的黄金。

8
今天的印度尼西亚
到几内亚等国所在
地。

经是全葡萄牙仅次于达·伽马的航海家了。他在东印度群岛 [8]（当时的香料群岛）从事贸易时，感觉越过东面的大海就应该是哥伦布发现的新大陆了，但是无法证实这一点，于是他有了环球航行一周的打算。

33 岁时，麦哲伦回到了葡萄牙，并且向国王请求组织船队进行环球航行。可是，国王没有答应他的请求，国王认为东方贸易已经得到有效的控制，没有必要再去开辟新航线了。很巧的是，在同一个地方，这位国王的前任也拒绝了哥伦布的请求。和哥伦布一样，麦哲伦来到西班牙寻求资助。他先来到了塞维利亚，并且向当地的要塞司令胡安·德·阿兰达（Juan de Aranda）提出环球航行的请求，这位司令欣赏他的才干和勇气，也很想帮助他，但是这需要得到国王的同意才行。不过有一件事是阿兰达自己就能决定的，就是把女儿嫁给麦哲伦。

通过阿兰达的引荐，麦哲伦见到了当时的西班牙国王查理一世（后来的神圣罗马帝国皇帝查理五世）。这位国王一直垂涎近邻葡萄牙从对东方的贸易中获得的巨大利益。如果麦哲伦的计划可行，那么就实现了哥伦布最初往西到达亚洲东方的设想，而且这条航线与葡萄牙还没有冲突。当然最大的问题是美洲大陆之间是否存在一个海峡可以穿过去。麦哲伦对此充满信心，因为他得到了一些其他航海家收集来的情报，确信在今天的南美洲大陆南纬 30 度－40 度之间存在一个海峡，穿过这个海峡就到了东方。和当年伊莎贝拉女王说服国王批准哥伦布的计划一样，查理一世也批准了麦哲伦的计划，并且给了他和他的合伙人们非常"慷慨的"特权。其中包括：

1. 垄断所发现的航线 10 年的使用权；

2. 任命麦哲伦为他所发现的土地的总督，并可以从未来的收益中提成 5%；

3. 此次航海（贸易）五分之一的利润；

4. 所发现海岛（除了前六个最大的）今后收益的十五分之一。

我之所以把这些条款都列出来，是因为这一类条款鼓励了欧洲人去冒险。

相对来讲，当时东方帝国的皇帝们给予功臣的常常不是一起分享的利益，而是杀戮。要了解近代西方人为什么能够在落后几百年的情况下崛起，并且超越了亚洲国家，这些契约是解开秘密的一把钥匙。

在西班牙国王的帮助下，麦哲伦建起了一支由五艘武装商船、270 名水手组成的舰队，他的旗舰命名为特里尼达号。但是，葡萄牙国王很快知道了这一件事，他害怕麦哲伦的这一次航行会帮助西班牙抢葡萄牙的生意。于是，他派人混进麦哲伦的船队，伺机破坏，并准备暗杀麦哲伦，不过没有得逞。

1519 年 8 月，麦哲伦的舰队从西班牙南部的名城塞维利亚出发了。按照他的计划，舰队在年底以前到达南美洲，并且穿越海峡进入通往东印度群岛的水域，那时正值南半球的夏天。不过，麦哲伦的情报显然有误，当他的

船队在第二年 1 月到达预想的海峡时，他们才发现那其实是一个很宽的大河——拉普拉塔河（Rio de La Plata）的入海口，拉普拉塔河虽然是南美洲第二大河，比亚马逊河小，但是它的入海口处的海湾却宽达80 公里以上，很容易让人误以为是海峡。

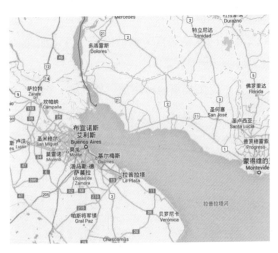

图 8.11　拉普拉塔河入海口，确实像是一个海峡。从 Google 地图给出的比例看，它的宽度在 80 公里以上

麦哲伦现在遇到了难题，他要么返航，要么就硬着头皮接着往南航行。当然，如果返航，我们今天就不会知道有麦哲伦这个人了。麦哲伦是一个坚毅而果敢的人，而常常是这种超凡的毅力成就了不朽的英名。但是，继续往南航行，又谈何容易。麦哲伦原本计划是在南半球盛夏（即北半

球的冬季）季节走到这次航行的最南端，然后在南半球冬季来临之前，已经穿过海峡或者绕过南美洲开始北上了。但是，如果现在继续南下，可能会在最冷的时间到达最冷的地方，到那时恐怕就不是能不能完成航行，而是能不能保住命了。不过，麦哲伦还是决定冒险，他要求船队继续向南寻找海峡或者南美洲南部的海岬。3月，也就是相当于北半球的9月，他们来到了今天阿根廷的圣朱利安港（Puerto San Julián），这里纬度50度左右，相当于中俄边境城市满洲里的纬度，当地已经进入冬天了。麦哲伦只能在此过冬，等来年再走。这时，部分船长和船员不愿意再跟着他漫无目的地寻找所谓的海峡了，他们决定叛乱，麦哲伦最后用计平定了叛乱，但是经过一个冬天，五条船坏了一条，只剩下四条了。

1520年8月底，南半球进入了春天。麦哲伦的船队驶出圣朱利安港，沿大西洋东岸继续南行。三天后，他们在南纬52°的地方，发现了一个海湾，这里风浪非常大，麦哲伦本着试探一下的想法打算进去看一看，结果发现港湾里是迷宫一般的海峡，弯弯曲曲，时宽时窄，分岔无数，即使在今天，如果没有海图也很容易走丢。不过这次麦哲伦的运气非常好，他在这个大风大浪的海峡里一路向西，经过20多天艰苦迂回的航行，居然走出了这个海峡。这或许是靠他非常丰富的航海经验，或者是凭借他天生的本能。后人为了纪念他这次探险，把他所发现的这条海峡命名为麦哲伦海峡。

图 8.12　麦哲伦海峡的地理位置（蓝线标注为当年麦哲伦走过的路线）

从麦哲伦海峡航行出来，眼前顿时呈现出一片风平浪静、浩瀚无际的大洋，于是麦哲伦命名它为太平洋。在这辽阔的太平洋上，看不见陆地和岛屿，船员们的粮食成了问题，在将近半年的时间里，他们没有吃到一点新鲜食物，只能吃点长了虫变了质的面包，携带的淡水也浑浊变味。最后连这些都没有了，他们只能靠吃牛皮和木头过活。直到 1521 年 3 月，他们才看到陆地。之后他们来到了菲律宾，从当地人说的语言判断，麦哲伦知道离香料群岛已经不远了。至此，麦哲伦和他的船员们终于首次完成横渡太平洋的壮举，也证实了美洲与亚洲之间存在着一个辽阔的大洋 —— 这个水域要比大西洋宽阔得多。

后来，麦哲伦在菲律宾和当地人发生了冲突并因此丧生。剩下的船员在胡安·塞巴斯蒂安·埃尔卡诺（Juan Sebastian Elcano，1476—1526）的带领下继续航行。他们找到了以前只能绕过非洲大陆穿过印度洋才能到达的香料群岛，并且换取了大批的香料。这时，他们出发时的五条船只剩下了两条，船员也死掉了一大半，只剩一百余人。要回到西班牙，无论是往东还是往西走，都还有绕过半个地球的艰辛路程在等着他们。麦哲伦出发前并没有确定是否要环球一周，因为他的目的只是绕过南美洲到达香料群岛，不过这时埃尔卡诺决定继续西行，完成环球航行的壮举。在回国的途中，最后的两条船又漏了一条，不得不放弃掉，船员们也因为这样或那样的原因陆续死去。最后，回到西班牙的只有埃尔卡诺和另外 17 名船员。这时，距离他们出发已经过去三年多了，他们的亲朋好友都认定这些人永远不会回来了，这在当时的航海中并不少见，西班牙国王和其他赞助者也已经认定这次"风险投资"打了水漂。但是 1522 年 9 月的一天，当年舰队五条船中的"维多利亚"号居然返回了圣卡罗港，所剩无几的船员已经极度疲劳衰弱，认不出来了。不过他们终于胜利地回到了出发地，并且还带回了大批的香料，这一船香料不仅支付了整个航行的费用，而且还给西班牙带来了相当可观的利润。

麦哲伦和埃尔卡诺的环球航行历时三年多，航行 4 万 5 千海里（大约 8 万多公里），被后来的历史学家誉为人类历史上最伟大的航行。它在地理学和航海史上产生了一场革命，不仅证明地球是圆的，而且还发现了地球表面的大部分地区是海洋，不是陆地，这颠覆了托勒密早期对地球的描述。这次航行还表明世界各地的海洋是一个完整水域，通过航

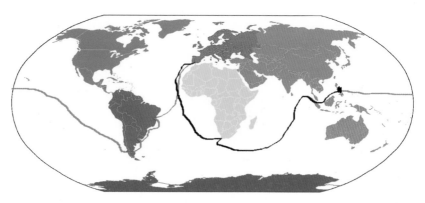

图 8.13　麦哲伦的航海路线（红色的路线是在麦哲伦领导下走过的路线，黑色的是后来在埃尔卡诺领导下完成的航行）

海可以到达任何一块陆地，从此开启了全球航海的时代。埃尔卡诺后来成为了西班牙的英雄，他的后代被封为巴格拉斯侯爵（Marques de Buglas）。后世对这次航海的细节了解得非常详尽，这要感谢两个人。第一位是经历了整个航行的意大利学者皮加费塔（Antonio Pigafetta，1491—1534），他记录了非常详尽的航海日记；第二位是作家特朗斯万纳斯（Maximilianus Transylvanus，1490—1538），他采访了很多幸存者，并且将这次航海的过程写成了一本书。

哥伦布、达·伽马和麦哲伦无疑是人类历史上最伟大的航海家，他们和当时无数的冒险家一道，开启了大航海的时代。他们各自的航行在历史上的作用各不相同：哥伦布发现了新大陆，达·伽马找到了往东绕过非洲到达亚洲的航线，麦哲伦（和埃尔卡诺）第一次完成了人类的环球航行，并且开启了往西经过美洲到达亚洲的航线。他们三个人在出发前都犯了同样的错误——低估了他们即将进行的探险的难度：哥伦布把一万多海里的航行估计成两千多海里，达·伽马也少算了百分之六十的航程，而麦哲伦则信息完全错误，误把河口当作了海峡，以至于航程比预想的至少多了一年时间。或许正因为如此，他们才壮起了胆子去做当时人们想都不敢想的事情，从这方面来讲，他们都是幸运的。在这三人当中，关于哥伦布的论著最多，不过总的来讲学术论著多于文学传记。关于麦哲伦的论著则相反，或许因为他在航海的途中悲壮地死去，让他的探险经历更加富于震撼力，因此关于他的传记很多，尤以奥地利著名作家茨威格写的《麦哲伦传》最为有名。茨威格笔下的麦哲伦，是一位富有梦想、性格坚强而勤于实干的英雄，他在困难面前表现出的镇定和坚毅，是完成这次人类壮举的根本原因。这本书激励了很多富有理想、勇于开拓的年轻人。

在这些航海历程中，还有无数葬身海底的冒险家以及不知名的水手，他们有些人为了理想，有些人为了发财，但大多数低级的水手则是为了免除牢狱和债务。没有人知道他们的名字，但正是因为有了这些人，哥伦布、达·伽马和麦哲伦的壮举才得以实现。在大航海时代，如同在古埃及和美索不达米亚的文明中一样，这些无名小辈是创造历史的主人。

第五节　全球贸易时代的到来

在今天看来，教皇不考虑所有其他民族，大笔一挥就把几乎整个世界分给两个国家的"慷慨"做法实在很可笑，因为这套训谕对听他话的国家是有约束力的，但是对哪怕是信仰同一个上帝的荷兰和英国都起不了任何作用。托尔德西拉斯条约在起初几十年间防止了西班牙和葡萄牙之间为殖民地发生战争。但是，那位不相信"地球是圆的"的教皇，划界线时并未划定当时没发现的背面部分。因此，遗留下来一个大问题：出产珍贵香料的群岛在地球的背面，到底是属于教皇子午线的东面还是西面？当时，无论是教皇、两国的国王还是学者都说不清楚。葡萄牙人首先从东面找到了香料群岛，接下来代表西班牙的麦哲伦也从西面登上了群岛。葡、西两国不得不为此谈判，一谈就是六年。在 1529 年终于达成萨拉戈萨条约（Treaty of Saragossa），重新修订了势力范围界线。葡萄牙付给西班牙 35 万金币而获得了香料群岛，同时把菲律宾给了西班牙。直到 19 世纪末，西班牙在美西战争中战败，西班牙人在菲律宾的统治才结束。

大航海导致了地理大发现，而地理大发现又导致了全球贸易时代的到来。葡萄牙人自从占据香料群岛以后，又控制了马六甲海峡，然后一路向东到达中国沿海，并且从 16 世纪中期开始，直接和中国开始做生意。而在此以前，卖到欧洲的物品都是通过阿拉伯商人中转。中国的瓷器、丝绸和茶叶从那时起开始大量进入欧洲。虽然后来欧洲人自己可以纺丝，并从印度进口茶叶，以替代中国的商品，但是世界瓷器市场则一直为中国人所垄断。在大航海时代，青花瓷让整个世界为之沸腾。

9
墨西哥太平洋沿岸
重要的海港。

西班牙人当时要想到达亚洲，可不像葡萄牙人那么容易，他们必须经过美洲做中转。于是，西班牙在墨西哥的阿卡普尔科（Acapulco）[9]等地建立了一些太平洋航线的港口。西班牙的帆船队越过太平洋来到中国，将中国的货物运到墨西哥，然后再穿过墨西哥南部几百公里的内陆，到达加勒比海沿岸，再重新装船回到欧洲。这条贸易线直接促进了美洲的发展，西班牙在中美洲和菲律宾建立了新西班牙殖民地，很多西班牙人移民到了美洲，和当地印第安人混血，形成了今天的拉美族裔。

10
墨西哥在殖民时代
的名城，以大银矿
而著名。

1546 年，西班牙人在墨西哥的萨卡特卡斯（Zacatecas）[10]和上秘鲁（今天的玻利维亚）的波托西等地发现了大银矿。在接下来的一个半世纪里，西班牙人从美洲带走了一万两千吨白银，今天萨卡特卡斯地区的普罗阿偌银矿依然是世界三大银矿之一。靠着大量的白银，西班牙取代了葡萄牙，成为了欧洲当时最富有、最强大的国家。

从哥伦布发现新大陆算起，在接下来的一百多年里，海洋是伊比利亚半岛的两个王国葡萄牙和西班牙的天下。中国虽然在郑和之后不再尝试远洋航海，但却是大航海时代经济上的受益国，这主要靠和欧洲人的海上贸易。仅就中国与西班牙的贸易来看，在中国的明代西班牙为了购买中国商品，主要是瓷器，就用去了它在美洲所产的三分之一的白银，大约一亿两千万两，按照购买力计算，相当于 1990 年的 5000 亿美元。

不过，伊比利亚半岛的黄金时代，随着欧洲北方的尼德兰，也就是今天的荷兰的崛起而结束。在西班牙鼎盛时期，它依靠婚姻获得了对尼德兰的统治权，不过经过 80 年的独立运动和战争，荷兰终于摆脱了西班牙的统治，变成了近代早期的资本主义国家。靠着制造业和贸易，荷兰迅速强大起来，并且加入了对世界海上航线和贸易的争夺战。1602 年，荷兰成立了著名的东印度公司。这个组织虽然叫做公司，但是和今天的公司大不相同，因为它不仅拥有一支强大的武装力量，而且可以自行发行货币，并有权代表国家与其他国家正式签订条约。靠着强大的武装力量，它在殖民地有着实际的统治权。东印度公司在荷兰的六个城市有办事处，它的股东包括荷兰政府和大部分国民。

东印度公司一成立，就开始了和葡萄牙争夺亚洲市场的战争。1603 年，也就是东印度公司成立的第二年，它的战舰在现在的新加坡附近截获了葡萄牙的商船圣塔卡特尼娜号（Santa Catarina），并以走私为名没收了船上的货物，随后取代了葡萄牙，成为欧洲对亚洲贸易中的主角。1619 年，东印度公司在爪哇的巴达维亚（即今天印尼的雅加达）建立了亚洲总部，并且在全世界建立了 17 个港口和中转站。到了 1669 年，东印度公司已经是富可敌国，它拥有 150 艘商船，40 艘战舰，两万名员工和一支拥有一万名士兵的军队。他们在中国沿海大量购买瓷器，并且按照欧洲人的喜好直接向中国下订单，欧洲人曾经非常喜爱的克拉克瓷器就是在这个时期由荷兰商人向中国订制的。当时，荷兰人的一条商船常常就订购上万件瓷器，顶得上几百匹骆驼的运量。东印度公司从对亚洲的贸易中获得了暴利，每年的股息分红高达 40%。直到 1799 年东印度公司解散为止，它总共向海外派出了近两千艘商船和战舰，有大约 100 万人次的欧洲人前往亚洲地区。这段时期不仅是荷兰的黄金时期，也是全球化时代的开始。

荷兰人在地理大发现上的主要贡献是发现了另一块新大陆——澳大利亚。1606 年，荷兰人威廉·詹茨（Willem Janszoon，1570—1630）第一次在新几内亚和澳大利亚之间航行时，发现了这块大陆，并且在约克角半岛西岸第一次登陆。至此，世界上最重要的陆地都被发现了。

荷兰人在向东扩展贸易的同时，还向西建立殖民地，同时向北寻找新航线。1609 年，东印度公司委任的英国探险家亨利·哈德逊（Henry Hudson，1570—1611）发现了现今的美国和加拿大的大西洋沿岸地区。荷兰人在今天美国的纽约州建立了"新尼德兰"殖民地。1621年，荷兰成立了西印度公司，垄断了北美洲和西非的贸易。两年后，荷兰正式宣布新尼德兰为荷兰的一个省，将它纳入荷兰的版图。1626年，西印度公司的主管从当地人手中买下了曼哈顿岛，并建起了一座新城市——新阿姆斯特丹。荷兰人对北美的统治持续了大约半个世纪，直到1664年新尼德兰殖民地在同英国的战争中战败，荷兰总督在市民的要求下投降。从此，新尼德兰和新阿姆斯特丹都以英国当时的统帅约克公爵的封号命名，它们分别成了今天的纽约州（New York State）和纽约市。

在地理大发现上，荷兰人的另一个壮举就是对北极的探险。当然，荷兰人最初的目的是寻找通往亚洲最近的航道，而不是对毫无经济价值的北极进行科学考察。当麦哲伦的船队完成了环球航行的壮举后，再也没有人怀疑地球是圆的了。既然地球是圆的，从理论上讲，往任何方向走都能到达亚洲，葡萄牙人往东去，西班牙人往西走，地处高纬度国家的荷兰人就开始打往北走的主意了。从1594年开始，荷兰探险家和航海家巴伦支（Willem Barents，1550—1597）对北极进行了三次考察，希望通过北极到达亚洲。在1596年的第三次探险中，他的船队被困在北极的冰层里长达8个月之久，船员们饿死冻死很多，但是居然没有动船队所运送的货物。这件事在西方近代史上树立了信守信托责任的榜样。虽然荷兰人寻找北极航道的尝试失败了，但是他们却发现了北极圈内的不少岛屿和土地。400年后，北极航道再次成为一个热门话题，因为从欧洲和美

图 8.14　巴伦支尝试穿过北极的航海路线（红线）

国通过北极到达东亚，确实比走太平洋或者印度洋要近很多。包括中国在内的一些国家重新开始尝试着走这条当年荷兰人没走通的水道。

最后，说到航海就不得不提到英国人。在世界进入第二个公元千年以前，英国从来是被外国人轮流占据，关于它的历史我们在后面"荷英时代——为什么英、荷统治世界"有关的章节还会讲到。在第二个千年里，它在大部分时候则是对外扩张。不过和欧洲大陆隔绝的英国，总体来讲发展要比欧洲大陆落后。作为岛国，英国较早就加入了地理大发现的行动。1496 年，也就是哥伦布发现新大陆的第四年，英王亨利七世就雇了威尼斯航海家卡波特（John Cabot，1450－1499）去寻找新大陆。在以后的几十年里，英国的航海家到了北美洲的纽芬兰、哈德逊湾和弗吉尼亚，不过他们的运气很不好，每次都是空手而归，血本全无。

当葡萄牙和西班牙已经从亚洲获得了巨大的商业利益并且开始殖民美洲时，英国国王亨利八世还在为他的婚姻纠结。这位风流国王因为王后（西班牙公主）凯瑟琳不能生育男性继承人，要求离婚另娶侍女安妮·博林（伊丽莎白一世的母亲）。这在当时是不被允许的，除非有教皇的特令。不过教皇（和凯瑟琳）背后是强大的西班牙王国，因此这件事当然没得商量，一折腾就是好几年，一直到 1533 年才有结论。1533 年是一个对西班牙和英国都很重要的年份，这一年西班牙冒险家和殖民者皮萨罗（Francisco Pizarro，1475－1541）灭亡了南美洲的印加帝国，西班牙王国迎来了它在大航海时期的顶点。同年，亨利八世和罗马教廷撕破了脸，他自创英国国教（新教的一支），自封大主教，这样他就可以和凯瑟琳离婚，并与安妮结婚了。当然这样一来，他就不仅得罪了罗马教廷，而且得罪了西班牙。在很长的时间里，西班牙禁止和英国人贸易。（这一段历史我们后面还会更详细地提到。）

在接下来的几十年里，虽然英国无法挑战西班牙的海上霸权，但是从此英国开始默许，到后来公开支持对西班牙船队的海盗行动。到了亨利八世的女儿伊丽莎白一世当国王时，她居然给这些海盗船长们发"私掠许可证"（Privateering Commission），而民间也开始投资这些海盗，实际上就是将英国的海盗变成了国有的海军，这些海盗就有了一个新名称"皇家海盗"。而这里面最有名的当属法兰西斯·德瑞克（Sir Francis Drake，1540—1596）爵士。

关于这位爵士的生平，史学家了解甚少，甚至连他的出生年月也不详，不过他无疑是一位优秀的航海家，他在麦哲伦和埃尔卡诺之后完成了第二环球航行的人。他早期贩运过黑奴，后来做生意被西班牙人抢过，于是他就由商人变成了海盗，并在女王的支持下不断袭击西班牙人的商船。这种袭击最终演变成了 16 世纪最大规模的海战。

1588 年 7 月，西班牙由 131 艘战舰组成"无敌舰队"（Invincible Armada），舰队搭载两万七千名士兵向英国进发。英国上下顿时感到了自 1066 年威廉征服以来最危险的外来威胁，于是实施全民总动员，16 岁到 60 岁的男子都接到了征召令，加入正规军或民兵武装，就连当时已经 55 岁的伊丽莎白女王都身着盔甲，四处巡视。以德瑞克为首的皇家海盗们靠着少数战舰和上百条由民船临时改装的战舰，与西班牙舰队在格雷夫林（Graveline）海面上激战了一天，居然大获全胜。经此一战，无敌舰队被击沉、俘虏了 16 艘战舰，而英舰无一损失。这样，无敌舰队出发时的两万七千人中，只有不到一万人最后安全返回家园。在格雷夫林海战后，虽然西班牙的无敌舰队还在世界上横行了相当长的时间，但是

图 8.15　无敌舰队远征英国

英国从此逐渐取代了西班牙，成为海上的霸主。至于海盗德瑞克，因为战功赫赫，居然也被女王封为了爵士。

当英国人进入国际市场时，已经不可能像早期葡萄牙那样从香料贸易中赚得上百倍的利润，也不可能像西班牙人那样直接从美洲挖掘金银了。于是他们积极向外扩张殖民地，提倡重商主义，即通过把自己的商品卖到海外来争取利润，他们强调贸易顺差，并且金银的流入一定要大于流出。在这种国策的指导下，英国后来居上，在从 17 世纪到 19 世纪末的两百多年里，成为全球贸易和制造业最发达的国家。当然，这一切都要感谢大航海带来的地理新发现。到了 19 世纪末，英国人在全世界建起了几十个重要的海港，比如新加坡、亚历山大和开普敦等等，通过这些港口，英国人建成了他们的日不落帝国。

结束语

大航海带来的最直接的结果是地理的大发现，为即将到来的资本主义全面发展和人口的大量繁育找到了殖民地。当然，全球贸易的开始和商业的繁荣，让欧洲国家彻底走出了中世纪，并完成了资本主义发展的原始积累，也为即将到来的工业革命做好了科学和技术上的准备。欧洲历史上最著名的一些科学家，包括笛卡尔、伽利略、开普勒和牛顿，都是在大航海时代的后期出现的。大航海的另一个结果，就是在人类历史上海权的重要性首次超过了陆权。大航海时代的代表，无论是伊比利亚半岛的西班牙和葡萄牙，或者地处欧洲西北角的荷兰和英国，都是不大的国家，也不曾像一个陆地帝国那样拥有庞大的军队，但是他们靠海上霸权以及并不相连的港口和殖民地主宰着世界。

至于为什么是英国人和荷兰人，而不是开创文艺复兴的意大利人，或者开始航海的西班牙人和葡萄牙人成为大航海和地理大发现的最终受益者，为什么是他们的后裔几百年来在统治着世界，这个我们放到后面介绍，因为这段历史应该算是工业革命时代和殖民时代，而不是大航海时代了。

附录 大航海时代大事记

1405—1431， 郑和七下西洋

1419， 恩里克亲王的船队开始第一次远洋航行，并且（重新）发现马德拉群岛

1444， 葡萄牙人特里斯唐到达了非洲的布朗角

1486， 葡萄牙人迪亚士到达非洲最南端的好望角

1492， 哥伦布发现美洲

1494， 在教皇的协调下，葡萄牙和西班牙签署托尔德西里亚斯协议，瓜分了世界未知
的地域

1498， 达·伽马绕过好望角到达印度

1507， 新大陆被命名为美洲

1519—1522， 麦哲伦和埃尔卡诺率领船队完成人类第一次环球航行

1594， 荷兰人巴伦支寻找北冰洋航线

1588， 英国人打败西班牙的无敌舰队，逐步成为海洋的霸主

1606， 荷兰人詹茨发现澳大利亚

参考文献

1 莫里森. 新大陆之光 —— 哥伦布传. 陈太先，译. 湖南文艺出版社，1993.

2 茨威格. 归来没有统帅 —— 麦哲伦传. 范信龙，井勤荪，臧乐安，译. 湖南文艺出版社，
   1982.

3 George Brown Tindall. 美洲：叙述的历史（*America: A Narrative History*）.W. W. Norton &
   Company，2012.

4 J.H. Harry. 文艺复兴时代（*The Age of Reconnaissance: Discovery, Exploration, and Settlement,
   1450-1650*）.University of California Press，1982.

索 引

图书在版编目（ＣＩＰ）数据

文明之光. 第1册 / 吴军著. -- 北京 : 人民邮电出
版社，2014.7
ISBN 978-7-115-35854-7

Ⅰ．①文… Ⅱ．①吴… Ⅲ．①世界史－文化史 Ⅳ．
①K103

中国版本图书馆CIP数据核字(2014)第107746号

内 容 提 要

人类的历史，是从野蛮蒙昧一步步走向文明进步的过程。在文明的进程中，人类创造出多元的文化，它们有着各自的特长。要实现人类和平发展的终极理想，一个重要的前提是承认文化的多元性，并且取长补短，相互融合。

吴军博士写作《文明之光》系列，希望能开阔人们的视野，让我们看到各种各样的人类文明。虽然今天不同的地区发达程度不同，文明历史的长短不一，国家亦有大小之分，但是文明之光从世界的每一个角落发出，对人类的进步产生着影响，并且成为了奠定我们今天发达世界的基石。

吴军博士从来不坐在书斋里编书。为了创作《文明之光》，他走遍世界各地寻访当年文明的遗迹，并到各大博物馆参观了大量的文物。加上他在不同文化、不同机构下科研工作的积累，这一切赋予了他难得的史料厚度和相关知识底蕴；而从科学家向投资家身份的成功转型，使得他常常能道出超越同侪的见识。

书中文字轻松优美，图文并茂，引人入胜。毫不夸张地讲，这是一本在今天快速消费时代，适合人们拿在手上慢慢欣赏品读的好书。

- ◆ 著　　　　　吴　军
  责任编辑　俞　彬
  审稿编辑　李琳骁
  版式编辑　胡文佳
  策划编辑　周　筠
  责任印制　焦志炜

- ◆ 人民邮电出版社出版发行　北京市丰台区成寿寺路 11 号
  邮编　100164　电子邮件　315@ptpress.com.cn
  网址　http://www.ptpress.com.cn
  北京瑞禾彩色印刷有限公司印刷

- ◆ 开本：720×960　1/16
  印张：20
  字数：271 千字　　　　　　2014 年 7 月第 1 版
  印数：1 - 20 000 册　　　　2014 年 7 月北京第 1 次印刷

定价：59.00 元
读者服务热线：(010)81055410　印装质量热线：(010)81055316
反盗版热线：(010)81055315